GILLES LEGARDINIER

Écrivain, scénariste, producteur et réalisateur, Gilles Legardinier s'est toujours attaché à faire naître des émotions qui se partagent. Après avoir travaillé sur les plateaux de cinéma américains et anglais, notamment comme pyrotechnicien, il a réalisé des films publicitaires, des bandes-annonces et des documentaires sur plusieurs films internationaux. Il se consacre aujourd'hui à la communication de films pour de grands studios américains et européens, ainsi qu'aux scénarios et à l'écriture de ses romans.
Alternant des genres très variés avec un même talent, il s'est entre autres illustré dans le thriller avec *L'Exil des Anges* (prix SNCF du polar 2010) et *Nous étions les hommes* (2011), mais aussi plus récemment dans la comédie, qui lui a valu un succès international avec *Demain j'arrête !* (2011), *Complètement cramé !* (2012), *Et soudain tout change* (2013) et *Ça peut pas rater !* (2014) – tous parus chez Fleuve Éditions.

Retrouvez toute l'actualité de l'auteur sur :
www.gilles-legardinier.com

D0974719

ET SOUDAIN
TOUT CHANGE

DU MÊME AUTEUR
CHEZ POCKET

L'EXIL DES ANGES
NOUS ÉTIONS LES HOMMES

DEMAIN J'ARRÊTE !
COMPLÈTEMENT CRAMÉ !
ET SOUDAIN TOUT CHANGE

ÉGALEMENT DISPONIBLE CHEZ
FLEUVE ÉDITIONS

ÇA PEUT PAS RATER !

GILLES LEGARDINIER

ET SOUDAIN TOUT CHANGE

Pocket, une marque d'Univers Poche,
est un éditeur qui s'engage pour la préservation
de son environnement et qui utilise du papier fabriqué
à partir de bois provenant de forêts gérées
de manière responsable.

Le Code de la propriété intellectuelle n'autorisant, aux termes de l'article L. 122-5, 2° et 3° a, d'une part, que les « copies ou reproductions strictement réservées à l'usage privé du copiste et non destinées à une utilisation collective » et, d'autre part, que les analyses et les courtes citations dans un but d'exemple et d'illustration, « toute représentation ou reproduction intégrale ou partielle faite sans le consentement de l'auteur ou de ses ayants droit ou ayants cause est illicite » (art. L. 122-4).
Cette représentation ou reproduction, par quelque procédé que ce soit, constituerait donc une contrefaçon, sanctionnée par les articles L. 335-2 et suivants du Code de la propriété intellectuelle.

© 2014, Fleuve Éditions, département d'Univers Poche
ISBN : 978-2-266-25849-4

1

Il fait déjà nuit, un peu froid. Après la fin des cours, nous avons quitté le lycée aussi vite que possible. La perspective d'avoir à traverser la moitié de la ville par ce temps hivernal ne réjouit personne, mais nous sommes tous décidés. Il a fallu ruser pour obtenir l'adresse.

Une brume humide flotte sur les rues désertes. Sur le bitume, les réverbères projettent des cercles lumineux que nous traversons les uns après les autres, comme des pions parcourant un plateau de jeu de l'oie. À la dernière case, une petite victoire nous attend peut-être.

Pauline traîne derrière, comme une enfant que l'on emmène contre son gré. C'est pourtant à cause d'elle que nous sommes là, pour l'aider et la soutenir. Seule, elle n'aurait jamais eu le courage d'affronter Mlle Mauretta.

À quelques pas devant, Axel et Léo marchent en discutant de la meilleure façon d'effondrer un pont de chemin de fer. Allez comprendre les garçons… Ils ont déjà avalé au moins deux paquets de gâteaux. Derrière eux, j'avance aux côtés de Marie en essayant de les suivre. Léa n'est pas là, et elle me manque.

Notre petit groupe se connaît depuis des années, pour certains depuis la maternelle. Même si nous n'étions pas toujours dans les mêmes classes, nous ne nous sommes jamais perdus. Cette année – la dernière au lycée –, nous sommes enfin tous réunis. J'en rêvais à chaque rentrée, et c'est arrivé *in extremis*, avant que tout le monde ne prenne des directions différentes. Je savoure cette chance tous les jours. J'aime être au milieu de mes amis. J'aime l'idée d'avoir rendez-vous avec eux, d'avoir des choses à faire ensemble. Je les considère comme ma deuxième famille. Je ne sais pas s'ils éprouvent le même sentiment parce que personne ne parle de ces choses-là, mais moi je sais que je les aime, et que c'est d'abord pour les retrouver que je suis heureuse de partir en cours chaque matin.

Je ne sais plus exactement comment nous avons pris l'habitude de nous sortir de nos galères ensemble. À quel moment avons-nous compris que cela marchait mieux ? Je crois que la première fois, c'était en CM1, lorsque Léa s'est fait voler sa trousse pendant la récréation par une petite brute de 6e. Elle pleurait si douloureusement que j'avais juré d'aller la reprendre par la force s'il le fallait. J'étais tellement furieuse que ni la taille du voleur, ni le fait qu'il soit deux classes au-dessus ne m'impressionnaient. En me voyant partir comme on part à la guerre, Axel, qui était déjà plus grand que nous, m'avait rattrapée.

— Camille, tu n'y vas pas toute seule. Je viens avec toi.

C'était la première fois qu'il m'appelait par mon prénom. C'est drôle, mais quand on est gamin, on ne s'appelle jamais en utilisant les prénoms. On s'en sert uniquement pour désigner ceux qui ne sont pas là. Le reste du temps, on s'interpelle, on se donne des petits surnoms, mais il est rare de se nommer directement. Je me souviens très bien de l'effet que cela avait produit sur moi : ça m'avait donné du courage. Pendant le court trajet jusqu'au terrain de jeu des grands, d'autres ont décidé de nous accompagner. Nous avons fondu sur le 6e comme une nuée de moineaux piaillants. Il n'a pas résisté longtemps. Ce jour-là, j'ai appris une chose essentielle : dans un combat, ce n'est pas le plus fort qui l'emporte, mais le plus convaincu.

Aujourd'hui, plus personne ne nous vole nos trousses, mais nous affrontons d'autres problèmes et nous avons gardé l'habitude de compter les uns sur les autres. Ce soir, notre souci, c'est Mlle Mauretta. Elle enseigne le dessin à ceux qui ont choisi l'option. Ce n'est pas une simple prof, c'est aussi une célébrité locale qui se la raconte. Elle est mondialement connue dans notre petite ville ! La pauvre s'y croit complètement. Elle nous regarde comme des insectes, certaine d'être une artiste dont le public ignorant ne peut comprendre le génie. Sa spécialité, c'est de peindre des vêtements sur des cintres. Ça ne vous allume pas des étoiles dans les yeux ? Je vous rassure, à moi non plus. Elle en a peint des dizaines. Des robes, des jupes, et même des soutiens-gorge, qu'elle a offerts à la ville. Sympa, le cadeau. Elle explique à qui veut l'entendre que sa source d'inspiration, c'est son placard. Rien que le concept, c'est déjà du rêve… Sa vieille penderie pourrie comme muse. Pendant ses expos – que toutes les classes sont obligées d'aller se coltiner –, elle prend un air pénétré pour nous révéler la signification profonde de son œuvre : « une invitation à se glisser dans la peau et dans les habits d'un autre. Chaque toile est une reconstruction de la configuration que l'on se fait de soi-même… » Ben voyons. Elle devrait prendre ses gouttes. Qui a envie d'une « reconstruction » dans des fringues que n'importe quel musée classerait au rayon des antiquités égyptiennes ? Je me demande ce que ça donnerait sur Benjamin, notre play-boy au regard de braise…

On arrive enfin dans sa rue. L'heure du face-à-face approche. Nous devons absolument récupérer le dossier d'inscription de Pauline parce que sinon, elle ne pourra pas l'envoyer à temps pour tenter le concours de son école d'arts graphiques. Pauline a cru que demander une lettre de parrainage à une artiste locale pouvait donner du poids à sa candidature, mais loin de l'aider, Mlle Mauretta s'est surtout acharnée à tout saboter, au point de risquer de lui planter son orientation. Pourtant, Pauline, elle, a du talent. Je l'ai toujours vue dessiner, et ce qu'elle fait me touche. Quand on était petites, elle a commencé par des fleurs, puis elle a eu sa période « oiseaux » avant d'enchaîner avec les « oiseaux dans les jardins fleuris ». Elle en a fait des centaines, pour décorer la classe, les affiches des spectacles de fin d'année, sur nos agendas et même sur le front de Baptiste. C'était mignon. Ensuite, elle a commencé à dessiner les gens, puis à les mettre en situation dans des décors. Et là, on a tous été bluffés. Elle arrive à restituer des expressions saisies d'un trait associées à un sens de la lumière qui me fascine. On a tous des dessins d'elle chez nous, non pas parce que c'est une copine, mais parce qu'ils sont beaux. Elle ne finira sans doute jamais dans les musées puisqu'elle ne fait partie d'aucun sérail, mais elle est dans nos cœurs et nos vies parce que ce qu'elle fait nous ouvre des portes dans la tête. Ce n'est pas ça, l'art ? Du coup, imaginer qu'elle puisse louper sa chance d'intégrer son école à cause d'une pseudo-artiste sûrement jalouse qui bloque son dossier me rend malade. C'est la raison de notre petite expédition de ce soir.

Mlle Mauretta vit à l'écart du centre-ville. L'ironie du sort veut qu'elle habite impasse Auguste-Renoir… Je me demande ce que ce grand peintre aurait pensé de la vieille jupe moisie barbouillée en biais qui constituait la pièce maîtresse de la rétrospective organisée par la municipalité à la dernière rentrée. C'est marrant, chaque ville a besoin de se dire qu'elle abrite des artistes, même quand ce n'est pas vrai. Alors on monte en épingle ce qui y ressemble le plus… Mme Pelletier, mon instit de CP, disait toujours qu'il vaut mieux ne rien avoir qu'avoir un truc moche.

Droit devant, au fond de l'impasse, se dresse une demeure aux toits biscornus qui se découpent dans la nuit. Tout le monde l'a remarquée. La maison ne doit pas être grande, mais avec sa forme bizarre, on dirait un manoir de film d'horreur. Léo plaisante :

— Avec notre chance, c'est sa baraque. Bienvenue chez Frankenstein…

— Elle habite au n° 13…, précise Marie avec une voix d'outre-tombe.

Je me tourne vers Pauline.

— Ça va être à toi de jouer. Tu es prête ?

— Elle va encore me baratiner qu'elle a besoin de temps…

— Ne lui laisse pas le choix. On ne repart pas sans ton dossier.

— Et si elle refuse ?

— Tu veux la faire cette école, oui ou non ?

— J'en rêve.

— Tant mieux, parce que c'est pour ça qu'on est là. C'est pas le moment de te dégonfler.

Pauline a l'air d'être au fond du trou, et on est au fond de l'impasse. Léo désigne la plaque émaillée marquée « 13 ». Il lève les bras bien haut en faisant le zombie :

— Elle va vous bouffer, et avec votre sang elle peindra des culottes !

— Pas de sonnette, constate Axel.

— Elle ne veut pas être dérangée par ses nombreux admirateurs pendant qu'elle crée ses chefs-d'œuvre..., ironise Léo.

Axel désigne l'étiquette de la boîte aux lettres :

— « J. Mauretta et Jean-Marc ». Je croyais qu'elle vivait seule...

— Comme quoi tout le monde a sa chance, note Marie.

À travers la grille, dans l'obscurité cotonneuse, je tente de distinguer le jardin. Je trouve toujours étonnant de découvrir l'endroit où vivent des gens que l'on ne connaît que par leur travail. On passe alors au-delà de l'image publique. On ne les voit plus pareil après. J'aperçois un nain de jardin au coin d'un massif. Je ne sais pas exactement ce que je dois en conclure. J'espère simplement que cette petite horreur joufflue au regard vaguement pervers n'est pas sa prochaine source d'inspiration.

Pas la moindre lumière dans la maison. Paradoxalement, Pauline semble soulagée.

— Vous voyez, elle n'est pas là. Merci quand même de m'avoir accompagnée. Et maintenant, rentrons chez nous, on a un DST à bosser.

Léo sort une lampe de son blouson et ouvre la grille. Je proteste :

— Tu es malade ! On va se faire tirer dessus comme des voleurs ! Ressors tout de suite !

Axel intervient :

— C'est trop bête d'être venus pour rien. Si on avait son numéro de téléphone, on pourrait essayer d'appeler, mais là… Il faut au moins aller frapper à la porte.

Je grogne :

— Léo, reviens !

— Cool, Camille, me fait-il, détends-toi, juste un petit tour pour voir…

Il a déjà disparu dans la nuit. Pour bien comprendre Léo, il faut savoir qu'il se prend pour un espion au service de Sa Gracieuse Majesté. Depuis qu'il est gamin, il en a les gestes, le regard, le flegme et l'outillage. Il ne sort jamais sans son couteau, sa lampe et différents bidules qui doivent certainement servir à effondrer les ponts de chemin de fer. Avec les années, il est complètement entré dans son personnage. Résultat, aujourd'hui, même lorsqu'il s'appuie sur l'embrasure d'une porte ou marche dans un couloir, il ressemble à une affiche de film.

Tout le monde reste à la grille en scrutant la nuit. De temps en temps, on aperçoit le faisceau de la lampe qui danse.

— Je le sens pas bien, gémit Pauline. Si elle nous trouve, elle sera furieuse. Elle va déchirer mon dossier et, pour le coup, ce sera vraiment foutu.

Je lui frictionne l'épaule pour la réconforter.

— Ce n'est pas le moment de paniquer. Léo va revenir. Et comme nous avons de la chance, Mauretta arrivera pile à ce moment-là ! On lui demandera poliment de nous rendre tes papiers, elle nous les donnera en te souhaitant bonne chance et tout finira bien !

Un léger craquement venu du jardin attire notre attention. C'est Léo qui glisse furtivement d'un bosquet à l'autre. Il revient à la grille.

— Personne. Par contre, je crois que j'ai vu le dossier sur sa table de cuisine…

— Quoi ? s'exclame Marie. C'est pas possible… Quel manque de bol !

— Je n'en suis pas sûr à 100 %, mais ça y ressemble. Techniquement, il n'y a pas d'alarme et la fenêtre de la salle de bains est entrebâillée. Il y a des barreaux mais toi, Camille, tu pourrais passer…

Je m'étrangle :

— Aller cambrioler cette vieille folle ? Hors de question. Jamais ! Tu es un vrai dingue.

Axel interroge Léo :

— Tu es certain que c'est sans risque ?

— Si je pouvais me faufiler, j'irais moi-même…

Tous les regards sont braqués sur moi. Même Pauline, qui jusque-là n'avait regardé que ses pieds, me fixe.

— Vous vous rendez compte de ce que vous me demandez ?

— C'est l'affaire de quelques minutes. Ni vu ni connu. On n'aura même plus à argumenter avec elle, et tu sauves Pauline.

Marie est de ma taille, je suis certaine que si je passe, elle passe aussi. Mais si je le fais remarquer, tout le monde va dire que je me débarrasse du problème. Or j'ai du mal à me débarrasser des problèmes. Je dirais même que c'est mon problème. Je prends tout à cœur, je me sens toujours concernée. Trop. Je suis certaine que c'est pour cela que c'est à moi qu'ils demandent de se jeter dans leur plan foireux. Faux frères ! Traîtres ! Abuseurs de mauvaise conscience ! Regardez-les tous... Pour un peu, Pauline, avec son regard de chiot orphelin, serait prête à faire trembler son menton pour m'apitoyer davantage et me précipiter encore plus vite dans ce traquenard...

— Et si elle arrive pendant que je suis chez elle ?

— On la retient ! répond Marie du tac au tac.

— On trouvera n'importe quoi, renchérit Axel. Je lui parlerai de ses tableaux. Je lui raconterai que je suis venu lui en acheter un parce que je suis fan !

— Vous êtes des grands malades.

Léo me désigne le chemin :

— Allez, viens, tu n'as qu'à te dire que c'est une mission qui peut sauver le monde...

Dans le noir, à travers le jardin, je m'efforce de suivre Léo. Il se déplace comme un félin. Je me prends les pieds dans chaque arbuste alors que lui semble surfer dessus. Ses mouvements sont incroyablement maîtrisés. Je ne l'avais jamais vu comme ça. Il a vraiment de l'allure. Pas de doute, il est dans son élément. Il longe les murs de la maison. Tout à coup, il s'immobilise au ras d'une fenêtre à petits carreaux et me fait signe de le rejoindre. Il allume sa lampe en limitant la largeur du faisceau entre ses doigts et me désigne l'intérieur :

— Là, tu le vois ? Sur la table, avec les revues...

Ça ne m'arrange pas mais je crois qu'il a raison. Le document ressemble bougrement à un dossier de candidature. Léo reprend sa progression et s'arrête à nouveau plus loin, sous une petite fenêtre. Il se colle dos au mur.

— Je te fais la courte échelle. Prends ma lampe. N'éclaire pas en direction des fenêtres, tu risquerais de te faire repérer de l'extérieur. Et puis enlève tes chaussures pour ne pas laisser de traces.

Il joint ses mains et me fait signe d'escalader. Qu'est-ce qu'on fait là ? Je devrais réviser mes maths, jouer avec mon chat et mon chien, surveiller mon petit frère et envoyer un texto à Léa pour savoir si ses vertiges et ses nausées se sont calmés. En plus, ce soir, c'est à mon tour de préparer le repas à la maison.

Je place mon pied en chaussette au creux de ses mains et Léo me soulève. Je me hisse et je repousse doucement le battant de la fenêtre. Accroupie sur le rebord, j'allume la lampe et j'inspecte la pièce. C'est bien la salle de bains. Surtout ne pas réfléchir, surtout ne pas prendre de recul. La mission, seulement la mission. Non mais je rêve, ou Léo m'a poussée sur les fesses ?

J'arrive à descendre sans rien renverser de la petite étagère que j'enjambe. C'est certain, je devrais faire plus de sport. C'est super glauque de me retrouver là. Au-dessus du lavabo, je vois tous les produits de beauté de Mlle Mauretta. Flacons, tubes et pots recouvrent aussi tout un meuble blanc. Je sais désormais que sur sa figure comme sur ses toiles, elle met trop de peinture. Accroché à la porte, un vieux peignoir informe pend tristement. Le bout des manches est effiloché. Certainement un prochain sommet de l'art pictural de notre siècle…

Je m'engage dans le couloir pour remonter vers la cuisine. J'ai l'impression d'être une voleuse. Mon cœur bat à cent à l'heure. Il y a des tableaux sur les murs. Pas les siens. Finalement, elle a peut-être du goût. Je découvre quelques photos aussi. Elle devant les pyramides, elle devant le pont de Londres. J'en aperçois une où elle sourit de toutes ses dents devant un gâteau couvert de bougies. Il y en a trop pour les compter, et quel sourire, c'est horrible ! Elle fait penser au clown cannibale du film d'épouvante que j'ai vu l'autre fois. À présent, j'en suis certaine : je suis dans l'antre du démon. La cave doit être remplie d'enfants à demi dévorés. Il n'y a pas d'adultes parce qu'elle les met au grenier, en lanières. Je tombe sur un cliché d'elle faisant de la balançoire. Jamais je n'aurais imaginé qu'elle ait pu faire de la balançoire un jour. Ramsès II au jardin d'enfants. Je fouine pour voir si je ne trouve pas une photo d'elle avec un homme. J'ai bien envie de savoir à quoi ressemble ce mystérieux Jean-Marc. Pour une fois, ce serait moi qui pourrais ramener des ragots au lycée !

J'arrive dans la cuisine. Soudain, par la fenêtre, j'aperçois deux yeux qui me fixent dans la nuit. J'étouffe un cri, un frisson de terreur dévale ma colonne vertébrale. Si j'avais été cardiaque, mon histoire se serait arrêtée là… C'est ce crapaud de Léo qui me surveille. Il désigne la table et en plus, il a le culot de me faire signe de me dépêcher. Je bougonne mais j'y vais.

Bingo ! C'est bien le dossier de Pauline. Tout à coup, j'entends un bruit derrière moi. Un deuxième tressaillement de peur me traverse, mais moins puissant que le premier. Comme quoi on s'habitue vite. Encore deux ou trois missions comme celle-là et je pourrai moi aussi devenir un agent en infiltration. Je serre le dossier contre moi. Personne ne pourra me l'arracher. La police peut débarquer, Mlle Mauretta peut me menacer, ils peuvent envoyer les hélicos, les tanks et les forces spéciales, jamais je ne le lâcherai.

Je me dirige vers la sortie et là, dans le couloir, ce n'est pas un bruit que j'entends, mais un grognement. J'éclaire tout au fond, et je le vois.

— Jean-Marc ?

Il est petit, à poil court. Un affreux ratier blanc avec des taches noires. Et des dents plein la bouche. Il doit avoir le même sourire que sa maîtresse, mais là, il ne sourit pas… Ses yeux brillent dans la lumière. C'est flippant. Ça y est, je l'ai, mon film d'horreur. Je démissionne des forces spéciales. Je vais me faire pipi dessus. La porte de la salle de bains est située quelques mètres avant le molosse nain. Avec un peu de chance, je peux le prendre de vitesse. Risqué, mais jouable. J'essaie de lui parler pour l'amadouer :

— Tout doux, Jean-Marc…

Il lève une oreille sans pour autant arrêter de grogner. Pas de doute, c'est son petit nom.

— Gentil, le chien. Tu as bien de la chance, parce que je ne sais pas si tu reçois beaucoup de courrier, mais ton nom est sur la boîte aux lettres…

Soudain, je me lance. Lui aussi. En trois enjambées, je suis à la porte de la salle de bains, mais avec mes chaussettes, je dérape.

Je ne vais pas vous mentir. Ça ne s'est pas exactement passé comme dans un grand film d'action. Ma scène va certainement finir dans les séquences coupées, ou pire, dans le bêtisier. J'ai réussi à monter sur le rebord de la fenêtre, avec le dossier pouvant sauver le monde dans les bras. Mais celui qui voulait détruire l'univers n'en avait pas fini avec moi. Jean-Marc a dû battre son record de saut en hauteur. Au moment où il a planté toutes ses petites dents dans ma fesse gauche, j'ai cru que je vivais le pire moment de ma vie.

J'avais tort. En fait, c'était même ma dernière soirée calme avant bien longtemps. Parce qu'à partir de là, en quelques mois, du pire au meilleur, j'en ai vécu bien plus que tout ce que je pensais vivre dans la totalité de mon existence.

Je n'ai jamais écrit de journal intime, sans doute parce que les choses que je fais pour moi-même ne m'intéressent pas trop. Alors cette histoire, je veux la partager avec vous. Vous savez, j'ai toujours cru qu'il existait un âge pour conjuguer les verbes : marcher, grandir, aimer, perdre, souffrir, mentir, baisser les yeux, apprendre, se battre, avouer, espérer, partir ou laisser partir. Maintenant, je sais que c'est faux. Il n'y a pas d'âge pour conjuguer les verbes, il faut juste les circonstances.

2

Certains viennent au lycée à pied ou en vélo, en bus ou en scooter. Les plus riches y sont conduits en voiture. Pour Léa et moi, la seule chose qui compte, c'est qu'on y aille ensemble. Depuis l'âge de 8 ans, on fait le trajet vers l'école toutes les deux. Plus de la moitié de nos vies à démarrer nos journées côte à côte. Nous n'avons pas tout de suite été amies, mais aussi loin que je m'en souvienne, je l'ai toujours remarquée. Ses longs cheveux châtains, son rire, sa façon surprenante de courir, quelque chose de vivant qui émane d'elle, mais aussi un calme que je n'ai pas. Au fil du temps, nous avons été copines, amies, très proches, et le fait est qu'aujourd'hui, nous sommes comme des sœurs. C'est chez elle que j'ai passé mes premières vacances sans mes parents. C'est à elle que j'ai envoyé mon premier texto. Nous avons partagé pas mal de premières fois, et c'est elle qui m'a consolée des peines dont je n'osais pas parler à maman. À force, nos deux familles se sont d'ailleurs rapprochées aussi, et on passe beaucoup de temps les uns chez les autres. Léa et moi, on se connaît parfaitement. Si on était victimes d'une conspiration et que l'une de nous était remplacée par un sosie, il suffirait de quelques questions dont nous seules connaissons les réponses pour révéler l'imposture. Qu'il s'agisse du nom du premier garçon que j'ai embrassé, des chansons qu'elle chante à tue-tête dans son sous-sol ou de l'endroit où son père cache la clé de son coffre-fort, il n'y a que nous pour savoir et partager. Elle sait ce que j'espère le plus au monde. Nous n'avons aucun secret l'une pour l'autre, sauf sur un point…

Comme elle habite plus près que moi du lycée, chaque matin, je passe la chercher. On a toujours des choses à se dire :

— Tu sembles moins essoufflée. Et tes nausées, ça va mieux ?

— Le docteur m'a prescrit des médicaments encore plus forts, mais il ne comprend pas. Je dois passer d'autres examens. En attendant, je déguste.

— T'es pas enceinte, au moins ?

— Maman m'a posé la même question. Vous êtes folles ! Et puisqu'on parle d'histoires de fesses, comment vont les tiennes ?

— J'ai passé une nuit horrible. Je crois que j'ai la marque de toutes ses dents. Je ne sais pas comment je vais faire pour m'asseoir…

L'arrivée au lycée est toujours un grand moment. J'aime cette effervescence. Tout le monde a rendez-vous. Ça roule, ça bouge, c'est bruyant, ça vit. Les garçons et les filles ont fait attention à bien s'habiller. Je parie que beaucoup ont même dû passer plus de temps à se mettre en valeur qu'à faire leurs devoirs. J'adore l'idée que partout dans la ville, dans chaque maison, dans chaque appartement, chacun se prépare avant de venir. On ne le fait pas forcément avec les mêmes gestes, peut-être pas avec les mêmes méthodes ou le même résultat, mais on le fait tous dans le même but. Tout est pensé. Les cheveux sont coiffés ou décoiffés avec le même sens du détail, les vêtements ajustés, les écharpes tombent là où il faut et les bonnets sont positionnés au millimètre. Certains sentent le parfum. Souvent trop. Tout le monde met son costume avant d'entrer en scène. Chacun choisit son rôle. Séductrice ou vacancier de passage, gros dur ou rock star, aventurier ou bimbo, premier de la classe ou gravure de mode, qui jouera quoi ? Peu importe, ce qui compte, c'est que tout le monde joue. Il y a ceux qui abusent des expressions à la mode comme autant de répliques toutes faites qu'ils casent partout, celles qui se sont maquillées dans des couleurs criardes ou romantiques, qui ont décidé de se protéger la gorge sous un gros pull ou d'ouvrir leur chemisier jusqu'au nombril malgré le froid de janvier. Une nouvelle représentation chaque jour. Face à ce grand show, j'ai plus souvent l'impression d'être spectatrice qu'actrice. Certains ont l'air si sûrs d'eux… Ce n'est pas mon cas. Je n'ai jamais eu confiance en moi. Je me pose tout le temps des questions. Je crois même que ça empire avec les années. Je ne sais pas si je suis jolie. Je ne sais pas ce qu'il faut faire. Je n'ai aucune idée de ce que je vais devenir. Et pire que tout, j'ignore si un jour je vaudrai quelque chose aux yeux de quelqu'un. Si les doutes et les angoisses se vendaient, je serais milliardaire. Beaucoup de gens plus vieux disent qu'être jeune est vraiment formidable. Du coup, je redoute un peu la suite, parce que si ne rien savoir, ne rien pouvoir et flipper pour tout c'est le bonheur, qu'est-ce qui se passe après ? Tout n'est quand même pas si noir, parce que je dois bien admettre que si les espoirs et les envies se vendaient eux aussi, alors je serais là encore super riche. Mais pour le moment, personne ne me remarque. Il n'y a que ceux qui me connaissent qui me parlent. Par contre, si une petite vieille a besoin d'une boîte de conserve sur l'étagère la plus haute du supermarché, si quelqu'un est perdu dans la rue ou si un clodo a faim, vous pouvez être tranquille, c'est pour moi. Je ne cherche pourtant pas à attirer l'attention. Je préfère observer, et secrètement, en me comparant, j'essaie aussi de découvrir qui je suis. Je ne suis pas de celles qui savent, mais je pense être de celles qui sont prêtes à apprendre.

Les trois premiers boutons de mon chemisier sont ouverts sous un pull à col en V. Je n'aime pas trop me maquiller. Ma tante Margot dit un truc que je trouve malin : « Plus on en met, plus y a des chances que ça s'écroule. » Et il est vrai que le soir, quand tout le monde repart du lycée, les tenues ne sont plus aussi soignées. Les chemises sortent des pantalons, les coiffures sont désordonnées. La journée est passée par là. C'est vrai pour tout le monde, sauf pour Vanessa. Elle, c'est une star. Je la connais depuis plusieurs années et je ne l'ai jamais prise en défaut. Du matin au soir, on dirait qu'elle est sur un podium de défilé de mode. Vêtements top, coiffure parfaite, maquillage pro, et toujours le sourire qui va bien, le geste qui fait classe. Pas une mèche de travers, pas un ongle mal verni. Un authentique top model. Même quand elle est assise, on a l'impression qu'elle court dans une publicité pour les shampoings avec ses beaux cheveux blonds qui ondulent. Malheureusement, elle n'est pas aussi douée pour les études que pour se faire belle. Elle a aussi un sacré problème avec les garçons, qui bavent tous devant elle. Mais en tant que fille, n'étant pour elle ni une rivale ni une critique, on s'entend plutôt bien.

Ça va bientôt sonner mais, pour le moment, tout le monde s'engouffre dans le grand hall. Chacun s'embrasse, s'appelle, rigole et se retrouve. Dans quelques instants, au signal sonore, cette masse grouillante va se répandre dans les couloirs, les escaliers, les étages et à peine trois minutes plus tard, il n'y aura plus personne, à part quelques retardataires. Après le tumulte, plus de bruit hormis le son étouffé des voix dans les classes, derrière les portes fermées.

Ce matin, on commence par une heure de philo avec Mme Gerfion. Pas facile comme nom. Ma mère dit que l'on ne doit pas se moquer et qu'elle n'y est pour rien, mais quand même… Pourtant, ce n'est pas son nom le pire, c'est sa tête. Ce n'est pas qu'elle soit moche, mais je parie qu'elle se prépare sans même se regarder dans une glace. C'est peut-être un vampire. Cela expliquerait qu'elle soit incapable de se voir dans un miroir. C'est sans doute pour cela que, régulièrement, ses boutons de gilet sont décalés. Ce matin, je pense qu'elle s'est en plus maquillée dans un train qui déraillait. Pour venir, elle est passée par la Cordillère des Andes, et la voie s'est effondrée parce que Léo et Axel ont fait sauter un pont. Seule rescapée : Mme Gerfion et sa tête d'épouvantail. « Trop pas de chance, lol ! » comme dirait Lana. En tout cas, je ne vois qu'une catastrophe pour justifier son apparence, parce que c'est un genre de record. Ou alors elle a croisé Zorro qui lui a fait un Z sur la tronche parce qu'elle a donné ses biscuits diététiques à des petits Mexicains affamés. Dans la classe, tout le monde rigole en douce. Je suis à deux doigts de la prévenir qu'elle a un problème, mais je n'ose pas. Pourtant, à sa place, j'aimerais bien que quelqu'un me dise que je ressemble à un panneau de risque de verglas néo-zélandais.

Les derniers ne sont même pas assis qu'elle commence déjà son cours. Elle nous parle de Descartes et de Spinoza, du libre arbitre et du déterminisme – autant de notions qui trouvent un écho puissant en chacun de nous à 8 h 37 du matin. Il y a celles qui prennent des tonnes de notes sans comprendre un mot, ceux qui finissent leurs maths pour le cours d'après, ceux qui regardent par la fenêtre alors que le jour se lève, mais la majorité est focalisée sur un tract flashy que l'on nous a distribué à l'entrée au sujet de la fête pour l'anniversaire de l'établissement.

Je suis à côté de Léa. À trois tables devant, Axel dépasse. Léo est proche de la porte, prêt à bondir à couvert si l'immeuble subissait une attaque au lance-roquettes. Marie est juste devant le bureau de la prof, avec Pauline qui a retrouvé le sourire.

Au rang devant le mien, Mélissa fixe le tract. Le lycée va fêter ses cinquante ans. Un demi-siècle. Même mes parents n'étaient pas nés. Par contre, je crois que certains profs étaient déjà là à l'ouverture. La purée qu'ils nous servent à la cantine aussi. Le tract annonce une « grande fête » avec un spectacle musical joué par des enseignants et des élèves, des anciens qui viendront parler de ce qu'ils sont devenus et une boum géante. J'en frémis d'avance. Ce que sont devenus les anciens élèves ? C'est bien de savoir qu'ils ont survécu, mais franchement… Je ne sais pas à quoi va ressembler ce « grand événement incontournable » mais l'idée de mélanger les profs et les élèves pour une fiesta m'interpelle…

Mélissa a dessiné un cœur sur son tract. Elle dessine des cœurs partout. Sur les cahiers de textes des garçons, sur les sacs, sur les tables. Elle en est gonflante. D'habitude, Mme Gerfion ne s'en rend pas compte, mais comme le tract est fluo, c'est plus facilement repérable. J'alerte Mélissa et je me redresse. Mme Gerfion reprend sa tirade :

— Quand le temps de l'argument n'est pas celui de l'esprit, c'est l'intérêt qui prévaut, et l'action qui en découle ne peut être que pervertie. C'est essentiel pour comprendre ce courant philosophique.

C'est exactement ce que je me dis tous les mardis quand je sors les poubelles.

3

Pendant la récréation du matin, le grand hall est bondé. Le doux parfum de la cantine flotte déjà dans l'air. Quoi qu'ils préparent, ça sent toujours la même chose. Les sacs s'empilent le long des murs. Pour les récupérer, c'est à chaque fois la galère pour ceux qui ont le dernier modèle à la mode parce qu'ils ont tous le même. Qu'est-ce qu'il ne faut pas faire pour être au top… Moi je n'ai pas ce problème, les parents ne m'ont jamais laissée jouer à ça. Au début, je leur en ai voulu, mais j'ai vite constaté que c'est plus un avantage qu'un inconvénient. À toujours vouloir ressembler aux autres pour se sentir intégré, on finit par sacrifier beaucoup trop de soi.

Chaque groupe d'élèves a plus ou moins l'habitude de se retrouver au même endroit. Il existe une sorte de règle non dite mais identifiée et acceptée par tous, qui veut que les plus anciens aient une priorité de choix pour le lieu. Il y a deux ans, on était près des toilettes et des portes de sortie vers la cour, en plein courant d'air. L'année dernière, on se trouvait quelque part au milieu, dans la masse, plus tout à fait débutants mais pas encore experts. Cette année, on squatte devant les fenêtres, dans un angle avec des radiateurs, pas très loin du stand de viennoiseries et du couloir d'accès à notre bâtiment. Quelle belle réussite ! Quel remarquable parcours avons-nous accompli, de la porte des W.-C. au radiateur…

Par les baies vitrées, je vois notre cour, quasiment vide. Au-delà du grillage, j'aperçois celle du collège voisin, grouillante. Les garçons jouent au foot ou se courent après. Quelques filles s'amusent avec eux, mais elles ne sont pas nombreuses. Les plus âgées sont en petit groupe, en train de discuter de mode ou de mecs, d'émissions qui parlent de mode ou de mecs, ou du meilleur moyen d'être à la mode pour attirer les mecs. Je caricature à peine. Tous ont l'air si jeunes… J'ai du mal à réaliser que voilà seulement trois ans, nous étions comme eux. J'ai l'impression qu'ils s'amusent davantage que nous. De notre côté, à part les fumeurs qui se planquent dans les recoins, plus personne ne sort dans la cour. Par moments, je regrette le temps où j'étais parmi les plus jeunes, de l'autre côté du grillage. Qu'est-ce qu'on a gagné en grandissant ? Qu'avons-nous perdu ? De plus en plus de choses à faire, d'obligations, pour une liberté souvent illusoire. Pourquoi change-t-on autant en si peu d'années ? Quelle est la différence entre grandir et vieillir ? Est-il normal de se poser dix mille questions tous les jours à notre âge ? Pourquoi personne ne nous parle de ça ?

Face à moi, Sabrina se remet de la crème sur les mains, comme elle le fait toutes les quarante-huit minutes exactement. Elle procède avec des gestes aussi mignons que rapides, comme une loutre qui se lustre les poils des pattes. Derrière, les garçons de notre classe s'empiffrent de pains au chocolat en essayant d'enfiler de force un gant de chimie en latex sur la tête de Romain, qui se débat en rigolant. Juste à côté, dans un saisissant contraste, Maeva fait une tête d'enterrement. À tous les coups, elle s'est encore fait larguer. Mais ne comptez pas sur moi pour aller lui demander ce qui ne va pas. Je me suis déjà fait avoir l'année dernière. Vous êtes émue par sa mine de koala dépressif, alors gentiment, vous la questionnez sur la cause de sa peine et là, c'est l'explosion, la déferlante. Vous êtes piégée. Elle pleure, elle se lamente sur elle-même, elle vous déverse son dégoût de la vie jusqu'à vous noyer. C'est impressionnant. Elle est capable de déprimer un clown shooté au gaz hilarant. Je crois qu'elle pourrait faire pleurer un caillou. Mais il y a plus grave : puisque vous l'écoutez, elle vous considère soudain comme sa meilleure amie. Et là, c'est le début des vrais ennuis : même à travers la porte des toilettes, elle vous explique que sa vie est un naufrage amoureux, que l'abominable garçon sans cœur n'est qu'une ordure à qui elle va aller griffer les yeux. À chaque intercours, elle vous démontre que tous les mecs sont des monstres… Jusqu'à la semaine d'après où elle en aura un nouveau en ligne de mire. Et c'est reparti pour un tour jusqu'au prochain drame… Durée moyenne du cycle complet « séduction/amour fou/haine farouche/déprime/nouvel essai » : trois semaines. Et vous, il vous faut deux semaines pour digérer son aigreur. Alors cette fois, pas question que je m'en mêle. Même si mon instinct me pousse à réconforter ceux qui ne vont pas bien, je ne vais pas retomber dans le même panneau. Et là, tout à coup, regardez qui approche : Lucie. Sauve-toi, pauvre petite créature ! Tout de suite ! Ne prends pas le train pour la Cordillère, la ligne est effondrée… Mes ondes cérébrales ont beau émettre à fond, Lucie ne capte rien, et devinez ce qu'elle fait ? Elle demande à Maeva ce qui ne va pas. Trop tard ! La malédiction de l'éternelle larguée vient de s'abattre sur l'innocente jeune fille qui voulait juste lui témoigner de la compassion. Pauvre Lucie, t'es foutue. Maeva va te pourrir ton déjeuner, elle va te blinder ton téléphone de textos larmoyants, mais rassure-toi, dans quatre jours, quand elle t'aura ruiné le moral et dégoûtée de l'amour, elle te libérera de son infâme sortilège et ne te calculera même plus.

C'est pas tout ça, mais dans un quart d'heure, on a interro de maths. Personne n'est prêt parce qu'on avait aussi un gros TP de physique à rendre. Tibor dit qu'il a la solution et qu'il ne faut pas s'inquiéter. Il est formel, le contrôle n'aura pas lieu grâce à son plan infaillible. Quand Tibor dit qu'il ne faut pas s'inquiéter, il faut s'inquiéter. Tibor est un garçon à part. J'ignore de quelle origine provient son prénom, d'ailleurs, on se demande tous d'où vient Tibor. C'est un génie en maths et en physique mais, pour le reste, il est un peu autiste. Sa plus mauvaise note en mathématiques, c'est un 18. Et il a pleuré. Spécial, je vous dis. Si j'avais dû pleurer chaque fois que j'ai eu moins de 18 sur 20, je serais en soins intensifs, complètement déshydratée, les yeux emportés par le torrent de larmes. Le fait qu'il soit surdoué dans ces deux matières ne l'empêche pas du tout d'être gentil, au contraire. Malgré cela, aucune de nous n'a jamais eu le courage de le choisir comme petit ami car lorsqu'une idée débile lui traverse l'esprit, vous avez intérêt à courir vous mettre à l'abri. On était déjà en classe ensemble l'année dernière. Comment l'oublier ? La première fois, en labo de chimie, il avait électrocuté son voisin parce qu'il ne le trouvait pas assez réveillé. La deuxième fois, il avait marqué « question stupide » à côté d'un problème posé par la prof de maths en contrôle. Elle lui avait retiré des points pour insolence. Il avait trouvé ça injuste parce qu'il maintenait que c'était vraiment – je cite – « une question de gros bouffon » et il avait menacé de se jeter dans le vide si elle continuait à refuser de l'admettre. Elle s'est drapée dans sa dignité et n'a pas voulu en démordre. Il est aussitôt monté debout sur sa table et s'est effectivement jeté la tête la première en hurlant : « Vous aurez ma mort sur la conscience ! » Le bruit du choc nous a tous tétanisés. Ça a fait un vieux « poc ». Puis Tibor, replié sur lui-même d'une façon que personne ne pensait possible, a émis un bruit ridicule de jouet pour chien et on a appelé les pompiers. Toute l'année n'a été ensuite qu'un festival d'actes insensés surgis de l'esprit délirant de Tibor. Cette année, il ne s'est pas vraiment calmé. Au premier trimestre, il s'est déjà mis le feu aux cheveux pour protester contre le gâchis de nourriture à la cantine. Je ne vous raconte pas comme il était déçu après. Son coup d'éclat a produit l'effet inverse. Imaginez un type hurlant qui traverse le réfectoire avec la tête en feu. Forcément, ça vous coupe l'appétit. Du coup, vous ne mangez plus rien et vous en jetez deux fois plus.

Quand on s'est installés en salle de maths pour le contrôle, Tibor n'était pas là, et je n'étais pas la seule à me demander ce qu'il mijotait.

— Quelqu'un a vu mon imper ? a demandé Axel.

Ceux qui, dans le brouhaha ambiant, ont entendu la question ont secoué la tête négativement.

Mme Serben, la prof, sort les sujets de son sac. Je ne vois pas bien ce qui pourrait nous éviter le contrôle, d'autant que l'établissement ne prend plus en compte les alertes à la bombe parce qu'on en a eu jusqu'à trois par jour… Léo a vu Tibor juste avant de monter, et ses derniers mots ont été : « Je vais vous sauver. »

J'ai peur. Les garçons attendent le feu d'artifice avec impatience, Mélissa dessine des cœurs, Maeva pleure toujours sur son sort, Sabrina se remet de la crème sur les mains et la prof distribue les feuilles. Au premier coup d'œil, ça a l'air coton.

Tout à coup, la porte s'ouvre brutalement. Un homme apparaît. Il porte un turban qui lui cache le visage, fait avec une écharpe rose et jaune, et un imperméable trop grand dans les poches duquel il semble pointer deux armes.

— C'est une prise d'otages !

L'accent pseudo sud-américain est pathétique. Un mélange de stupeur et de joie incrédule se répand dans la classe. Il reprend :

— J'exige la libération immédiate de tous les prisonniers politiques du monde, et j'exige aussi que vous reportiez cette interro, disons à jeudi prochain. Sinon, je tue une fille ! Tiens, celle-là, avec les gros nénés.

Il désigne Clara qui, du coup, se regarde la poitrine, contente. Pas facile d'être un preneur d'otages crédible en étant camouflé dans une écharpe rose et jaune. Ça fait plus gay pride que héros libérateur. Évidemment, cette quiche d'Inès a quand même pris ça au premier degré et s'est à moitié évanouie. Mme Serben sourit et répond :

— Lanski, vous faites perdre du temps à vos camarades. Retirez-moi ce déguisement ridicule et dépêchez-vous de vous installer.

— Mais madame, je suis un combattant de la liberté !

— Tibor, ne m'obligez pas à hausser la voix. Vous avez du travail. Si vous continuez, je vous retire cinq points.

Si elle fait ça, il aura 15. C'est sûr, il va s'immoler près de la cuve à fioul et tout le bahut partira en fumée.

4

Il y a quelque temps, il s'est passé un truc bizarre à la maison. Le soir, en général, quand je rentre, je trouve mon jeune frère, Lucas, en train de jouer avec notre chien, Zoltan. C'est Lucas qui a choisi ce nom – sûrement pioché dans une de ses BD de super-héros. Avec un nom pareil, on s'attend à ce que ce gentil toutou ait des lasers dans les pattes ou une vision à rayons X, mais ses seuls superpouvoirs révélés à ce jour sont ceux de renverser les poubelles pour les fouiller ou de rester des heures à regarder le frigo en espérant qu'une fée – probablement poilue et avec une truffe – viendra lui ouvrir la porte pour lui permettre d'avaler tout le contenu.

Lucas et lui passent des heures à se poursuivre dans le salon, autour du canapé – *sur* le canapé quand les parents ne sont pas là – et dans l'escalier qui monte aux chambres. Essayez donc de vous concentrer sur une équation du troisième degré avec un garçon qui hurle et un chien qui jappe en vous tournant autour…

Au début, étant donné le comportement et le niveau des réflexions de mon frère, je me suis dit qu'il ne pouvait pas être né de parents humains. Ma mère était certainement allée l'acheter dans une animalerie pour que je puisse grandir avec un jouet vivant à la maison. C'est vrai que, de ce point de vue-là, les premières années ont été extraordinaires : il changeait de couleur quand je le maintenais sous l'eau, il me faisait rire à chaque repas en se loupant la bouche avec sa nourriture, chaque fois qu'il y avait un silence recueilli quelque part, il rotait, et il était incapable de descendre l'escalier sans rouler comme un vieux clochard saoul. Il se coinçait aussi les doigts dans tout ce qui ferme en poussant des cris de fouine castrée. Quel jouet peut en offrir autant, et sans piles ? Depuis, à force de fréquenter d'autres garçons, je me demande parfois si tous les mecs ne viennent pas d'une animalerie… Avec le même talent, Lucas arrive à être super mignon et, la minute d'après, incroyablement énervant. Je dois admettre que mon frère est un remarquable sujet d'étude. Quand je l'observe, il m'aide un peu à comprendre les mecs… Enfin, il m'aide surtout à savoir que ce n'est pas la peine d'essayer de les comprendre. On a beau n'avoir que trois ans d'écart, un monde nous sépare. Par exemple, il mange n'importe quoi, il s'habille n'importe comment et il rigole pour des trucs affligeants. Parfois, les trois se cumulent, et ça donne quelque chose de sidérant : il est devant la télé, à rire comme un débile, en mangeant des demi-plaques de chocolat tartinées de beurre, avec son t-shirt à l'envers. Et comme il a bon cœur, il partage avec le chien et avec le canapé. Mais il n'est pas stupide pour tout. Par exemple, l'autre soir, il a très vite compris que j'avais un problème à la fesse et, au sens propre comme au figuré, il n'a pas arrêté d'appuyer là où ça faisait mal.

En novembre dernier, alors que mon père aidait un voisin à réparer son cabanon de jardin, derrière, coincés entre la clôture et la paroi, ils ont découvert une chatte, probablement sauvage, morte, à côté d'un de ses petits, mort également. Mais un autre chaton était encore vivant. Il était tout maigre et ne miaulait même plus. Roulé en boule, ses pattes repliées, il était blotti contre le corps froid de sa mère. Tout le monde a trouvé ça très triste et chacun a expliqué pourquoi le pauvre avorton, étant donné son état lamentable, n'en avait sans doute plus pour longtemps. Il y a eu ceux qui ont dit que la nature était parfois cruelle mais qu'elle nous dépassait, d'autres qui ont décrété que c'était la faute à pas de chance, et j'ai aussi entendu la voisine d'en face déclarer que Dieu allait le rappeler à lui et qu'il irait au paradis des chats. Quand, une semaine plus tard, sa machine à laver a cramé et qu'elle s'est plainte à tout le quartier, j'aurais dû lui dire que c'était Dieu qui l'avait rappelée et qu'elle irait au paradis des machines à laver… Ils m'ont tous énervée. Moi, ce petit bout de chat m'a bouleversée. Les causes perdues sont ma spécialité. Alors que tout le monde était déjà passé à autre chose, je l'ai pris dans mes mains. Il était tout sale, je sentais ses os fragiles sous sa peau et, dans un miaulement à peine audible, il a ouvert ses petits yeux encore bleutés. Depuis combien de temps était-il là, abandonné à son sort ? J'étais convaincue que l'avoir trouvé était une chance et que nous ne l'avions pas découvert pour le regarder crever. Si Dieu existe, je crois qu'il est plus du genre à orchestrer ce genre de rencontre plutôt qu'à « rappeler » les chats perdus à lui. J'espère qu'il a mieux à faire, sinon on a un vrai problème.

J'ai recueilli le chaton et maman m'a soutenue. J'ai passé tout mon temps libre à lui donner des biberons et à le caresser quand il dormait. Lucas m'a aidée. C'est même la première fois que mon frère et moi faisions vraiment quelque chose ensemble. Il lui donnait des biberons, sous le nez du chien qui essayait de lui lécher sa frimousse. Au bout de quelques jours, j'ai nettoyé le chaton et je lui ai donné un nom. Lucas voulait le baptiser Morpion, mais j'ai réussi à imposer Flocon. Il était tout léger et son poil, une fois propre, s'est révélé clair et vaguement angora. Pendant les semaines qui ont suivi, Flocon a repris des forces. Au bout d'un mois, il ressemblait à n'importe quel chaton. Se souvenait-il de ce qu'il avait vécu lors de ses premiers jours ? En gardait-il une trace inconsciente au plus profond de lui ? Était-ce normal pour lui parce qu'il n'avait rien connu d'autre ? Ce genre de question m'obsède, et j'y songeais en le regardant courir en crabe, faire le gros dos en se prenant pour un tigre ou tester ses griffes sur tout et n'importe quoi. En parlant de se faire les griffes, un soir, Flocon a décidé d'attaquer un joli ballon de baudruche toutes griffes dehors. Le truc lui a explosé à la tête, le tétanisant de peur et le laissant en état de choc. Pour une fois, j'ai dû rire aussi bêtement que Lucas qui, lui, s'est en plus roulé par terre. Flocon apprenait la vie.

C'est un lundi soir qu'il a ronronné pour la première fois. Je m'en souviens très bien. Maman parle souvent de ce que des parents ressentent lorsque leur enfant fait son premier sourire. Eh bien je crois que j'ai mieux compris ce soir-là. Flocon était sur mes genoux, je le caressais et, soudain, il s'est mis à vibrer. Au début, j'ai cru qu'il tremblait, mais non. Le petit ronflement est venu. J'en ai eu les larmes aux yeux de bonheur. Lucas a juste dit :

— Waouh, la vache, j'adorerais savoir péter comme ça !

Le plus terrible, c'est qu'il a aussitôt essayé.

Au fil des semaines, Flocon est devenu bien vivant. Papa a demandé ce que je comptais en faire, mais il savait déjà que j'espérais le garder. Et c'est ainsi que nous nous sommes retrouvés avec un chat. Flocon a commencé à jouer, mais le plus curieux, c'est qu'il s'amusait avec Zoltan… Le chien l'a très vite adopté. Au début, le chaton escaladait le chien pour lui mordiller les oreilles ou le patasser. Un vrai tapis d'éveil. Flocon adorait aussi jouer avec la queue de Zoltan, qui se prêtait de bonne grâce au manège. Et puis tout à coup, le chaton épuisé s'endormait contre son grand copain. Zoltan ne bougeait pas, prenant un soin touchant de la petite boule de poils. Puis le petit a commencé à se faufiler en cavalant sous les chaises, pendant que le gros le poursuivait en les faisant voler. Ils se payaient de sacrées parties ! À Noël, le sapin a plusieurs fois failli dégager à cause d'eux, le jeune se terrant en dessous pendant que le gros balourd tentait l'impossible pour le débusquer. Ils sont devenus inséparables. Maintenant, le soir, le chat s'endort entre les pattes du chien. Zoltan laisse même le félin manger dans sa gamelle, alors qu'il grogne quand c'est Lucas qui essaye – et je vous jure que mon frère tente régulièrement. Le truc étonnant, c'est que le chat grandit avec pour seul modèle le chien. Du coup, Flocon développe certains comportements qui ne sont pas forcément ceux de son espèce… Il miaule comme le chien aboie lorsque quelqu'un sonne, et il a tendance à aller chercher ce qu'on lui jette pour jouer. Voir le petit essayer d'imiter le grand est un spectacle génial. Par moments, on se retrouve avec Lucas à les regarder s'amuser tous les deux. M. Fréteau, un de mes anciens profs de français, dit que la méthode d'éducation la plus puissante, c'est l'exemple. Ce qui se passe à la maison semble lui donner raison. Flocon est en train de prendre des habitudes de chien. Je redoute un peu le résultat… Surtout avec Lucas comme guide spirituel. Je vois Flocon, assis sur son petit derrière, qui se tord la tête pour regarder bien au-dessus de lui son modèle canin. Il est si petit, si mignon aux pieds de l'autre si grand… Flocon ne se demande pas s'ils sont de la même espèce. Ils vivent ensemble, c'est tout. Flocon croit-il qu'il deviendra aussi grand que Zoltan ? Va-t-il lui aussi prendre l'habitude de s'endormir dans le canapé sur le dos, en espérant des grattouilles sur le ventre ? Je me demande. Mme Gerfion ne manquerait certainement pas de nous parler de l'inné et de l'acquis, de ce que nous sommes, de ce qui nous conditionne et de ce que l'on devient. Vaste débat. Dès que le chat commencera à courser le facteur quand il passe le long de la clôture ou à boire l'eau des toilettes, je promets d'y réfléchir. Mais pour le moment, voir ce petit bout de chat vivant et heureux me procure chaque jour assez de bonheur pour trouver ce monde finalement réussi. Dieu serait certainement d'accord avec moi. Et que la machine à laver aille au diable.

5

En sortant de la salle de bains, je perçois tout de suite quelque chose de différent dans la maison, même si je ne réussis pas à définir ce que c'est.

Je dévale l'escalier pour aller prendre mon petit déjeuner. C'est la lumière qui est inhabituelle. En entrant dans la cuisine, ce que je découvre par la fenêtre me fige sur place : le jardin est entièrement blanc. Il a neigé toute la nuit et ça continue. C'est féerique. Le vent fait valser les flocons en majestueuses volutes. La table de la terrasse est recouverte d'une belle couche aux formes rondes. L'allée du garage n'est qu'un grand ruban immaculé, seulement strié par les traces de la voiture de mon père qui est déjà parti au travail.

Dans l'entrée, le chien aboie. La neige l'excite. Tout l'excite. Maman râle parce que Lucas n'a pas pu s'empêcher de sortir en pyjama pour se rouler dans la poudreuse avec Zoltan. Flocon est installé devant la baie vitrée du salon, sa queue bien enroulée autour de lui. Il regarde, les yeux grands ouverts. Ce matin, il ne reconnaît plus son univers. Hier soir, il s'est endormi et tout était comme d'habitude. Il se réveille, et soudain tout change. Que se passe-t-il dans sa petite tête ? Est-il inquiet ou curieux ? Je pense qu'il voudrait bien aller s'aventurer, mais il sent le froid et n'ose pas. Je le comprends tellement.

Les routes sont glissantes et je vais devoir aller au lycée à pied. Ce n'est pas grave. Au maximum, je vais mettre dix minutes de plus. Je suis même contente parce que la ville doit être jolie sous la neige. Tout semble nouveau, pur, harmonieux et doux. On a l'impression d'être ailleurs.

Mon écharpe remontée sur le nez, je quitte la maison. Sur le seuil, je tends la paume et je regarde les flocons de neige se poser sur ma main. Si l'un d'eux atterrit exactement au milieu, alors ce sera le signe que la journée sera bonne. Je ne suis pas spécialement superstitieuse, mais je fais tout le temps ce genre de choses. Si j'arrive à franchir le passage à niveau avant qu'il ne s'abaisse, alors j'aurai une bonne note en maths. Si tous les feux sont verts, alors Axel remarquera mon nouveau blouson. Un magnifique flocon se pose exactement au milieu de ma main, entre la ligne de cœur et la ligne de vie. Il est parfait et à la place idéale. Je le regarde fondre en souriant béatement et je pars le cœur léger.

Le monde est comme en suspens, les voitures roulent moins vite, et les rares personnes qui sortent marchent avec précaution. J'aperçois un tout petit garçon qui trottine pendant que sa mère déneige le pare-brise de leur voiture. Il est comme Flocon, il regarde partout. Petit bonhomme avec, sur son bonnet, un pompon presque aussi gros que sa tête.

Je passe devant notre voisine qui ramène tout à Dieu. Lorsqu'il pleut, elle dit qu'Il pleure. Ce matin, elle doit penser qu'Il a des pellicules et qu'Il se secoue la tête au-dessus de notre pauvre monde. C'est dégueu, je préfère oublier l'image.

J'aime le bruit des pas dans la neige, le son étouffé par l'atmosphère ouatée, les lumières vives des feux rouges perdues dans cet océan blanc qui se confond avec le ciel. Même le quartier de la gare est plus sympathique, et c'est un exploit. Ils sont en train de le réhabiliter mais en attendant, avec les engins, c'est un parcours du combattant entre les flaques de boue géantes et les trottoirs défoncés. Les ouvriers démolissent les anciens immeubles en brique les uns après les autres. Celui au pied duquel je passe tous les matins est l'un des derniers à tenir encore debout. Il s'est vidé en fin d'année dernière. Juste avant les vacances de Noël, il y avait encore de la lumière aux fenêtres. Depuis le début de l'année, elles sont murées. Les bulldozers ont déjà presque fini d'abattre les bâtiments situés plus haut dans la rue. Il ne reste qu'un champ de ruines, des amoncellements de gravats et de poutrelles, repoussés par des pelleteuses qui remplissent des camions dans un vacarme épouvantable. Je n'aime pas ce qui change. Je me souviens encore de la boulangerie située à l'angle de la rue. C'est le premier endroit où je suis allée faire les courses toute seule. « Une baguette pas trop cuite, s'il vous plaît, et avec la monnaie, je voudrais des bonbons… » J'ai dû prononcer cette phrase des centaines de fois. La boulangerie n'existe plus. Même pas 20 ans et déjà l'impression d'être un fossile. Je parle comme mon grand-père ! Devant l'immeuble aux fenêtres murées, j'aperçois la silhouette du chef de chantier. Il est déjà là, seul. Il se tient bien droit face au bâtiment et regarde. Il réfléchit sûrement au meilleur moyen de le faire s'écrouler. Ça n'est pas le premier matin qu'il est là parce que je l'ai déjà remarqué. Je poursuis mon chemin.

Léa habite dans un joli quartier pavillonnaire. Sa maison est ancienne, en meulière, elle a du charme et surtout, un vrai grenier aménagé. Son jardin est au moins deux fois plus grand que le nôtre. En ouvrant sa grille, le battant métallique racle le haut de la couche de neige et dessine un quart de cercle parfait. Mme Serben y verrait probablement un angle d'environ quarante-cinq degrés ou l'arc d'un cercle dont le périmètre est égal à deux fois le nombre Pi multiplié par le rayon. Percevoir le monde ainsi doit être terrible… Je regarde vers la maison et je découvre Léa à la fenêtre du salon. Elle me fait des grands signes. Elle m'attendait. Délicieux frisson de bonheur. Quoi de plus agréable que de voir ceux que vous aimez heureux de votre arrivée ? Elle sourit, son visage baigné de la chaude lumière qui l'entoure. Alors que j'arrive à la porte d'entrée, je reçois une boule de neige en plein dans le dos. Je me retourne. C'est Christophe, le père de Léa, qui, sur le seuil du garage, rit de son mauvais coup.

— Salut Camille !

— Bonjour !

Ce n'est pas mon père qui ferait ce genre de choses. Pourtant, avant qu'il ne change de travail, on s'amusait bien ensemble.

Aux abords du lycée, c'est une joyeuse cohue. Entre les voitures ou les scooters qui dérapent, et ceux du collège qui chahutent à coups de boules de neige partout, on a du mal à se frayer un chemin. Avec Léa, on se dépêche pour éviter les projectiles qui pleuvent.

Près du grand portail, j'aperçois des garçons de notre classe qui jouent avec les plus petits. Je propose à Léa :

— J'irais bien m'éclater avec eux… Tu viens ?

— J'ai déjà froid. Ils vont m'en mettre dans le cou et j'ai pas envie.

Sur le muret, je ramasse quand même de la neige et je vise Léo. Il est touché à l'épaule et identifie aussitôt l'origine du tir. Pourquoi ai-je tiré sur le seul qui se prend pour une machine de guerre ? La contre-attaque est sévère. Et il y a un dommage collatéral : les petits se sont rendu compte que j'étais entrée dans leur jeu et, trop contents d'avoir une nouvelle cible, ils s'en prennent aussi à moi. Léa fuit vers le hall pour se mettre à l'abri.

— Bonne chance, ma vieille ! me crie-t-elle en cherchant son souffle. Fallait pas les provoquer !

Les collégiens me chargent. J'hésite à m'enfuir, mais je n'arriverai jamais à leur échapper. Je dois faire face. J'attrape le premier qui arrive et je décide d'en faire un exemple. Je le roule dans la neige et je le chatouille en lui faisant manger une poignée de flocons. Il est mort de rire et appelle ses copains à la rescousse. Petits monstres ! Ils sont solidaires ! Sentant que je ne vais pas pouvoir résister à la horde qui rapplique, Léo, Malik et Clément se rangent à mes côtés. J'en fais tomber un deuxième et je lui frictionne la figure avec de la neige. Il se tortille en suppliant :

— Pitié, madame !

Madame ? Mais quel âge croit-il que j'ai ? Je suis sciée. C'est la première fois de ma vie qu'on m'appelle madame ! Profitant de ma stupeur, il se sauve à quatre pattes, le dos à l'air. Dois-je lui dire de se couvrir ou que je vais le tuer ? Face à nous, la cavalerie du collège déferle. Mes copains ont beau faire écran, c'est un véritable déluge de boules parfois bien tassées qui s'abat sur moi. Je ne vois plus rien. J'ai de la neige dans les yeux. En titubant, je recule, et je percute Dorian qui tente de rallier le hall.

— Vous jouez comme des bébés, siffle-t-il. Vous êtes ridicules. Si vous ne voulez pas grandir, fallait rester en 6e...

Je m'essuie les yeux, désemparée. Il est déjà loin, secouant la tête avec mépris. Les boules pleuvent toujours mais ce crétin m'a gâché mon envie de rire. Pourquoi n'aurait-on plus le droit de jouer quand on grandit ? Pourquoi faudrait-il renoncer à ces joies simples pour rentrer dans des codes et se prendre au sérieux ? Qu'est-ce qui est le plus débile : jouer à la neige ou s'extasier sur une application de téléphone aussi futile que payante ?

Une grappe de petits suspendue à ses épaules, Clément s'écroule à mes pieds.

— Aide-moi, Camille ! Fais-leur bouffer de la neige !

Je n'arrive pas à bouger. Quand je me pose des questions, je ne parviens plus à m'amuser. Ça sonne. Comme une nuée de moineaux, les collégiens disparaissent vers leurs bâtiments. On reste entre nous, un peu hébétés. Léo secoue la neige de son blouson. Malik se plie en deux pour faire tomber la boule glacée qu'il a dans le cou. C'était bien. À part l'autre abruti qui passe sa vie à dézinguer ceux qui l'entourent, c'était vraiment bien. Les rares fois où l'on arrive à tout oublier, à se laisser aller dans l'instant, personne ne devrait avoir le droit de vous agresser.

6

Dans le hall, Axel me rattrape :

— Qu'est-ce qu'il t'a dit, l'autre crétin ?

— Rien. Ne t'inquiète pas.

— J'ai bien vu que ça t'avait rendue triste. Il a encore craché son venin ?

— Il a dit qu'on était des bébés parce qu'on jouait à la neige…

— Laisse tomber. C'est vraiment une petite ordure. Son seul moyen d'exister, c'est de démolir. Je vais aller lui dire deux mots.

Je le retiens par le bras.

— Non, Axel, c'est inutile. Je te promets. C'est gentil mais je n'ai pas envie que tu t'énerves pour ça. C'est à moi d'apprendre à relativiser…

Il me pose la main sur l'épaule en signe de réconfort.

J'ai mis longtemps à comprendre ce qui rend Axel si particulier. Évidemment, le fait qu'il soit plutôt beau garçon pèse certainement, mais ce n'est pas l'essentiel. Cela se joue plutôt au niveau de sa personnalité. Je l'ai toujours senti, mais je ne l'ai vraiment compris que l'année dernière. Et depuis, je l'observe, et cela se vérifie à mes yeux chaque jour. Les autres filles lui tournent autour parce qu'il est beau gosse. Vanessa le couve du regard, d'autres papillonnent devant lui. Au début, j'ai eu peur de n'être qu'une de plus. Je les entendais en parler, « flasher sur ses yeux », le trouver « trop rassurant », j'en passe et des plus gratinées. Ce n'est pas ce qui me touche le plus chez lui. Il m'a fallu aller au-delà de cette image séduisante pour découvrir ce qui lui donne sa vraie valeur. Il ferait une tête de moins et il aurait un regard de tourteau qu'il m'impressionnerait quand même. Son charme à mes yeux se résume à une seule phrase : Axel dégage l'énergie de ceux qui ont quelque chose à faire. Cela peut paraître simple, mais c'est rare. La plupart des garçons se donnent des airs, un style, ils se la jouent. Lui non. Il n'est jamais dans une attitude. À côté, tous ceux qui s'arrangent pour qu'on voie leur caleçon, pour qu'on entende la musique qu'ils écoutent ou qui se mettent du gel ont l'air de petits clowns. Chaque fois qu'Axel fait quelque chose, on sent que c'est parce qu'il l'a décidé. Il y a ceux qui font comme les autres, et il y a les autres. Il appartient définitivement à la seconde catégorie. Lui se moque du regard d'autrui, il n'a que faire des jugements ou des modes. Quand il donne un avis, il est clair que c'est parce qu'il a réfléchi. Lorsqu'il vous parle, il vous regarde bien en face, et c'est d'ailleurs assez difficile à soutenir. Il ne dit jamais plus que ce qu'il veut dire. Il ne sourit jamais par principe, il ne fait jamais semblant. Je trouve cela très beau. J'ai toujours eu un faible pour Axel. Léa aussi. Par respect l'une envers l'autre, on a décidé qu'aucune de nous ne tenterait jamais rien avec lui. Nous n'en avons parlé qu'une seule fois, il y a deux ans. J'avais fait un cauchemar horrible : Léa venait de se marier avec Axel. Ils se tenaient tous les deux sous le porche de la mairie. Souriants, beaux, amoureux. Le riz pleuvait sur eux, et moi j'étais cachée dans le jardin public, à les espionner en pleurant toutes les larmes de mon corps. J'en voulais à Léa, j'en voulais à Axel. Depuis, Léa et moi évitons pudiquement le sujet, mais je n'arrive pas à m'empêcher de le regarder. J'ai toujours peur que Léa me surprenne ou lise ce que mes yeux doivent dire. Je ne voudrais pour rien au monde qu'une histoire d'amour abîme notre amitié. Alors j'en suis réduite à considérer Axel comme un ami, un vrai, et pour longtemps j'espère. Pourtant, je me dis que si un jour je devais faire ma vie avec un garçon, j'aimerais bien qu'il lui ressemble. J'aime son indépendance. Je ne l'ai jamais vu se laisser embarquer par les autres. Il a un téléphone mais il n'envoie jamais de textos. Il n'est sur aucun réseau social. Il ne va pas souvent aux fêtes. Quand ses potes se mettent à parler jeux vidéo, chaussures ou vêtements, il s'éloigne. Et soudain, il semble dans un autre monde. Axel ne dit jamais rien de sa vie hors de l'école. Il n'invite personne chez lui. Il a des notes plutôt bonnes mais je sais qu'il travaille dur pour ça. Je n'ai jamais osé lui poser des questions sur son quotidien, sa famille, ses passions, et pourtant, elles se bousculent dans ma tête. Je crois qu'il m'aime bien.

Même s'il n'est pas le dernier pour rigoler, je ne l'ai vu qu'une seule fois vraiment heureux. C'était l'année dernière, en sport. Il pleuvait à verse et nous étions dans le cycle rugby. Par une idée comme seuls les profs de sport peuvent en avoir, la partie était mixte, histoire de prouver que les femmes sont bien les égales des hommes. Dans chaque équipe, les mecs chargeaient pendant que les filles fuyaient. Des cochons au milieu des poules. Un grand moment de pédagogie… Nous étions tous trempés, couverts de boue, et le stade où l'on espère encore ne pas trop se salir était dépassé depuis longtemps. Tibor était arbitre, mais au lieu de surveiller le match, il essayait d'apprendre au chien du gardien à souffler dans le sifflet. Nous étions tous répugnants et, foutu pour foutu, se jeter dans les mares devenait presque un jeu en soi.

Le prof avait équitablement réparti les costauds dans chaque camp. Axel était avec nous et Louis, le grand métis, était dans l'autre équipe. Personne n'arrivait à arrêter Axel, sauf Louis. Nous nous efforcions tous de lui passer la balle et de lui ouvrir le chemin. Je courais à côté d'Axel, ou pour être plus honnête, Axel est passé près de moi en courant pendant que je le regardais. Louis l'a plaqué. J'étais face à eux deux au moment où ils sont tombés. Emportés par leur élan, ils ont glissé presque jusqu'à mes pieds. J'ai d'abord eu peur, mais la fascination a vite pris le dessus. Je me trouvais au bon endroit pour voir. Heureux de jouer, Axel a eu un sourire comme je ne lui en avais jamais vu. Ses dents blanches illuminaient son visage couvert de terre. Ses yeux brillaient d'un éclat de pure énergie et je l'ai entendu exploser de rire. C'était puissant, physique. Louis a repris le ballon et s'est sauvé pour marquer. Axel a perdu le point, mais il était heureux. Il est resté quelques instants au sol, sous la pluie, dans la boue, à irradier le bonheur. Il n'a pas remarqué que je l'observais, et personne d'autre que moi n'a perçu son expression. C'est la seule fois où je l'ai vu dégager cela. Ça ne s'est plus jamais reproduit – en ma présence en tout cas. Au-delà du garçon sérieux qui fait toujours ce qu'il doit, j'avais entrevu autre chose. Ce moment reste en moi comme un trésor, comme un secret. J'espère qu'un jour je pourrai lui en parler. Je suis déjà jalouse de celle qui provoquera cela en lui, car je dois bien avouer autre chose : lorsque Axel parle à d'autres filles, ça m'agace. Je sais que c'est nul, mais je n'arrive pas à maîtriser ce sentiment. Vous vous dites sûrement que ma situation est d'une affligeante banalité et que, comme une midinette, je suis juste amoureuse d'un beau mec de mon âge. Je verrais une fille dans mon état, je penserais exactement pareil. Pourtant, je sens en moi qu'il y a autre chose et que même plus tard, dans des années, mariée à un autre et vivant au bout du monde, chaque fois que je penserai à Axel, j'éprouverai cet étrange sentiment, cette attirance bien plus forte qu'une séduction. Je ne sais pas quoi en penser. Normalement, je devrais en parler avec Léa, mais c'est impossible. Parfois, je voudrais en discuter avec maman, mais je ne sais pas si elle comprendrait. Pourtant, j'aimerais bien savoir où j'en suis. J'y pense tout le temps. Je me sens si seule vis-à-vis de ça. Je sais que ma tante Margot me répondrait franchement. Elle me dirait la vérité, avec l'esprit libre et irrévérencieux dont elle est capable, mais je ne la vois pas avant des semaines, et je ne me sens pas d'aborder ça au téléphone. Où en serai-je d'ici là ?

7

C'est parti pour deux heures d'initiation à l'économie, mais honnêtement, j'en suis plutôt contente. La plupart de ceux qui ont pris l'option ne l'ont pas choisie pour le peu de points que ça peut nous rapporter, mais parce que c'est M. Rossi qui fait cours. Et puis comme il le dit lui-même, c'est une matière où il y a tout à comprendre et rien à apprendre. M. Rossi n'est pas plus jeune que les autres enseignants, mais il a quelque chose de différent. Il ne se contente pas de nous débiter des leçons, il nous fait réagir, on échange. On est avec quelqu'un qui aime son sujet et qui souvent va bien au-delà, avec l'envie de nous faire découvrir des choses.

— Akshan Palany est un économiste indien de la seconde moitié du XXe siècle qui a développé une théorie très intéressante sur les structures de l'économie, explique-t-il. Parce qu'elle a le mérite de proposer une perspective inhabituelle, elle inspire de plus en plus de travaux de recherche partout dans le monde. Palany considère que la réussite d'un modèle économique ne se fonde pas sur la concordance des intérêts mais sur la répartition des missions et la complémentarité des besoins. En d'autres termes, il dit que plutôt que d'orienter la demande pour la standardiser et simplifier la production au bénéfice de ceux qui offrent, il faut écouter cette demande et s'y adapter en y répondant par les standards d'exigence le plus qualitatifs possible. Le mot « mission » revient régulièrement dans son travail et il insiste sur le fait que plutôt que de se recommander de grands principes pompeux rarement appliqués, chacun doit tenir sa place sans prétendre être autre chose que ce qu'il est. Akshan Palany dit qu'aucune économie n'est viable sans intégrité. Le mot peut paraître galvaudé aujourd'hui, mais il en fait pourtant la règle première. Tout le monde peut trouver sa place dans un schéma de partage et d'échange, y compris commercial, mais personne ne doit faire autre chose que son travail. À chacun sa mission. Selon lui, tout le reste découle de ce principe simple. Une fois que les rouages sont en place et clairement identifiés, la mécanique économique peut tourner. Le boulanger fait le pain, le pompier éteint le feu, le juge rend la justice, le médecin soigne, etc. Il est important de préciser qu'Akshan Palany n'est ni un utopiste, ni un postcommuniste. Présentée ainsi, sa vision peut paraître naïve, mais elle trouve tout son intérêt dans l'observation des dérives que nous subissons aujourd'hui. Akshan Palany considère que l'échec de nos civilisations résulte directement du fait que plus personne ne remplit la mission qu'il est supposé assumer. Le décalage entre la fonction et l'action crée une perte de repères et de confiance qui est, à son avis, préjudiciable à nos sociétés. Il cite entre autres les politiques devenus incapables de penser notre société, les entreprises pharmaceutiques qui s'acharnent à vendre les médicaments – même toxiques – plutôt qu'à soigner, les salariés qui passent leur temps sur les réseaux sociaux pendant leurs heures de travail, les banques qui font du profit sur le dos de ceux dont elles devraient gérer les actifs, ou les médias qui servent des intérêts plus que l'information.

Mathieu lève la main et remarque :

— Il aurait pu parler des profs qui choisissent ce métier pour les vacances et qui n'en ont rien à faire de nous.

Mathieu est un habitué de la provocation, mais M. Rossi n'est pas du genre à se laisser prendre à son petit jeu.

— C'est juste, Mathieu. Akshan Palany aurait également pu élargir son propos à tous ceux qui occupent un poste sans en assumer les devoirs. Tu as parfaitement raison de relever les dysfonctionnements des individus et des systèmes, mais vous devez aussi tous en profiter pour réfléchir à votre place dans ce qui vous entoure. Pourquoi êtes-vous à l'école ?

— On n'a pas demandé à y être ! plaisante Antoine.

Tout le monde rigole.

— C'est vrai, répond M. Rossi. Vous n'avez pas non plus demandé à naître, ni à être un garçon ou une fille, ou à grandir dans ce pays plutôt qu'un autre. Forts de ce constat, vous en arrivez à votre premier choix de vie : soit vous vous considérez comme des victimes de ce qui vous est imposé, soit vous vous demandez ce que vous allez en faire. Quelle place voulez-vous tenir ? Que demandez-vous à ce monde ? Quelle sera votre contribution ? Et ces questions, vous devez vous les poser maintenant. C'est à votre âge que tout se joue. Si vous êtes capables de voir ce qui ne va pas, vous êtes probablement capables de l'améliorer.

Raphaël intervient :

— Ce n'est pas notre faute si tout va de travers ! Qu'est-ce qu'on peut y faire ? Nous n'avons même pas encore le droit de vote !

— Parfaitement exact. Pourtant, cette excellente excuse ne vous dédouane pas de tout. Nos sociétés sont organisées de telle manière que les plus jeunes individus sont libérés de toute charge pour avoir le temps d'apprendre et de développer leurs facultés. N'oubliez pas que, sur notre planète, 60 % des jeunes de votre âge sont déjà au travail, parfois depuis plus de dix ans, pour un salaire mensuel qui n'égale même pas le prix d'une de vos barres chocolatées. Ces mêmes individus ont une espérance de vie trois fois inférieure à la vôtre. Le système dont vous bénéficiez attend de vous que vous consacriez une part de votre temps et de votre esprit à apprendre une partie des savoirs accumulés par les générations précédentes. Et sur cette base, tous les actifs du pays financent des établissements et des enseignants chargés de vous aider à valoriser votre potentiel.

— C'est loin d'être aussi joli dans la réalité ! s'exclame Olivia.

— Personne ne dit que le système est parfait, mais il a le mérite d'exister. Vous êtes mieux dans ce lycée qu'à bosser dans une usine de teinture de vêtements à bas prix, une mine de soufre, ou devant un petit tas de fils glanés dans une décharge dont vous faites brûler le plastique en vous asphyxiant pour récupérer le métal qu'une usine vous reprendra contre un morceau de biscuit… Le fait de vous laisser ce temps, de vous permettre de remplir cette mission, n'est pas un dû. C'est une décision de civilisation. Aucune espèce animale vivant sur cette planète ne laisse glander ses petits pendant le premier quart de leur vie, ou alors c'est pour mieux les manger ensuite… Que faites-vous de ce temps ? Certains engrangent du savoir et des forces mais, sans doute à cause de l'époque et des valeurs que l'on vous propose, beaucoup d'entre vous considèrent que l'école est un fardeau et font tout ce qu'ils peuvent pour s'y soustraire. Je ne sais pas si Akshan Palany serait d'accord avec moi, mais je crois que c'est une erreur fondamentale. Comme les profs qui ne font pas leur travail par vocation, vous oubliez votre mission. J'ignore par quelle perversion on vous a laissés vous convaincre que vous êtes ici contraints et forcés, pauvres victimes d'un affreux système méchant et cruel qui vous empêche d'écouter de la musique, de vous envoyer des milliers de messages inutiles ou de regarder des émissions télé stupides entrecoupées de pubs pour des cochonneries que des gens qui, eux, ont fait des études, cherchent à vous fourguer.

— C'est dans les programmes ce que vous nous racontez là ? interroge Dorian.

— Bonne question. Vous dire tout cela représente un risque pour moi. Vous allez peut-être m'en vouloir. Il est possible que des parents viennent se plaindre que je vous bourre le crâne avec des idées révolutionnaires, mais je crois pourtant que c'est ma mission. J'essaie de vous apprendre à vous poser des questions. Je pourrais me contenter de vous débiter les théories de Keynes, de Grossmann, ou de vous parler des mécanismes du microcrédit. Mais je m'efforce de relier notre sujet à la vraie vie. J'essaie de vous nourrir. Avez-vous faim ? Ou êtes-vous déjà trop gavés de jeux vidéo, d'émissions télé, d'informations futiles qui vous remplissent l'estomac sans vous nourrir, exactement comme la mauvaise bouffe que vous aimez tant ?

— Pourquoi prenez-vous ce risque ? demande Olivia.

— Ta question est terrifiante, et j'espère que tu comprendras ma réponse. Je prends ce risque parce que j'essaie de bien faire mon métier. Je n'ai pas choisi de devenir prof pour les vacances. Je suis devant vous parce que j'y crois. Étant donné ce que je suis et mon parcours, c'est – j'en suis convaincu – ma place. Nous sommes encore quelques-uns dans ce cas. C'est avec nous que vous passez le plus de temps. Je vous vois davantage que vos parents. C'est avec vos copains, là, ensemble, dans cette classe, que vous découvrez la vie. Vos premiers amis, vos premiers ennemis, vos premiers modèles, vos premières amours, vous les avez tous eus ou vous les aurez à l'école. Vous n'êtes pas n'importe où. Vous n'êtes pas dans une prison. Vous êtes au début de votre existence.

Pour une fois, personne ne regarde dehors, personne ne fait ses maths pour le cours d'après, personne ne dessine. Tout le monde a les yeux rivés sur M. Rossi. Ça n'arrive jamais. D'accord ou pas avec ce qu'il dit, tout le monde se sent concerné. Il reprend :

— Chaque graine qui pousse est un miracle. De sa germination à sa maturité, elle est à la merci de beaucoup de dangers. Un oiseau peut la gober, quelqu'un peut marcher dessus, elle peut geler ou s'assécher parce qu'une plante voisine lui prend l'eau dont elle a besoin. Chaque arbre adulte est un rescapé chanceux face à tout cela. Je vous souhaite à tous de devenir de grands arbres majestueux. Mais vous, contrairement à la graine dans la forêt, vous avez la faculté d'agir, de choisir et d'évoluer. Ceux qui ont vécu avant vous, pour les plus nobles, ont permis cela en faisant évoluer leur temps afin de rendre le vôtre meilleur. C'est aujourd'hui votre tour. Vivez, ayez votre âge, soyez fous, mais ne perdez jamais de vue la réalité. Je sais que ce n'est pas facile étant donné ce que l'on vous donne à voir, mais soyez plus forts que ce décor vulgaire qui vous cache la vraie vie. Ne gâchez pas ce temps qui vous est offert et tâchez de survivre. C'est votre mission pour le moment. Ensuite, vous vous choisirez vos engagements par vous-mêmes.

— Quand on a une mission, on est payé pour, objecte Théo.

— Faux. Tes parents ne sont pas payés pour t'élever, et c'est pourtant une vraie mission. Celui qui t'aide à trouver ton chemin dans la rue, l'ami qui te console, la femme qui te supporte, tout ce qu'il y a de plus important dans la vie n'est jamais rémunéré. Elle est triste, cette logique de contrepartie. Vous n'avez rien payé pour être vivants, et vous l'êtes pourtant. Un jour, les plus humains d'entre vous découvriront que c'est une chance et que, littéralement, elle n'a pas de prix. En attendant, je vous invite sincèrement à vous interroger sur le fonctionnement du monde et la place que vous souhaitez y tenir. Ne vous dites pas que ce dont nous venons de parler n'a rien à voir avec l'économie. Consommer, c'est choisir, c'est voter, c'est échanger son pouvoir avec ceux dont on devient dépendant. Exister, c'est savoir ce que l'on donne et ce que l'on prend. Il serait réducteur de ramener l'économie à une simple affaire de bénéfice ou de perte. La conscience et l'aptitude au choix sont deux critères qui sous-tendent tout ce que l'on fait. Méditez là-dessus. Je suis là si vous avez des questions.

Pour une fois, c'est le prof qui remballe ses affaires le premier et qui sort avant tout le monde. M. Rossi termine toujours ses cours par cette phrase : « Je suis là si vous avez des questions. » Personne n'est jamais allé lui en poser.

On finit quand même par bouger. Pauline s'approche :

— Tu as vu, Manon n'est pas là. Tu sais ce qu'elle a ?

— Non. Je la vois moins depuis qu'elle est avec Malik.

— Elle ne répond ni sur son portable, ni aux SMS…

La tête encore chamboulée par le cours de M. Rossi, on se retrouve dans le hall, un peu hagards. Il y a clairement deux camps : ceux qui rejettent son propos parce qu'il les remet en cause, et les autres qui se posent des questions. Même si peu en parlent, il est clair que tout le monde y pense. Alors que nous sommes en pleine phase d'orientation, l'idée d'avoir à choisir sa voie résonne en nous. Mais en matière d'orientation, on nous demande plus de cocher des petites cases et de choisir parmi des voies prétracées que de penser nos vies… Beaucoup ne savent pas ce qu'ils veulent faire. La plupart sont décidés à continuer leurs études le plus loin et le plus haut possible. Certains ont déjà des critères plus précis et veulent gagner de l'argent, ou voyager, ou ne pas se prendre la tête, ou même les trois à la fois ! Akshan Palany dirait sans doute que ceux-là ne pensent déjà plus à leur mission avant même de l'avoir commencée…

On a décidé de passer notre heure d'étude au CDI pour avancer sur la préparation du TP de chimie. Il y a encore du boulot. En montant l'escalier, je discute avec Léa quand, brusquement, je me fais bousculer par quelqu'un qui descend. J'ai l'impression que ce gros balourd s'est accroché à mon sac. Je manque de perdre l'équilibre et me retourne pour me dégager. Je tombe nez à nez avec un autre terminale, aussi grand que moi alors qu'il est deux marches en dessous. Il ne m'a pas bousculée ; il m'a attrapée par mon blouson et me retient.

— Tu es bien la fille du chien de garde du centre commercial ?

Il a le regard mauvais.

— Qu'est-ce que ça peut te faire ?

— Ton père a encore fait embarquer mon grand frère hier, et on commence à en avoir marre. Alors dis-lui de nous lâcher sinon t'auras des problèmes…

Je suis sous le choc.

— Je ne connais même pas ton nom…

— Cherche pas. Il a pas dû en faire coffrer des dizaines hier. Passe-lui le message et t'occupe pas du reste.

Léa s'en mêle :

— Non mais ça va pas d'agresser ma copine comme ça !

— Reste en dehors de ça.

Le type me relâche et pointe vers moi un doigt menaçant. À peine a-t-il tourné les talons que je me mets à trembler comme une feuille.

— Quel débile ! s'énerve Léa.

Ce n'est pas la première fois que l'on me reproche les activités de mon père, mais ça n'avait jamais été aussi violent et aussi menaçant. Qu'est-ce que je vais faire ?

8

Je suis dans la file d'attente de la cantine avec Léa, Pauline et Vanessa. Elles discutent, mais je ne les écoute pas. Les mots de M. Rossi me résonnent dans la tête. En général, on mange le plus tard possible pour éviter la cohue. J'attrape un plateau mouillé et je me retrouve devant le présentoir des desserts. Difficile de penser à de grandes choses devant le rail d'un self-service. Tout le monde pousse son plateau en saisissant les assiettes au passage. Les bras se tendent, comme des robots sur une chaîne. C'est tout un univers, le tintement des couverts sans cesse manipulés, la lumière clinique, le choc des plats, le raclement des spatules dans les grandes gamelles en inox, les dames du service avec leur charlotte sur la tête, les plaisanteries des chefs dans leur habit blanc, les odeurs mêlées de ce qui a cuit, frit ou brûlé… Au bout du rail, juste après le pain, une femme nous tend des pommes bien rouges en insistant chaque fois que l'un de nous passe devant elle pour que l'on mange des fruits. Je ne sais pas si c'est la couleur de la pomme ou sa tête, mais elle me fait penser à la sorcière de *Blanche-Neige*.

À peine installée, Vanessa picore du bout de sa

fourchette. Si Valentin arrive, je parie qu'il viendra s'asseoir avec nous. Il ne le fera pas pour notre conversation, mais parce qu'il sait qu'aucune de nous ne finit jamais son plateau et qu'il a très faim…

J'aperçois Manon qui entre dans le réfectoire. Elle est seule, la tête basse, et se cherche une table à l'écart.

— Excusez-moi les filles, je reviens…

En contournant deux travées, je la rejoins.

— Salut ! On était super inquiets pour toi. Ça va ?

— Pas trop.

— Viens manger avec nous.

— C'est gentil, mais je n'ai pas très faim.

Effectivement, sur son plateau, il n'y a qu'un yaourt et une pomme rouge bien brillante. Je sais ce que les sept nains diraient, mais je crois que Manon n'a pas envie de rire.

— Tu préfères que je te laisse ?

— Comme tu veux.

J'hésite. Elle s'assoit. J'entends Léa qui rigole derrière. Manon ne me regarde même pas. Tout à coup, elle lâche :

— Mes parents vont divorcer. Ils nous l'ont annoncé hier soir. Ils veulent vendre la maison. C'est horrible. Mon grand frère ne veut pas quitter la région parce qu'il a une copine et un nouveau travail dans le coin. Ils ont prévu que je suive maman. Je ne sais pas où elle va m'embarquer. Parti comme c'est, je ne vais même pas finir l'année ici…

Elle a tout balancé dans un souffle, comme un flot trop longtemps contenu qui se déverse après qu'une digue a cédé. Malgré ses efforts pour se retenir, elle se met à pleurer. C'est étrange, Manon est sans doute l'une des plus mûres d'entre nous, l'une des plus élégantes aussi. Sobre, soignée, elle fait toujours très attention à son vocabulaire et à ses manières. En la voyant pleurer, le personnage qu'elle s'est construit s'efface et la petite fille ressurgit. Elle ne fait plus semblant, elle ne contrôle plus, elle a trop mal. Son visage d'habitude si joli est déformé par l'émotion qui la dévaste. Elle n'est pas laide, elle est émouvante. J'ai envie de lui saisir la main, mais je n'ose pas.

— Ne garde pas tout ça pour toi, lui dis-je. Raconte-moi. On est amies…

Elle renifle, commence à se reprendre. La petite fille disparaît peu à peu derrière les apparences.

— Pas ici. Je n'ai pas envie que l'on me voie craquer.

— Alors viens, je sais où nous pouvons aller. Personne ne nous dérangera.

Dans le lycée, il existe un lieu que notre petite bande est la seule à connaître. Nous avons été les premiers à le découvrir, et c'est sans doute le secret le mieux gardé de notre clan. On va s'y réfugier quand on veut être tranquilles. C'est Romain qui en garde la clé, et il ne m'a pas fallu longtemps pour le trouver. Pendant ce temps-là, Léa escorte Manon, qui n'y est jamais allée. On a rendez-vous au dernier palier de l'escalier sud du bâtiment B. À l'heure du repas, les étages sont toujours déserts.

Romain voit bien que quelque chose ne va pas, mais il ne pose aucune question à Manon. Souvent, quand ils sentent que c'est vraiment sérieux, les garçons savent se tenir. Il déverrouille la trappe de désenfumage et tire sur l'échelle d'accès.

— La neige doit être intacte là-haut, mais vous

allez cailler. N'oubliez pas de bloquer la trappe avec un gant.

— Merci, Romain.

Léa monte la première, suivie de Manon. Je ferme la marche. Le toit-terrasse n'est qu'une immense étendue de neige bordée de ciel bleu. Le temps est magnifique. On domine les environs. On se croirait dans une station de ski, au pied des pistes. Le vent souffle légèrement, soulevant des tourbillons de cristaux de neige qui nous picotent le visage. La rumeur de la cour du collège nous parvient, lointaine. Léa étend les bras et inspire à pleins poumons. Manon ne connaît pas l'endroit, mais étant donné son état, elle reste assez hermétique à la magie du lieu. On s'installe à l'abri du vent, sur le rebord d'une cheminée d'aération. Je commence :

— Ça fait longtemps que tes parents ne s'entendent plus ?

— Ils se fritaient bien de temps en temps, mais je ne pensais pas que ça allait aussi mal…

— Ce n'est peut-être qu'une fausse alerte, suggère Léa. Mes voisins devaient déjà divorcer quand je jouais avec leurs enfants dans le bac à sable, et ils sont toujours ensemble. Je connais aussi un couple d'amis de mes parents qui n'arrête pas de se chamailler. À chaque fois qu'ils viennent dîner, on a l'impression que c'est la dernière fois qu'on les voit mariés. Ils se reprochent tout et n'importe quoi, on dirait des gamins. Ma mère dit qu'ils prennent les gens à témoin pour régler leurs comptes parce qu'ils ne sont pas capables de se parler sans une autorité extérieure. Tes parents traversent peut-être une crise et vont finir par se calmer…

— J'aimerais bien, mais je ne crois pas. Ils nous

en ont parlé parce qu'ils ne pouvaient plus faire autrement. La procédure est déjà engagée. J'avais bien remarqué des courriers d'avocats, mais je ne m'étais pas imaginé…

Elle pleure à nouveau.

— Vous savez ce qui me détruit le plus, les filles ? Rien que de le dire, j'en ai honte, et ça me rend encore plus triste. À la rigueur, je me fiche que mes parents ne s'aiment plus. C'est leur affaire. Mais j'ai grandi dans cette maison et j'aime la vie qu'on y mène. Je vois souvent mon frère parce qu'il vient dîner trois fois par semaine. J'aime bien quand il est là. Le week-end, quand je bosse dans ma chambre, j'entends papa qui bricole ou qui s'occupe du jardin. C'est idiot, mais j'aime bien sentir mon petit monde autour de moi. Après, parfois, on fait des gâteaux avec maman. Je sais, c'est tout bête, mais c'est ma vie. Avec leurs conneries, ils vont faire exploser tout ça. Plus rien ne sera comme avant…

Léa lui passe un bras autour des épaules. Elle sait faire ce genre de choses. Pas moi. Je cherche des mouchoirs dans ma poche pour les donner à Manon et je demande :

— Tu sais ce qui s'est passé entre eux ?

— Pas trop. Et je ne tiens pas à savoir. S'il y en a un qui a trompé l'autre, ça va me dégoûter. Mais je ne crois pas. Ils n'ont même pas l'air en colère l'un contre l'autre. Ils vont foutre ma vie en l'air simplement parce qu'ils s'ennuient dans la leur. Ça va me coûter mon bac…

Un petit claquement sec attire mon attention. Je regarde mes mains gantées et je blêmis. Je suis montée la dernière et j'ai oublié de caler la trappe. Je me lève d'un bond et je cours dans la neige jusqu'à l'ouverture. Filmé au ralenti, sur fond de ciel bleu et avec tout ce que je projette de poudreuse dans ma course, ça pourrait passer pour la grande scène dans un magnifique film d'aventures qui se déroulerait au pôle Nord. Mais non, c'est juste moi qui en ai encore commis une belle.

La trappe est bel et bien fermée. Léa se redresse et me lance :

— Qu'est-ce qui te prend de courir comme ça ? Tu t'es fait piquer par un frelon ou quoi ? Ça ne sonne que dans dix minutes.

— On est enfermées.

— Pardon ?

— La trappe s'est verrouillée. On est coincées sur le toit.

Manon, tout à sa peine, ne semble pas comprendre. Léa me rejoint et essaie de tirer sur le cerclage d'aluminium. Elle commence à rire.

— Tu trouves ça drôle ?

— C'est pas la fin du monde. On appelle Romain et il vient nous ouvrir.

— Tu as son numéro ?

— Ben non, et toi ?

Je secoue la tête négativement. Manon arrive à son tour.

— J'ai froid, les filles. Merci beaucoup, ça m'a fait du bien de vider mon sac. On redescend ?

— Pas tout de suite, répond Léa.

— Pourquoi ?

— Parce qu'on est bloquées ici.

Manon se remet aussitôt à pleurer. Léa me dit :

— On appelle Axel, il trouvera Romain.

Je réponds :

— Axel n'est pas là, il a dû repartir chez lui ce midi…

— Comment tu le sais ?

— Il me l'a dit à la fin du cours de physique.

Je vois bien que Léa tique. Je dégaine mon portable et, en essayant de ne pas rougir, je déclare :

— J'appelle Léo. Un agent spécial devrait pouvoir nous sortir de là.

En dix minutes, la moitié des garçons de la classe sont au courant. Romain est introuvable, mais chacun propose ses solutions. Cramponnez-vous, c'est du lourd. Il y a ceux qui nous conseillent de faire signe aux avions, ceux qui promettent qu'ils vont nous envoyer des vivres avec une catapulte, et Antoine qui pense qu'en ouvrant nos blousons et en nous jetant dans le vide, on doit réussir à planer jusqu'au parking des profs. Merci pour le coup de main, les mecs.

Soudain, il me semble entendre une voix appeler. Ça y est, je deviens folle. J'ai déjà lu quelque part que la faim combinée aux températures extrêmes pouvait provoquer ce genre d'hallucination. Mais comme on sort de table et qu'il ne fait même pas zéro, ça ne doit pas être ça. La voix s'élève à nouveau :

— Hello, mesdemoiselles !

La voix n'est pas identifiable. Vous allez voir qu'avec ma chance, il y a un monstre qui vit sur ce toit et qu'il appelle ses proies. On va lui proposer en offrande celle d'entre nous qui a la vie la plus pourrie. Le temps qu'il bouffe Manon, les secours seront peut-être arrivés…

— Les filles, fais-je, vous avez entendu ?

Manon fait tellement de bruit en se mouchant qu'elle

n'entendrait pas une corne de brume. Léa tend l'oreille. Tout à coup, elle plisse les yeux.

— Tu as raison. Ça vient de par là…

Elle se précipite vers le rebord. Je la mets en garde :

— Fais attention, c'est super haut !

Elle se penche. La voix semble venir d'une fenêtre ouverte, située à l'étage du dessous.

— Qui est là ? demande-t-elle.

— C'est Tibor. C'est toi, Léa ?

— Oui, je suis avec Camille et Manon.

— Je vais vous sauver.

Avec Léa, on se regarde. Soudain, en contrebas, on voit deux bras qui sortent par le petit espace que les fenêtres permettent d'ouvrir. Tibor fait de vrais efforts pour les tendre le plus possible. On s'attend à ce qu'il nous lance une corde ou nous envoie une perche, mais soudain il crie :

— Saute, Léa, je te rattrape !

9

Il est tard et j'ai beau être fatiguée, je n'arrive pas à dormir. Les parents ronflent depuis plus d'une heure. Lucas aussi. Flocon a joué avec moi aussi longtemps qu'il le pouvait mais à un moment, il est parti sous le lit à la poursuite de sa pelote de laine et il n'est jamais ressorti. Je me suis agenouillée pour voir ce qu'il faisait et je l'ai trouvé endormi. Sa petite patte est tendue en direction de sa cible, à quelques centimètres de lui. Il a dû tomber comme foudroyé. Maman raconte que cela arrive souvent aux jeunes enfants et qu'une fois, en visitant un zoo, je me suis écroulée tout en marchant parce que j'étais épuisée. Les choses ont bien changé et ce soir, je suis la dernière de la famille à tenir debout, seule, avec tellement de questions et si peu de réponses.

Je repense à tout ce qu'a dit M. Rossi. Qu'est-ce que j'attends de la vie ? Quelle sera ma contribution au monde ? Sans voir si grand, si déjà je pouvais être utile à ceux que j'aime, ce serait pas mal… Je songe aussi à Manon et au divorce de ses parents. Quelle serait ma réaction si cela arrivait à notre famille ? Comment savoir ? Je préfère considérer comme une chance le fait de ne pas avoir à me poser la question. Comme Manon, je détesterais partir d'ici. Je serais capable de n'importe quoi pour empêcher que cela se fasse. Ici, trop de choses comptent pour moi. J'aime cette maison, j'y ai tous mes souvenirs, mais ce sont surtout les gens qui me manqueraient. Je crois que je tiens plus aux gens qu'aux lieux. Si tous ceux auxquels je tiens tellement déménageaient, je les suivrais sans rien regretter. Mon pays, c'est ma famille et mes amis, sans oublier le petit bout de chat que je suis en train d'installer sur le lit, lové dans un de mes sweats. Flocon ne se rend même pas compte que je le déplace. Quand il se réveillera, il ne se souviendra de rien et il se consacrera uniquement à ce qu'il aura devant lui. Pour lui, seul le présent compte. C'est peut-être ça la force des enfants. Ils ne songent qu'à l'instant, en attendant que le futur se présente à eux. Ce sont souvent les vieux qui parlent du passé. Avant, je ne pensais jamais au passé. Maintenant, ça m'arrive. Est-ce que ça veut dire que je suis vieille ?

Je me penche pour regarder Flocon dormir. J'adore ses petites moustaches et les grands poils tout doux qui lui sortent des oreilles. Maintenant que j'y pense, mon oncle Michel a aussi des petites moustaches et des poils qui lui sortent des oreilles, mais les siens me dégoûtent. Comme quoi, suivant le cas, une même chose peut vous faire fuir ou vous faire fondre. Flocon bouge une de ses pattes. Il est si mignon. Je m'en sens responsable. Peut-être parce que je l'ai sauvé. Il doit y avoir autre chose, parce que je me sens responsable de tous ceux que j'aime, et pourtant je n'en ai sauvé aucun. Quand il me parlait de son ancien métier, mon père disait que, pour bien protéger, il faut aimer.

L'image du garçon qui m'a menacée me revient brutalement en mémoire. Il me fait peur. Je n'ai osé en parler ni à maman, ni à mon père. Ce soir, en plus, on s'est accrochés parce que j'ai osé me plaindre qu'il n'y avait jamais les gâteaux que j'aime dans le placard. C'est toujours rempli de gros biscuits, de cookies dégoulinants de chocolat et autres spécialités industrielles écœurantes. C'est idéal pour Lucas et le chien mais moi, si j'en mange seulement un demi, je prends trois kilos. Je n'ai vraiment pas besoin de ça. Depuis que mon père a pris ce poste au centre commercial, je n'arrive plus à lui parler comme avant. Je crois que je lui en veux un peu. Il est directeur de la sécurité. Je n'aime pas ce genre de travail. Avant, il était à la sécurité civile, il sauvait des gens. J'en étais très fière. Sur mon bureau, j'avais une photo de moi dans ses bras quand j'avais 5 ans. Il portait sa combinaison d'intervention noir et orange et je souriais en le serrant de toutes mes forces. La photo est désormais dans un tiroir et quand on me demande ce que fait mon père, je m'arrange pour noyer le poisson… Je ne sais pas pourquoi il a changé de poste. On n'en a jamais parlé.

L'image d'Axel s'impose à moi. J'aime penser à lui. Je voudrais vraiment que l'on soit plus proches. Régulièrement, le midi, il s'absente « pour rentrer chez lui ». Il ne donne jamais de raison et le décide toujours au dernier moment. Souvent, à la fin du dernier cours, après avoir consulté son téléphone, il s'en va le plus vite possible. Je donnerais cher pour lire l'un de ces SMS qui le font démarrer au quart de tour. Ses mystères sont d'autant plus surprenants qu'en général, dans notre petite bande, on se dit tout. Parfois, j'imagine qu'il ment, qu'il ne rentre pas chez lui et qu'il a une copine ailleurs. J'en serais malade.

Mon portable vibre. Un SMS de Manon qui me demande si je dors.

« Non. »

« Mes parents se sont encore pris la tête ce soir. Ça devient insupportable. »

« Si tu veux, viens dormir un de ces quatre, ça te fera des vacances ;) »

« C'est gentil. Comment tu t'habilles pour la fête du lycée ? »

« Aucune idée… »

Je caresse Flocon, qui ne s'en rend même pas compte. Il est tout doux. Je ne sais pas où je préfère le caresser, sur le haut de sa tête peut-être, au creux de son cou, ou alors au bout de ses pattes, là où c'est tout rond. J'aime aussi passer la pointe de mon nez derrière ses oreilles. Il est largement temps que je me couche. Avant d'éteindre ma lampe, je regarde ma chambre. J'essaie de me demander ce que je penserais de la fille qui y vit si je ne la connaissais pas. Il y a des livres, beaucoup. Ceux pour les études qu'elle doit suivre, mais aussi pas mal de romans. C'est une romantique, et elle aime les histoires qui font voyager. Elle aime aussi le fantastique. Sur ses murs, sur ses meubles, beaucoup de photos, avec ses amis, Léa, Axel, la fête chez Alice, le ski avec la classe… Celle qui vit ici accumule aussi beaucoup d'objets insignifiants mais qui évoquent pour elle des moments heureux, des souvenirs. Posés partout, suspendus, empilés, exposés, des boîtes, des morceaux de bois, quelques maquettes, des collages, et même des emballages que sa mère a dû lui demander de jeter à la poubelle à maintes reprises. On trouve aussi quelques dessins, de son jeune frère sans doute, légèrement jaunis, d'autres plus récents, de ses cousins. Les plus beaux sont signés Pauline. L'un de ceux qu'elle préfère la représente, elle, assise devant un groupe de jeunes qui dansent ou parlent. C'est ainsi que l'on doit la voir, un peu spectatrice ou observatrice. Cette chambre contient aussi de nombreuses peluches, dont Norbert, l'ours élimé qui est le chef de toutes les autres parce qu'il est le plus ancien. Au-dessus du bureau, un grand singe velu vert fluo se balance sur un trapèze en plastique – un souvenir de fête foraine de l'été dernier. Des vêtements traînent, sur la chaise, au pied du lit, sur la patère derrière la porte. La plupart sont dans des teintes plutôt sages, rien de criard. Sur le bureau, ses cours sont encore étalés. Tout autour, un pot à crayons rempli, un lecteur de musique, et tout un bric-à-brac foisonnant de bidules, de gadgets, de petits objets. Tous ont une histoire. Au-dessus, sur une étagère, il y a une maison de poupée avec une famille de petits personnages en plastique attablés. Ils sont recouverts d'une fine couche de poussière, sans doute parce qu'elle ne s'en est pas servie depuis longtemps. Peut-être même plus de deux ans. Il est vrai qu'elle grandit et joue moins. Ça arrivera à Flocon. En attendant, ça lui arrive à elle.

J'observe tout, en essayant d'avoir un œil neuf. Une vérité m'apparaît alors clairement : je suis bien incapable de définir la jeune fille qui vit ici. Il me faudra l'aide des autres pour découvrir qui je suis.

10

Mes copains sont des crétins. Ils ont fait croire à Inès que, pour la fête d'anniversaire du lycée, il fallait venir costumé. La pauvre a débarqué déguisée en princesse, avec une incroyable robe bleue à cerceaux et bustier brodé, ses magnifiques cheveux blonds montés en choucroute. Sa mère a beau être coiffeuse, elle a dû y passer la nuit. Vision surréaliste que cette jeune fille d'un autre siècle perdue dans un décor d'aujourd'hui… Un vrai film de science-fiction avec option voyage dans le temps. Dans le hall plein à craquer, sur fond de musique d'ambiance moitié groove moitié rock, Inès et son imposant costume à la *Sissi Impératrice* tentent de se frayer un chemin parmi la foule des étudiants qui, par contraste, paraissent bien ternes. Un vrai choc de styles. Je peux vous dire que, de nos jours, les robes prennent nettement moins de place et d'épaisseur, surtout lors d'une boum officielle dont beaucoup comptent profiter pour emballer…

Inès navigue à vue, à la recherche de Romain et d'Antoine. D'après ce que je l'ai entendue marmonner avec des mots moins élégants que sa robe, elle veut leur arracher la tête et leur faire bouffer leurs propres organes reproducteurs… Techniquement, ça ne va pas être simple, surtout habillée comme ça. Ses boucles d'oreilles grosses comme des lustres se balancent en rythme. Même si elle est à l'autre bout du hall, le sommet de sa chevelure dépasse toujours et permet de la localiser. Le gyrophare est inutile. Les coupables de cette mauvaise blague n'auront aucun mal à la voir venir. Avec Léa, on est partagées entre le fou rire et la compassion. Aucun des deux sentiments ne l'emporte franchement, c'est une victoire alternative qui nous donne l'apparence de parfaites andouilles, tantôt affligées, tantôt hilares.

Pour ce qui est de la décoration du hall, le lycée a fait des efforts, mais on est encore loin des boîtes branchées. Difficile de transformer un lieu purement fonctionnel où l'on passe une grande part de notre temps en un surprenant lieu de fête. Quelques projecteurs de couleur illuminent les murs couverts d'affiches sur les méfaits du tabac, la contraception, le club de théâtre ou notre avenir – je ne sais pas ce qui est le plus effrayant. Plus audacieux, de longues guirlandes de fanions multicolores s'étirent d'un mur à l'autre en parcourant les plafonds, accrochées au système anti-incendie. Trop glamour. C'est aussi joyeux que la ligne d'arrivée d'une course en sac dans une maison de retraite.

Depuis deux semaines, j'ai entendu beaucoup de monde annoncer qu'ils ne viendraient « jamais de la life » à cette fête « qui craint ». Pourtant, ils sont tous là, comme s'ils avaient eu peur de manquer quelque chose. Déjà dans les recoins, j'en repère quelques-uns qui s'embrassent.

Au fond du hall, une scène a été aménagée. Elle

est surmontée d'une grande banderole : « 50 ans au service de l'apprentissage et de l'épanouissement ». Où vont-ils chercher leurs slogans ? D'où leur viennent ces phrases absolues d'une profondeur inouïe ? C'est à chaque fois pareil. Quelque part à la direction, dans un coffre-fort habilement dissimulé pour empêcher le vol de cet outil ultra sophistiqué, ils doivent avoir une boîte avec des mots écrits sur des petits bristols, comme à la maternelle, et ils piochent au hasard. Et une fois étalés sur leur table, cela donne naissance à ces petites formules historiques d'originalité et de pertinence, comme « L'avenir se dessine au présent », « Pensons la vie », « Être honnête, c'est chouette », « Ensemble, construisons le monde », « L'authenticité n'attend pas » ou « Nettoyer c'est bien, pas salir c'est mieux ». Cette boîte à mots et ses prodigieux résultats sont utilisables aussi bien pour la fête des commerçants que pour un chantier de réfection des égouts, les 112 ans de tata Jeanine, l'ouverture d'une crèche ou la mise à flot d'un porte-avions nucléaire. De ma place, j'ai du mal à voir, mais je crois que sous cette magnifique déclaration, au cas où nous aurions été encore affamés d'émotion après la première couche, ils ont rajouté une citation. Je me tortille pour la découvrir entre les têtes, et j'accède enfin à la vérité suprême : « Prends ton envol petit oiseau, car le ciel t'appartient. » C'est de Jérôme Chevillard. Ça y est, je sens que mon existence bascule dans une autre dimension. Je ne sais même pas comment j'ai réussi à vivre jusqu'ici sans avoir lu ça. Pourquoi les gens se croient-ils obligés de mettre des citations partout ? Vous n'êtes jamais à l'abri de vous prendre en pleine tête un « Attrape la vie comme elle vient et chéris le présent », « Nul ne sait ce que l'aube réserve tant qu'il n'a pas vu les rayons du soleil » ou encore « L'humanité est à ce monde ce que le sel est à l'océan ». Lana dirait : « Trop puissant ! » Vous ouvrez un roman, vous rentrez dans un musée, vous attendez chez le médecin, vous lisez *Picsou* – il y a des citations tout le temps. Ceux qui en usent s'imaginent sans doute que ça fait plus intelligent, et que si en plus ça a été dit par quelqu'un de célèbre, c'est encore plus impressionnant et que toute cette gloire et ce génie rejailliront sur eux. Lao-tseu, Confucius, Oscar Wilde, Talleyrand, Mazarin et les Bee Gees servent ainsi de béquille intellectuelle à d'innombrables vides. Et si l'idée suffisait ? Si on se contentait des seules citations qui nous font de l'effet, sans être obligé de les attribuer à quelqu'un de connu pour y souscrire ? Ou alors pourquoi, pour rapprocher les élites du peuple, on ne ferait pas dire aux célébrités des trucs plus quotidiens ? « Zut, zut et zut, j'ai encore fait un trou dans ma veste » par l'amiral Nelson, ou alors « Le prochain qui vole encore la surprise des Chocapic, je le brûle » par Attila. Ou mieux : « La Montespan a bouché les toilettes avec sa perruque, je suis obligé de faire construire plus grand à Versailles » par Louis XIV.

Franchement, plus tard, quand j'aurai 90 ans et que mes nombreux arrière-petits-enfants assis en cercle me demanderont de raconter les grandes étapes de ma vie, je dirai que tout a commencé le jour où j'ai lu sur un vieux drap : « Prends ton envol petit oiseau car le ciel t'appartient. » Merci, Jérôme Chevillard. Et d'ailleurs, qui c'est, ce type ? Remarquez, si vous y réfléchissez bien, « Prends ton envol petit oiseau... », c'est un peu ce que Tibor conseillait de faire à Léa quand on était prisonnières sur le toit.

Sur la scène, un petit groupe d'élèves s'installe avec des instruments. J'en reconnais certains. Deux profs viennent se joindre à eux. L'un d'eux porte un saxo rutilant, et l'autre une guitare électrique. Au total, ils sont huit musiciens. Le batteur attaque avec trois coups de cymbales. Ils démarrent par un rock'n'roll et, dès les premières mesures, il est clair qu'ils s'en sortent super bien. Le fait que certains élèves se mettent déjà à danser prouve que le verdict de la foule est plus que positif. J'observe ce drôle d'orchestre. Le garçon au clavier est très bon. Je l'avais déjà croisé dans les couloirs, avec son énorme mèche qui lui mange tout le haut du visage. On ne voit pas ses yeux. Mais étant donné sa maîtrise, cela ne semble pas le gêner pour jouer. C'est bizarre, je lui ai toujours trouvé une démarche vaguement traînante. Pourtant, assis derrière son clavier, il n'est plus le même et semble sacrément vivant. Il joue avec les autres et il a l'air heureux. À bien y regarder, d'ailleurs, ils ont tous l'air heureux. Ils jouent ensemble. Il y a quelque chose de magique à voir ces gens normaux devenir plus qu'eux-mêmes à travers la musique. Chacun utilise son instrument différemment, mais dans un but commun. Cela me touche. Leur énergie est communicative, et la musique emporte tout le monde comme une vague soulève les baigneurs au bord de l'océan. J'aime voir les gens ressentir ensemble. Malheureusement, après le premier morceau, M. Tonnerieux, le proviseur, monte sur scène avec un micro qu'il tient comme s'il présentait une vieille émission de variétés du siècle dernier.

— Bonjour à toutes et à tous, entonne-t-il, et bienvenue pour ce moment très particulier puisque nous avons la chance de célébrer ensemble le demi-siècle de notre établissement…

Il commence à remercier une liste interminable de gens, de l'académie, de la région, des enseignants, des officiels de la ville. Il est solennel, mais semble aussi ému. Le plus surprenant, c'est qu'il a l'air sincère. Comment peut-il prendre son discours au sérieux ? Est-ce qu'un jour nous sortirons nous aussi des trucs dans ce genre-là avec la même conviction ? Comment est-ce possible ? Il a peut-être l'âge de mes parents, mais il a dû lui aussi être jeune. Que lui est-il arrivé pour qu'il devienne cet homme-là, avec son beau costume, ses gestes empesés et son vocabulaire digne d'un mode d'emploi de micro-ondes mal traduit de l'allemand ? Il a dû se faire kidnapper par des extraterrestres qui lui ont lavé le cerveau avant de le reprogrammer. Depuis, il fait lui aussi partie de la vaste conspiration qui vise à nous faire croire que nous naissons sur cette terre uniquement dans le but de cotiser pour les retraites des autres.

Lorsque son discours s'arrête enfin, quelques applaudissements venus du secteur où les profs et le personnel se sont regroupés accompagnent son départ de la scène. Les choses sérieuses peuvent enfin reprendre. En quelques instants, le groupe réussit à regonfler l'ambiance, et tout le monde danse à nouveau. J'aperçois un garçon qui fait un baisemain à Inès et enchaîne avec une révérence. Elle sourit. Je suis contente pour elle. Ils se mettent à danser. Les larges cerceaux de sa robe ne le gênent pas du tout pour la serrer contre lui. Le volume de la musique monte encore d'un cran.

Il n'est désormais plus possible de se parler : les hostilités sont lancées pour de bon.

La foule se divise en deux, ceux qui se déchaînent sur la piste et ceux qui battent en retraite sur les bords pour leur laisser la place. Pour ma part, je me suis réfugiée contre un pilier. C'est Léo qui m'a appris le truc : en cas de danger pouvant résulter d'une explosion ou d'un mouvement de foule incontrôlé, il vaut toujours mieux être placé près des structures parce que c'est ce qui résiste le mieux. Je m'appuie donc et je regarde. Léa se précipite vers moi, déjà essoufflée. Elle hurle pour que je l'entende :

— Viens avec nous !

Je lui fais non de la tête.

— Ne fais pas ta rabat-joie !

Je campe sur mes positions. Elle hausse gentiment les épaules, me fait un petit signe comme les enfants qui disent au revoir, et retourne se fondre dans la masse. Je crois qu'elle danse avec Axel…

Les morceaux s'enchaînent et je ne bouge pas. Au maximum, je bats la mesure du pied. Si je suis honnête, j'ai parfois aussi un peu le corps qui oscille en rythme, mais c'est bien malgré moi. Je regarde ceux que je connais s'amuser. De temps en temps, un de mes camarades vient tenter de m'entraîner, mais rien n'y fait. Me contenter de regarder ne me pose aucun problème. J'apprécie cela, et ça me fait moins peur que de participer. De temps en temps, j'aimerais avoir le courage ou l'inconséquence de ceux qui osent s'exhiber en se lâchant. Mais je crois que ce ne sera pas possible pour moi dans cette vie-là. Quand je me serai réincarnée en poule, en suricate ou en Mlle Mauretta sur sa photo d'anniversaire, alors je renaîtrai et je serai

TICKET CARTE BANCAIRE

CARTE BANCAIRE
A0000000421010
CB
le 19/05/15 a 18:36:28
LE FURET DU NORD
59000 LILLE
0792434
************5377
F8B6F02F4086CF69
711 001 047264
C
MONTANT= 41,09EUR
DEBIT
TICKET CLIENT
A CONSERVER
MERCI AU REVOIR

Merci pour votre achat

Retrouvez-nous sur www.Furet.com

TICKET CARTE BANCAIRE

CARTE BANCAIRE
A0000000421010
CB
Le 19/05/15 à 18:36:28
LE FURET DU NORD
59000 LILLE
0702434
************5377
E0B5E02E40B8CE69
711 001 041264

MONTANT= 41,09EUR
DEBIT
TICKET CLIENT
A CONSERVER
MERCI AU REVOIR

Merci pour votre achat

Retrouvez-nous sur www.furet.com

capable de tout. J'aurai perdu tout sens du ridicule et abdiqué toute pudeur. Mais en attendant, je reste près de mon pilier, les yeux grands ouverts, comme Flocon devant le jardin enneigé. Pourtant, si Axel venait me chercher, peut-être que je me laisserais convaincre... Mais il est désormais de l'autre côté, en train de discuter avec Léo et Louis. Léa vient régulièrement me tenir compagnie et me raconter ce qui se passe sur la piste.

— Ça y est, je crois qu'Eva et Adrien sont ensemble ! Tu devrais les voir, c'est chaud ! Il faut dire qu'avec un groupe pareil et le slow qu'ils nous ont servi tout à l'heure, t'as envie de tomber amoureuse. Tu ne trouves pas qu'ils jouent bien ?

— Si, c'est même impressionnant. Si tu fermes les yeux, tu peux te croire à une soirée très classe, sur les collines de Hollywood, au bord d'une piscine, le visage chauffé par les derniers rayons du soleil qui s'effondre dans le Pacifique.

— Tu crois que ça sent la cantine, sur les collines de L.A. ?

On éclate de rire, et elle repart danser. Je la trouve jolie. Elle n'est sans doute pas aussi sexy que Vanessa ou Émilie, mais elle a du charme. Elle deviendra sûrement une très belle femme, comme Mme Holm, notre prof de SVT, avec beaucoup d'allure.

La fête bat son plein. On a tous oublié pourquoi on est là, mais tout le monde s'éclate. Je ne vois plus Axel. Au beau milieu d'un morceau, un solo de saxo monte dans une maîtrise époustouflante, et même les danseurs les plus acharnés tournent la tête vers la scène pour voir qui joue aussi bien. C'est M. Caron, notre prof d'histoire-géo de l'année dernière. Il doit être un peu plus jeune que mes parents. Il joue les yeux fermés. Ses doigts courent sur l'instrument avec une virtuosité qui force l'admiration. Tout le monde est surpris de découvrir qu'un prof est capable de jouer ainsi. La moitié des filles de ses classes vont tomber amoureuses de lui. Bouche bée, je l'écoute et le regarde, fascinée. Quelqu'un me dit :

— Il joue fabuleusement bien, non ?

Je réponds sans regarder qui me parle :

— Tu m'étonnes…

— Pourtant, il prend un risque énorme.

— Le morceau est super difficile, mais il assure…

— Ce n'est pas le morceau qui est risqué, c'est de le jouer devant les élèves…

Je tourne la tête pour voir qui vient de dire cela, et je tombe nez à nez avec M. Rossi, notre prof d'éco. J'ai un violent mouvement de recul. Il sourit, ironique :

— Tu me trouves si monstrueux que ça ?

Je ne suis pas à l'aise. Peut-être parce qu'il n'y a plus de bureau pour nous séparer, peut-être parce que je nous croyais entre élèves et que je me demande ce qu'il fait là. Je réponds en bafouillant :

— Excusez-moi, je crois que je vous ai tutoyé…

— Un jour comme aujourd'hui, ça ne me pose pas de problème.

Il me désigne M. Caron, qui se donne toujours à fond sur la scène.

— Toi aussi, tu es impressionnée.

— Il y a de quoi. On ne s'imagine pas qu'un prof…

Je me mords les lèvres. M. Rossi sourit de plus belle :

— Vous nous figez dans notre fonction. C'est normal. Mais qu'est-ce que vous croyez ? Vous vous imaginez sérieusement que lorsque vous quittez le lycée, on s'immobilise derrière notre bureau en attendant que vous reveniez le lendemain matin ? Comme un parc d'attractions dont les automates seraient débranchés en attendant le retour des spectateurs. Tu imagines le tableau ? Si vous saviez... Il n'y a qu'à voir la tête de tes camarades lorsque j'en croise un au supermarché. Leur mâchoire se décroche à la simple idée qu'un prof puisse aussi faire ses courses, manger... Et je ne te raconte pas si j'ai du papier-toilette sur le dessus du caddie !

— Je préférerais vous découvrir en train de jouer de l'harmonica plutôt que de la cuvette...

Qu'est-ce que je viens de dire ? Je vire instantanément au rouge écarlate, mais il rigole. Ça ne doit pas être si grave que ça.

— Toi qui observes toujours, me demande-t-il, que penses-tu de l'idée de mélanger les profs et les élèves pour faire la fête ?

Je suis surprise que l'on se soit posé la même question. J'hésite à répondre. Il le voit bien.

— Tu peux me dire la vérité, Camille.

Je réfléchis pour trouver les mots précis, et je me lance :

— C'est assez bizarre de mélanger tout le monde. C'est une belle idée, mais je la trouve... contre nature.

J'en ai trop dit. M. Rossi hausse un sourcil. Le groupe est passé au morceau suivant et je ne m'en suis même pas rendu compte.

— Contre nature ? répète-t-il. Comme si les policiers et les voleurs faisaient la fête ensemble ? Comme le chat et les souris, les baleines et le plancton ?

— C'est un peu l'idée.

— Et selon toi, d'où vient cette barrière qui nous sépare ?

Je soupire. Cette conversation inattendue m'entraîne sur un terrain glissant auquel je ne suis pas du tout préparée. M. Rossi remarque ma gêne et s'excuse d'un geste de la main.

— Désolé. Loin de moi l'idée de t'ennuyer dans ce moment de fête, mais finalement, les occasions de parler vraiment sont rares. On se voit en cours, je vous débite mon texte, et puis chacun retourne dans son monde.

Il a raison. Je lui souris et j'essaie de répondre :

— Ce n'est pas une barrière. C'est autre chose. Peut-être une façon différente de voir la vie…

— Il y aurait sans doute là un vrai sujet à creuser.

Il regarde vers le hall et ajoute :

— Je vais te laisser. Ça fait déjà deux fois que Léa tente de venir te voir, mais elle n'ose pas parce que je suis là.

— Ce n'est pas grave.

— Bien sûr que si c'est grave ! Ce sont tes amis. C'est sacré. Profite. Je me sauve. J'ai été content de pouvoir te parler.

11

Au minimum une fois par mois, ma famille et celle de Léa se retrouvent pour dîner le samedi soir. Un coup chez eux, un coup chez nous. Ce soir, on est chez eux. Je ne sais pas combien de fois on a pu y aller, mais ça doit être énorme. C'est un peu ma deuxième maison. Quand j'étais plus petite, en dehors de chez nous, il n'y avait que chez eux que je me sentais assez à l'aise pour aller aux toilettes. À l'époque, c'était un vrai critère pour moi ! Élodie, la mère de Léa, nous fait dîner avant, nous les « enfants », pendant que les adultes prennent l'apéritif. Même si on est désormais assez grands pour rester à table avec eux, on préfère continuer comme avant et vivre notre vie. J'aime bien les savoir réunis, pendant que l'on s'amuse. Lucas et Julien, le grand frère de Léa, montent à l'étage pour s'abrutir de jeux vidéo tandis que Léa et moi descendons au sous-sol dans la salle de jeux pour parler et chanter.

Nos parents plaisantent souvent en disant que, pour que nos deux familles soient encore plus proches, il faudrait que j'épouse Julien, et que Léa se marie avec Lucas. Moi je rougis, et Lucas fait une moue dégoûtée à laquelle personne ne croit. Pour le taquiner, Léa s'approche régulièrement de lui et, avec une voix langoureuse, lui sort des trucs du genre : « Alors, comment va mon beau héros et futur mari ? » Lucas, qui n'est pourtant pas du genre à reculer, se sauve alors en jetant une réplique comme on jette une grenade : « Laisse-moi tranquille, pauvre folle, tu pourrais être ma grand-mère ! » Par contre, Julien a toujours été bienveillant avec moi.

Entre nos parents, le courant passe aussi très bien. Nos mères vont à la gym ensemble et il leur arrive à tous de se voir sans nous. Si Christophe, le père de Léa, a besoin d'un coup de main, il appelle tout de suite le mien. Tout cela est finalement notre faute, à Léa et à moi. Sans l'école, sans notre amitié, ils ne se seraient sans doute jamais parlé. Ce qui m'a le plus surprise, c'est l'entente qui s'est immédiatement instaurée entre mon petit frère et Julien. Ils ont presque sept ans d'écart, mais le grand frère de Léa et Lucas ont tout de suite fonctionné ensemble. J'ai déjà constaté que les garçons ont un don inné pour s'entendre. La mauvaise nouvelle, c'est de constater ce qui les réunit… La connivence masculine est une petite graine qui germe souvent sur un terreau qui ne sent pas la fraise ! C'est drôlement beau. On dirait une citation de Jérôme Chevillard… On entend régulièrement Julien et Lucas éclater de rire et rien qu'à la façon dont ils le font, on se doute que ce n'est pas très malin. Au début, ils passaient la plus grande partie de leur soirée à nous embêter, mais depuis que Lucas s'est arrogé le droit de jouer à des jeux vidéo interdits aux moins de 18 ans, ils consacrent tout leur temps à dézinguer du zombie ou à faire exploser des chars et des hélicoptères et ne nous gênent plus.

Une fois notre repas avalé, Léa et moi descendons dans le royaume secret que son père a aménagé à la cave. Il leur a installé une salle de jeux deux fois plus grande que ma chambre. Maintenant que Julien fait des études supérieures, il n'y va plus très souvent. C'est un peu devenu le refuge personnel de Léa. On y passe des heures. Plus jeunes, il nous arrivait d'y dormir, mais on ne l'a pas trop fait parce que quand la chaudière se mettait en marche en pleine nuit, on était terrifiées. On s'attendait à voir débarquer un maniaque avec une machette et un masque de hockey et on ne dormait plus.

Léa se laisse tomber dans un des vieux fauteuils défoncés.

— Qu'est-ce qu'il te voulait, Rossi ?

— Rien. Je crois qu'il avait envie de parler.

— Je vous ai vus tous les deux, il rigolait et tu étais rouge pivoine…

Je lui répondrais bien que moi je l'ai vue danser avec Axel, mais ce ne serait pas correct. J'élude :

— Il a beaucoup d'humour.

Je m'assois dans le fauteuil d'en face, les jambes sur l'accoudoir. Léa ne me lâche pas des yeux. Elle hésite et demande :

— T'aimes pas les vieux, au moins ?

— Pourquoi tu dis ça ? Parce que j'ai échangé trois mots avec M. Rossi ?

— À la fête, c'est le seul mec avec qui tu aies parlé…

— Tu es folle !

Je change de sujet :

— Et toi, qu'est-ce que tu as pensé de la fille qui a chanté avec le groupe à la fin ?

— Pas mal, j'ai bien aimé.

— Moi, je trouve que tu chantes mieux et que tu aurais dû te proposer pour interpréter quelque chose.

— Chanter devant tout le monde ? Tu rigoles ?

— Tu as une super voix. Tu te débrouilles vraiment mieux qu'elle, et regarde le triomphe qu'ils lui ont fait.

— J'ai trop peur. Il n'y a que devant toi que j'arrive à chanter. Sinon, c'est toute seule. Même devant mes parents ou la famille, je ne veux pas. En attendant, qu'est-ce que tu dirais d'un petit duo toutes les deux ?

Léa aime les chansons d'amour. Des grands classiques, des hits, ou des choses plus pointues qu'elle me fait découvrir. À chaque fois, ce sont les textes qui la touchent. Elle ne joue pas à la star sur des morceaux à la mode en karaoké, elle vit les mots qui la bouleversent jusqu'à se les graver dans la voix. Elle cherche, elle fouille, elle déniche. Des artistes anglo-saxons, des groupes, et même des trucs de l'époque de nos grands-parents. Elle s'en fiche de savoir si c'est récent ou pas. Ce qu'elle apprécie, c'est l'émotion que ça lui procure, ce que cela fait vibrer en elle. J'aime cette approche, et c'est à elle que je dois la découverte de beaucoup de mes chansons préférées. Naviguer entre les époques et les styles nous a aussi permis de nous rendre compte que même trois générations avant la nôtre, les filles rêvaient déjà des garçons, que les plus belles histoires d'amour sont souvent les plus tristes, et que l'on court tous après la même chose. Finalement, la plupart des grandes chansons du monde ne parlent que d'amour, heureux ou malheureux. Je me suis souvent demandé à qui Léa pensait en les chantant.

On a un morceau que l'on adore chanter ensemble, le seul sur lequel je ne sois pas trop minable à côté d'elle : « You're Nobody till Somebody Loves You ». Sinatra, Louis Armstrong, Dean Martin et Nat King Cole l'ont chanté et ceux qui ont un peu de voix aujourd'hui tentent également leur chance. Je les comprends tous. Je trouve cette chanson tellement vraie. Nous ne sommes rien jusqu'à ce que quelqu'un nous aime. C'est une de ces petites vérités que certains films ou certaines œuvres nous offrent et que l'on devrait chaque jour garder sous les yeux pour comprendre ce monde et surmonter ce qu'il nous impose.

Léa se lève pour aller connecter la chaîne mais, à peine debout, elle chancelle et se trouve obligée de s'appuyer sur le dossier du fauteuil pour ne pas perdre l'équilibre.

— Qu'est-ce que tu as, ça ne va pas ?

— Ces fichus vertiges et ces nausées… Ils ne me lâchent plus. Et le souffle, je ne t'en parle même pas. En début de journée, les médocs font effet, mais le soir…

— Assieds-toi. Tu veux que j'aille te chercher un verre d'eau ?

— C'est gentil, mais ça ne changera rien. Chanter me fera du bien.

12

Les jours rallongent enfin. C'est surtout perceptible le matin. Dans une semaine ou deux, nous n'aurons plus besoin d'allumer les lampes pour le petit déjeuner. Le retour de la lumière fait du bien. Cela n'influe pas sur Lucas, qui met toujours autant de temps à émerger. Aujourd'hui, il démarre sa journée à moitié endormi au-dessus de son bol de chocolat tiède. Maman lui dit :

— Qu'est-ce que tu as dans les cheveux ?

— Je sais pas, mais doit y avoir quelque chose parce que j'ai l'impression qu'un truc est tombé dans mon bol.

Il avale une rasade. Je commente :

— Et maintenant, ce « truc » est dans ton corps.

Flocon est sorti dans le jardin avec Zoltan. Le petit regarde toujours le grand avec fascination. S'il n'en est pas encore à essayer de lever la patte sur les perce-neige, je l'ai quand même vu tenter d'enterrer quelque chose et, l'autre soir, lui et le chien couraient chacun après sa queue… Je surveille cet étrange parcours entre l'inné et l'acquis avec beaucoup de curiosité.

Au moment de partir, j'entends Lucas pousser un

vrai cri d'horreur. Il déboule comme un hystérique dans la cuisine et hurle à maman :

— J'ai des bestioles dans les cheveux, regarde !

Il exhibe une sorte de petit pince-oreille qui agite les pattes. Il est au bord de la panique.

— J'ai dû choper ça dans le garage en cherchant ma raquette. C'est immonde, je suis sûr que c'est ça qui est tombé dans mon lait ! Il va faire son nid dans mes poumons !

Je voudrais bien rester jusqu'au moment où il va supplier qu'on l'emmène à l'hôpital comme la fois où il avait avalé un papillon en faisant du vélo, mais je vais être en retard. Bonne chance, petit frère, tu n'as qu'à te dire que ce sont des protéines…

Avec la fonte de la neige, le quartier de la gare est redevenu un immense champ de gadoue. Les pelleteuses ont entamé le dernier immeuble debout et le chef de chantier est toujours là, à la même place. Je ne l'ai jamais vu parler à un des ouvriers. Je me demande à quoi il sert.

Au lycée, les conseils de classe du deuxième trimestre approchent. La pression monte. Bientôt la fin du programme et les révisions. J'aperçois Manon, dont les cheveux longs ont disparu au profit d'une coiffure presque masculine surprenante. Je vais la voir.

— Sympa ta nouvelle coiffure. Ça change !

— Ce n'est pas un choix. Hier soir, pour protester contre une nouvelle séance de grand guignol de mes parents, j'ai pris les ciseaux et j'ai tout coupé devant eux.

— La vache…

— Ça les a calmés direct. J'étais folle de rage. Je n'en peux plus.

— Dis donc, pour une enragée, tu t'es quand même bien coiffée…

— C'est la mère d'Inès qui m'a sauvé le coup à 23 heures… Sinon j'avais l'air d'une survivante de crash aérien.

— Ma pauvre… Mon invitation tient toujours. Tu viens quand tu veux, tu martèles à la porte en criant « Asile ! Asile ! » comme au seuil d'une cathédrale, et nous t'accueillerons. Ce n'est pas grand-chose mais c'est de bon cœur.

— C'est gentil, mais je crois que mon coup d'éclat les a fait réfléchir. Ils n'ont plus rien dit de la soirée et, ce matin, ils m'ont promis que pour protéger notre équilibre, ils ne parleraient plus divorce, pas avant d'avoir vendu la maison et trouvé une autre adresse où s'installer au calme séparément. Tu parles…

— C'est toujours un répit.

— De courte durée, les visites des agences commencent la semaine prochaine.

— Promets-moi de ne plus rien te couper s'ils recommencent à se hurler dessus…

— Pour les cheveux, ce serait difficile, il ne reste plus grand-chose.

— Ne va pas te mutiler…

— T'inquiète, je suis furieuse mais pas folle. Si je dois couper quelque chose, ce sera leur tête !

Parce que nous sommes arrivées dans les dernières, Léa et moi sommes installées au premier rang en cours d'anglais. Même si c'est un emplacement qui fait peur, c'est paradoxalement une bonne position parce que la prof n'interroge jamais ceux qui sont devant.

— Dépêchez-vous, nous avons du travail ! dit-elle à ceux qui tardent à sortir leurs affaires.

Quelqu'un frappe à la porte.

— Entrez ! s'exclame-t-elle, agacée.

La porte s'ouvre sur une jeune fille désemparée qui guide un inconnu comme un aveugle, sans doute parce qu'il a la tête emprisonnée dans un gros tube de métal. C'est le prof d'histoire qui serait content : c'est pas tous les jours qu'on a la visite du Masque de fer en live. La jeune fille déclare :

— Désolée de vous déranger, mais il m'a dit qu'il avait cours ici. Je l'ai trouvé tâtonnant dans les couloirs, il n'arrivait pas à se diriger tout seul.

Mme Shelley s'adresse à l'homme dont la tête est enfilée dans la boîte de conserve géante :

— Retirez-moi ça tout de suite et installez-vous.

L'accompagnatrice répond :

— Il ne peut pas, il est coincé…

— Qui est là-dedans ? interroge la prof.

— Je ne sais pas, madame. Et il faut que je retourne dans mon cours…

— C'est bon, sauvez-vous, et merci.

Elle s'approche de l'homme à la tête métallique et toque sur le cylindre.

— Qui est là ?

On hallucine. Une voix étouffée répond :

— Tibor.

— Ça m'aurait étonnée…

Mme Shelley contemple un instant le spectacle effarant qui s'offre à elle. Elle semble désemparée, mais cela ne dure pas car tout à coup, cédant à une violente pulsion associant le ras-le-bol et l'envie d'en finir, elle se jette comme une furie sur le fût qu'elle saisit à pleines mains pour l'arracher. Sans succès. Loin de renoncer, elle s'y cramponne, tirant de toutes ses forces en grognant. Jamais je n'aurais cru qu'elle puisse bouger aussi vite et aussi brutalement. Tibor hurle dans sa boîte. Elle y va tellement fort qu'elle oblige le malheureux à se tordre jusqu'à tomber à genoux. Affolé, Tibor se relève et tente de s'enfuir en agitant les bras, mais comme il ne voit rien, il se mange le mur. Le choc résonne dans toute la salle et il rebondit en poussant un cri déchirant.

— Bon sang, Tibor, mais qu'est-ce que vous foutez coincé là-dedans ?

Il marmonne une réponse mais on ne comprend rien. Soudain, la prof d'anglais s'exclame :

— Mais c'est le porte-parapluie de la salle des profs !

Tibor hoche son tube de métal positivement.

— Est-ce que vous pouvez respirer ?

Avec sa main, Tibor répond « comme ci-comme ça ». Léo propose son aide :

— Madame, si vous voulez, j'ai de quoi faire un trou pour laisser passer l'air.

— C'est gentil, Léo, mais restez en dehors de tout ça. Je n'ai pas besoin que James Bond opère Iron Man pendant mon cours. Nous discuterons plus tard des raisons qui vous poussent à venir en classe avec un ouvre-boîte…

— C'est pas un ouvre-boîte, madame, c'est…

— Peu importe. On va laisser faire les professionnels. Léa, soyez gentille, escortez votre camarade à l'infirmerie.

On n'a pas revu Tibor de la journée. Léa est restée un bon moment avec lui. Aux dernières nouvelles, ils n'avaient pas encore réussi à le sortir de son piège. Je parie que ça va encore finir avec les pompiers. On a bien pensé à lui envoyer un petit message de soutien mais, de toute façon, il ne peut pas voir son téléphone, et encore moins l'écouter. J'espère qu'il n'a pas prévu de faire des photos d'identité aujourd'hui.

13

Léa est absente ce matin, elle passe de nouveaux examens au centre hospitalier. Ils ne comprennent toujours pas pourquoi elle est essoufflée ni d'où viennent ces vertiges à répétition. Je suis inquiète pour elle. Par contre, Tibor est revenu. Il a des pansements sur la pointe du nez, sur les oreilles et à l'arrière de la tête – partout où ça a sévèrement frotté. Vanessa a voulu regarder de près, mais elle a failli tomber dans les pommes. Elle dit qu'il est usé jusqu'à la viande… Au petit matin, ce genre de remarque me soulève le cœur. Tibor n'a pas vraiment l'air en forme. Les secours ont été obligés de découper le porte-parapluie pour le libérer. Je m'approche de lui.

— Comment te sens-tu ?

— Mes plaies seront guéries avant mon orgueil…

J'ose lui poser la question qui obsède tout le monde :

— Tibor, comment tu t'es coincé la tête là-dedans ? À moi tu peux me le dire. Tu sais que je garderai le secret.

Il détourne les yeux.

— Un jour peut-être, j'en parlerai. Mais pour le moment, c'est trop dur. De nous deux, il n'y a que moi qui ai survécu. Le pauvre porte-parapluie ne demandait rien à personne. Il y est resté. Il faut que j'apprenne à vivre avec ça…

Il rigole ou quoi ? Bientôt, il va me raconter qu'ils ont fait la guerre du Golfe ensemble et qu'ils étaient comme des frères, lui et le « pauvre porte-parapluie ». Ce mec a vraiment un grain. Je suis à deux doigts du fou rire. J'enchaîne sur autre chose :

— Je t'ai fait des photocopies des cours que tu as manqués.

Il se tourne à nouveau vers moi. Je n'arrive pas à le regarder dans les yeux. Son microbandage autour du nez attire trop l'attention. On dirait Pinocchio juste avant son plus gros mensonge.

— Tu es gentille, Camille.

Il voit bien que je le fixe et se demande probablement pourquoi je suis toute congestionnée.

— Tu sembles émue ?

Je ne réponds rien. C'est un cauchemar. Si ça continue, je vais lui exploser de rire au visage et il sera très triste. En même temps, ce serait moins grave que de me faire éclater l'aorte, parce que c'est ce qui m'attend si je continue à bloquer mon fou rire en faisant monter en flèche ma pression interne. On va être mignons tous les deux, moi avec une artère qui gicle et lui avec ses petits pansements répartis façon balisage de piste d'atterrissage.

— Ne t'inquiète pas, dit-il en me prenant la main. Ce n'était qu'un objet. Les objets ne souffrent pas comme nous.

C'est foutu. Les larmes coulent de mes yeux. Je connais aussi une vieille folle qui dirait qu'il est parti au paradis des porte-parapluies. Soudain, j'aperçois Laura et Dorian à l'autre bout du couloir. Cette fois, je suis perdue. C'est sûr, ces deux langues de vipère vont raconter à la

Terre entière qu'ils m'ont vue tenir tendrement la main de Tibor avec les larmes aux yeux, ce qui fait de moi officiellement la première cinglée à être sortie avec lui !

Toute la matinée, je cherche à voir Manon, mais je n'y parviens qu'à la coupure de midi. Quand nous sommes enfin seules, j'entre d'emblée dans le vif du sujet :

— Comment va ton moral ?

— Avec des hauts et des bas. Je me dis que mes cheveux finiront par repousser, c'est déjà ça.

— Tes parents se tiennent tranquilles ?

— Pour l'instant, oui.

Mes questions directes la surprennent. Elle me regarde étrangement. Je continue :

— Ils t'ont bien dit qu'ils ne divorceraient pas avant d'avoir vendu la maison ?

— C'est ça. Pourquoi cette question ?

— Tu crois qu'ils tiendront parole ?

— Maintenant qu'ils en ont aussi parlé à mon frère et à toute la famille, je parierais que oui. Si l'un des deux insistait pour faire autrement, l'autre saisirait l'occasion pour lui rejeter tout le naufrage sur le dos. Mais qu'est-ce que tu as derrière la tête ? Je connais ce regard : en général, c'est que tu mijotes quelque chose…

Je n'ai pas le temps de lui répondre. Nous sommes interrompues par le silence soudain qui s'est abattu sur le hall, pourtant très fréquenté. Le brouhaha habituel s'est tu. Tout le monde regarde vers les portes d'entrée. Je me décale pour voir, et je découvre M. Tonnerieux qui avance d'un bon pas, accompagné de deux gendarmes. À l'évidence, ils cherchent quelqu'un. Je n'avais jamais vu de gendarmes ici et à en juger par la tête que font les autres, je pense que je ne suis pas la seule. Ils sont peut-être là pour Tibor, ou mieux, pour le sauvage qui m'a menacée l'autre jour dans l'escalier. Quand je vais raconter ça à Léa, elle va halluciner.

Tous les regards sont braqués sur les trois hommes qui traversent le hall. M. Tonnerieux pose une question à quelqu'un, qui lui désigne notre direction. Ma gorge se serre. Avec ma chance, un satellite nous aura remarquées sur le toit et nous allons finir au poste, ou alors mon père s'est fait tuer dans un braquage. Je tremble. Les deux officiers et notre proviseur arrivent. En voyant les garçons, M. Tonnerieux s'exclame et bifurque vers eux. Les gendarmes le suivent de près. Ils vont droit sur Axel. M. Tonnerieux se plante devant lui.

— Je suppose que vous savez pourquoi ces messieurs sont là…

Le visage fermé, Axel hoche la tête.

— Si vous vous étiez présenté à leur convocation, ils ne seraient pas venus jusqu'ici. C'est très embarrassant, à la fois pour l'établissement et pour vous.

L'un des gendarmes ajoute :

— Nous sommes passés deux fois à votre domicile, mais personne ne répond jamais.

Son collègue poursuit :

— Suivez-nous sans faire d'histoires. Inutile de compliquer les choses.

Axel ne dit pas un mot. Il ramasse son sac et s'en va, encadré par les gendarmes, sous le regard incrédule de tous ceux qui se trouvent dans le hall. Léo et Louis n'ont pas bougé. Romain a bien essayé de protester, mais M. Tonnerieux l'a aussitôt arrêté. Dans mon dos, j'entends Laura qui commente ironiquement :

— Monsieur « Sans défaut » n'était donc pas parfait…

Elle ricane. Je crois que je vais lui éclater la tête.

14

Je ne vous raconte pas l'ambiance pendant le reste de la journée. Tout le monde était sous le choc et se posait des questions. C'est horrible, mais j'étais assez fière que la plupart de ceux de ma classe viennent me demander pourquoi Axel s'était fait embarquer. Même dans des circonstances aussi glauques, j'aime l'idée que l'on pense que je suis proche de lui. Enfin, surtout les filles, parce que les garçons vont tous interroger Léo et Louis. Et puis je ne suis pas certaine que l'on serait venu me voir si Léa avait été présente. Quoi qu'il en soit, à chaque intercours, j'essaye de joindre Axel, qui ne répond pas. Je lui ai déjà envoyé trois SMS.

Léa ne répond pas non plus. À la fin des cours, j'aperçois Léo et Louis qui sortent ensemble du bâtiment. Ils foncent droit devant eux, la mine sombre. Je les rattrape.

— Vous avez des nouvelles d'Axel ?

— Non, répond laconiquement Léo.

D'habitude, il est plus bavard.

— S'il vous plaît, les garçons, dites-moi ce qui se passe, je suis certaine que vous savez quelque chose…

Ils ne s'arrêtent même pas. Je ne vais pas renoncer

pour autant. Je cours pour les dépasser et je leur barre la route.

— Je suis morte d'inquiétude. Axel a fait quelque chose de mal ?

Je trouve le regard de Louis bien brillant. Il aurait pleuré ou au moins eu les larmes aux yeux que ça ne m'étonnerait pas. Léo soupire :

— Camille, pour le moment, on ne peut pas parler. Mais Axel n'a rien à se reprocher.

— Donc vous savez ce qui lui arrive.

— On ne doit rien dire, on a promis. Il risque gros.

Je crois que c'est moi qui vais pleurer. Je sais que Léo ne lâchera rien. Même sous la torture, un espion digne de ce nom ne parle pas. Mais Louis… Axel et lui habitent le même quartier. Léo se tourne vers son pote et dit :

— Il faut que je rentre. On s'appelle tout à l'heure. Ne sois pas en retard…

Louis hoche la tête et salue son complice, qui s'éloigne. Je reste seule face à lui.

— S'il te plaît, Louis, ne me laisse pas comme ça. Tu sais ce que représente Axel pour moi. Entre lui qui se fait embarquer et Léa qui est à l'hôpital, est-ce que tu imagines…

— Camille, tout ce que je peux te dire, c'est qu'Axel n'a pas à rougir. Je ne sais même pas comment ils ont pu venir l'arrêter ici, comme un voleur, devant tout le monde.

— Est-ce qu'on peut l'aider ?

— Il n'y a rien à faire. De toute façon, ils vont lui donner tort…

Louis s'interrompt. Il en a trop dit. Je l'attire à l'écart du passage.

— Mon père bossait à la sécurité civile. Il connaît sûrement du monde. Peut-être qu'il pourra l'aider ?

Je sens bien que Louis hésite.

— Si Axel apprend que je t'en ai parlé, il m'en voudra...

Si ça n'avait pas été grave, Louis aurait dit : « Il me tuera. » Là, il a dit : « Il m'en voudra. » Ce doit être sérieux.

— Je serai muette comme une tombe.

— Tu ne dis rien, même à Léa.

— Je te le promets.

— C'est une sale histoire, mais Axel a eu raison.

— Raconte.

— Dans la résidence d'Axel, habite un vieux con qui pose des problèmes à tout le monde. Il n'arrête pas. Tout y passe, les ordures qu'il ne veut pas trier, les voitures mal garées, les gosses qui jouent sous ses fenêtres. On l'a toujours connu. Rien qu'à nous, il a crevé trois ballons. Il y a deux ans, ce fumier a fait des histoires à la mairie parce qu'il voulait rebaptiser sa rue « avenue Adolf Hitler » sous prétexte que c'était un homme célèbre comme les autres et qu'il était injuste et antidémocratique que pas une seule voie en France ne porte son nom. Personne ne peut le blairer, mais tout le monde a peur des histoires qu'il peut faire. Une vermine.

« Il y a deux mois, un matin, Axel a trouvé un de ses voisins, un petit Black, en pleurs, caché dans un buisson. Le gamin ne voulait plus aller à l'école. Axel l'a calmé et le petit lui a raconté que Mangeain – c'est le nom de l'autre enflure – lui avait dit que s'il était noir, c'était parce qu'il ne travaillait pas assez à l'école et qu'il ne ferait rien de sa vie. Sinon il aurait été blanc… Le môme était dévasté. Tu connais Axel, il est allé trouver l'autre abruti qui l'a envoyé balader. La semaine dernière, Axel a gravé de grandes croix gammées sur les portières de sa voiture, et ce con a porté plainte…

Je suis en ébullition, révoltée, scandalisée et… soulagée d'apprendre que tout ce que je crois d'Axel n'est pas remis en cause. Au contraire. J'ai envie de le défendre. Je voudrais aller étrangler cet enfoiré de Mangeain. Je suis déjà en train d'imaginer mille projets de vengeance. Louis me pose la main sur le bras.

— Ne déconne pas, Camille. Tu n'en parles à personne. C'est sérieux. Et ne t'avise pas de te mêler de ça, sinon Axel sera furieux et tu auras aussi affaire à moi.

L'avertissement est clair et me stoppe dans mes délires. La seule idée qu'Axel puisse m'en vouloir est suffisante pour me calmer.

— Merci, Louis. J'imagine qu'Axel te donnera des nouvelles.

— Avec Léo, on va aller à la gendarmerie essayer de le voir.

— C'est quand même dégueulasse.

— C'est la loi. Axel savait très bien ce qu'il faisait.

— C'est peut-être la loi, mais elle n'est pas juste.

— On n'est pas en cours de philo, Camille. On est dans la vraie vie et on a un problème. Notre souci, c'est de sortir Axel de là sans bobo.

— C'est pour ça que vous n'avez pas réagi quand les gendarmes l'ont emmené ?

— Ce n'était pas le bon moment. Mais compte sur nous, on ne va pas en rester là.

15

Je n'ai aucune nouvelle, ni de Léa ni d'Axel. Vous devinez certainement dans quel état je suis. À mon retour à la maison, impossible de me concentrer sur mes exos de maths tellement j'avais les yeux rivés sur mon téléphone. Même en rangeant le lave-vaisselle, je ne l'ai pas quitté du regard. J'ai l'impression que Flocon a compris que je n'allais pas fort. Pendant que je faisais mes devoirs à la table du salon, il a sauté sur mes genoux et s'est niché sagement. De temps en temps, il me regardait, et je croyais lire dans ses yeux : « Ne t'en fais pas, je suis là. » Je me raconte sûrement des histoires, mais le fait est que son comportement n'est pas le même que d'habitude. Qu'est-ce qu'ils perçoivent de nous ? Que comprennent-ils ? Zoltan, lui, n'a rien changé. Il m'a fait la fête quand je suis rentrée et m'a suivie jusqu'au placard à gâteaux. Sans doute à cause de mes angoisses, j'avais envie de grignoter. Je ne sais pas pourquoi, mais cette fois-ci j'ai espéré qu'après l'accrochage de l'autre soir, je trouverais des biscuits plus à mon goût. Je soupire en découvrant le contenu du placard. Huile de palme, gras, chocolat au lait hydrogéné, crêpes saturées de sucre, le tout dans un capharnaüm de paquets systématiquement éventrés par mon adorable petit frère. Je referme la porte, dégoûtée. Ma mère me demande :

— Tu n'as pas faim ?

— Si, mais il n'y a pas ce que je veux.

— Tu sais bien que c'est ton père qui fait ces courses-là…

— Justement.

Elle est assise à table en train de faire une commande de surgelés. Je m'assois face à elle, et demande :

— As-tu des nouvelles de Léa par ses parents ? Je n'arrive pas à la joindre.

— Non, rien pour le moment. J'ai laissé un message à Élodie mais elle n'a pas encore répondu. Tu sais, avec le nombre d'examens qu'elle devait passer, pour peu qu'il y ait du retard dans les services, ils peuvent rentrer super tard.

Elle lève les yeux vers moi.

— Tu es inquiète ?

— Forcément.

Je n'ose pas lui dire ce qui est arrivé à Axel. Tout à l'heure, j'enverrai un message à Louis pour savoir s'il a pu le voir. Je lui demanderai aussi de l'embrasser pour moi. Où est-il à cette minute précise ? Est-ce qu'il est en prison ? En interrogatoire ? Je déteste l'idée que quelqu'un s'en prenne à lui. Je serais prête à m'accuser pour qu'il sorte de ce cauchemar.

Lucas descend de sa chambre. Il va directement au placard à gâteaux.

— Ne te gave pas maintenant, lui dit maman. On ne va pas tarder à dîner.

— Pas de problème. Y aura toujours de la place.

Il n'est pas encore inventé, le gâteau qui étanchera ma faim.

Je le reprends :

— Qui *apaisera* ta faim. C'est la soif qu'on étanche.

— Et c'est toi la tanche !

Il attrape une crêpe, qu'il replie et avale en une seule bouchée. Il en prend une autre, qu'il agite sous le nez du chien pour lui faire faire le beau. Zoltan s'exécute en bavant.

— Bon chien, bon chien !

Et les voilà partis tous les deux à se courser autour du canapé. Mon téléphone vibre. Je me précipite dessus. Axel ou Léa ?

Léa. Elle me remercie de mes messages. Elle vient de rentrer, elle est crevée, on s'appelle plus tard dans la soirée pour tout se raconter. Maman m'observe.

— Des nouvelles ? demande-t-elle.

— Léa est rentrée. On se parlera après le repas.

Maman sourit. Ça me rassure. Aussi loin que je me souvienne, chaque fois que je suis inquiète et que je la vois sourire, ça me rassure toujours.

La conversation avec Léa n'a pas duré longtemps. Je lui ai trouvé une voix fatiguée. Elle attend les résultats de ses examens, mais d'autres sont déjà programmés. Elle n'a pas vraiment su m'expliquer de quel genre exactement. Elle semble un peu perdue. Je lui ai raconté ce qui était arrivé à Axel. Elle n'a pas eu l'air de réagir à la mesure de l'événement et a posé peu de questions. Sans doute parce qu'elle est très préoccupée par sa propre santé. Peut-être aussi parce qu'elle regrette de ne pas avoir été celle qui était près d'Axel à ce moment-là. Je n'ai rien dit de ce que Louis m'avait confié. J'en ai presque mauvaise conscience. Je n'ai pas l'habitude de cacher ce que je sais à Léa. J'ai l'impression de la trahir. C'est la première fois.

16

Les oiseaux doivent savoir quelque chose que nous ignorons. Ce matin, avant même l'apparition des tout premiers rayons du soleil, ils chantaient déjà comme des malades en voletant partout. Ils sentent probablement le printemps arriver. L'air est encore froid, mais ce n'est plus l'hiver. En vélo, je file vers la maison de Léa. L'immeuble en démolition n'a plus ni toiture ni façade avant. Les planchers déchiquetés s'interrompent dans le vide et les vieux escaliers aux marches disloquées débouchent sur le ciel avec leurs rampes tordues. Le chef de chantier est toujours là, mais ce matin, il est de l'autre côté de la rue, assis sur un bidon. Il tient son visage dans ses mains et je crois qu'il pleure… Je ralentis.

— Monsieur, est-ce que ça va ?

Il ne répond pas. Je descends de vélo.

— Vous êtes blessé ? Vous voulez que j'aille chercher un de vos ouvriers ?

Il écarte ses mains. À ma grande surprise, je découvre un homme bien plus âgé que je ne l'avais pensé. Il porte des lunettes, et effectivement, il est en larmes.

— Ça va aller, petite, me dit-il d'une voix faible. Tu es bien mignonne de t'être arrêtée, mais ça va aller.

Une pelleteuse accroche la façade dans un grondement rocailleux, provoquant la chute d'une partie d'un mur. Je m'agenouille pour me placer à sa hauteur.

— Il ne faut pas rester ici, monsieur. Avec les engins, la poussière, les débris qui tombent, c'est dangereux.

Il plisse les yeux pour attraper mon regard. Je perçois un mélange d'incrédulité et de désarroi. Il relève le visage vers l'immeuble. Il est bouleversé.

— Ici, c'est chez moi ! me dit-il d'une voix presque véhémente.

Sa main tremblante me désigne les étages. Je commence à comprendre.

— Vous habitiez cet immeuble ?

— 3e gauche. Depuis bientôt cinquante-cinq ans. Ma femme et moi avons emménagé ici juste après notre mariage.

Il se redresse.

— C'est pour ça que vous êtes là tous les matins, depuis des semaines ?

— Je viens depuis notre expulsion. Un jour, à l'aube, la police est arrivée avec un huissier, et ils m'ont chassé comme un malpropre. Heureusement, ma femme n'était plus là…

J'ai peur de lui demander où elle est. Je redoute la réponse.

— Vous vous faites du mal en restant ici.

— Tout à l'heure, j'irai voir ma femme, mais les visites ne sont autorisées qu'à partir de 10 heures.

Il frissonne. Je vais être en retard chez Léa, mais je ne me vois pas le planter là.

— Où vivez-vous maintenant ? Ils ne vous ont pas jeté à la rue, tout de même ?

— Ils nous ont installés dans un foyer, au nord. Il

faut prendre le bus. Même pour aller acheter un peu de pain et de jambon, il faut prendre le bus. Je n'ai pas eu le courage de le dire à ma femme. Tous les jours, elle croit que je rentre chez nous. La dernière chose qu'elle m'a dite quand les pompiers l'ont emmenée, c'est : « Promets-moi de me ramener ici pour mourir… » Et regardez ce qu'ils font à notre maison.

Il me désigne un endroit précis dans le bâtiment. Un mur au milieu duquel s'accroche encore une petite cheminée. Il n'y a plus de sol. La porte toute proche se balance dans le vide, et le papier peint à motifs rouges entrelacés est éventré.

— La première fois que l'on a fait du feu, on venait de s'installer. Le soir même, on a fêté ça. J'avais ramené une bouteille de champagne et Claudine avait préparé un bon repas. On regardait les flammes danser, on était enfin chez nous !

L'encadrement de la cheminée n'est plus d'aplomb, sans doute prêt à s'effondrer.

— Deux jours avant son malaise, Claudine faisait les poussières sur le dessus. Regardez-moi ça. Les huissiers m'ont laissé une heure pour ramasser nos souvenirs. Une vie dans une valise…

— Il ne faut pas rester ici, monsieur. Allez à l'hôpital. Même si vous devez attendre dans le hall qu'il soit 10 heures, ce sera moins douloureux que de voir ce spectacle.

— Les gars du chantier sont gentils. Ils me connaissent maintenant. Je vois bien qu'ils sont embêtés. Quand ils démolissent de notre côté, ils me font signe en s'excusant. Je sais bien que c'est leur boulot. Ils n'ont pas le choix. J'ignore si Claudine tiendra le coup quand elle apprendra ça. Elle est déjà si faible…

— Je suis désolée, monsieur, mais il va falloir que je vous laisse pour aller au lycée.

— Alors file, ma grande. Profite de la vie et ne t'ennuie pas avec ces histoires de vieux. Merci de t'être arrêtée.

Je n'ai pas envie de le quitter, mais il le faut. J'ai l'impression que si je m'en vais, je risque de le retrouver mort demain, et je m'en voudrais toute ma vie. Quand on lit des histoires pareilles dans les livres, on se dit d'abord que c'est lourd et plombant. On se dit que c'est bon pour un roman de Zola. Il aurait adoré. La misère et l'injustice ajoutées à la maladie. Dorian prendrait sans doute son air pincé pour dire que tout cela est terriblement banal et fait partie de la vie. N'empêche, c'est bien différent lorsque vous touchez ce genre d'histoire du doigt. Avant de remonter sur mon vélo, je prends les mains du petit monsieur et je les serre très fort. Je ne veux pas voir ses yeux, sinon je vais me mettre à pleurer avec lui et on finira tous les deux dans un roman de Dickens.

— Allez retrouver votre femme. Restez près d'elle. Il faudra finir par lui dire la vérité. Ne gardez pas ça pour vous. Si vous voulez, je repasse vous voir demain matin, ici même.

— Tu as autre chose à faire. Oublie-moi.

— Ça ne va pas être possible, monsieur. Je ne pourrai jamais oublier ce que vous venez de me confier. À demain.

En remontant sur mon vélo, j'ai jeté un dernier coup d'œil à la cheminée. J'imagine ce couple debout devant les flammes, heureux. Je n'ai aucun mal à me représenter la scène. Demain, il n'en restera rien. Mais le petit monsieur sera encore là et moi aussi. Enfin, je l'espère.

17

Certaines journées pèsent plus lourd que d'autres. Parfois, il ne se passe rien pendant des semaines et tout à coup, comme si le destin ou un dieu facétieux voulait tester vos limites, vous vous en prenez plein la tête de partout. Je ne suis d'ailleurs pas certaine que la tête soit la cible la plus fragile chez moi ; par contre, le cœur…

Retrouver Léa m'a fait un bien fou. On est tombées dans les bras l'une de l'autre comme si on ne s'était pas vues depuis deux ans. J'en ai eu les larmes aux yeux. Entendre sa voix, la regarder sourire, toucher ses cheveux. C'est en la serrant contre moi que j'ai compris à quel point je m'étais inquiétée pour elle. Sur le chemin, on était comme des folles. On roulait en zigzag au milieu de la route, on passait sur les trottoirs comme des gamines. Elle a même poursuivi un pigeon en poussant des cris. Une vraie tarée. On riait pour tout et n'importe quoi.

En arrivant au lycée, deuxième choc : Axel est là ! Je l'ai tout de suite repéré, entre Louis et Léo, cerné par ceux de notre classe et même quelques autres, dont beaucoup de filles. Mon premier élan a été de courir vers lui. Je crois même que j'aurais pu lui sauter au cou, mais j'ai eu peur d'en faire trop, surtout devant les autres, alors je n'ai pas bougé. Du coup, c'est Léa qui a pris l'initiative :

— Viens, il y a Axel !

Et elle est partie comme j'aurais voulu le faire, elle l'a embrassé comme j'aurais dû le faire, et il l'a remerciée avec son beau sourire comme j'aurais voulu qu'il le fasse pour moi. À force de trop réfléchir, à force de ne pas oser, d'autres me passent toujours devant et je vais finir toute seule. Un jour, je serai comme le petit monsieur de ce matin, avec mes souvenirs, mes regrets, et ma vie tombera en poussière comme son immeuble. Là, tout à coup, alors que je retrouve pourtant mes deux meilleurs amis plus libres et plus vivants que jamais, j'ai envie de pleurer. Soit je suis folle, soit je suis maudite. Il se pourrait même que je sois les deux à la fois. Dans tous les cas, j'ai un gros problème.

On commence par deux heures de maths. Excellente opportunité de penser à autre chose, d'autant que Mme Serben nous rend le DST niveau bac passé la semaine dernière. La prof a l'idée cruelle de les distribuer par ordre croissant. Les premiers à recevoir leur copie ont les pires notes. Pas besoin de regarder des séries américaines pour le suspense. Nous allons vivre un vrai thriller en relief 3D, avec nous tous dans les rôles principaux. Et la production n'a pas lésiné : plus de la moitié n'en sortiront pas indemnes… Seule certitude : Tibor sera le dernier puisqu'il aura, comme toujours, le score le plus haut. Il a retiré le pansement au bout de son nez, lequel n'a pas retrouvé son apparence habituelle pour autant. À la place, on distingue une sorte de petite croûte recouverte de pommade cicatrisante, façon mini cupcake au chocolat surmonté d'une pointe de chantilly. Présenté ainsi, ça pourrait presque paraître appétissant, mais je vous jure qu'à voir, ce n'est pas ragoûtant. En plus, cette petite croûte molle sur son museau lui fait une tête de musaraigne.

Mme Serben pose la première feuille, et le carnage commence. Les copies tombent, et les notes avec. Notre premier cauchemar prémonitoire du bac. Elle a en plus le bon goût d'annoncer les scores à haute voix. Gamelles en série avec, en cadeau, l'humiliation. On a commencé au fond avec un 2 sur 20, et les résultats montent peu à peu. On est maintenant à 5. Dans sa tête, chacun calcule et extrapole. Si c'est moi la prochaine et que j'ai la même note au bac, qu'est-ce que ça donne ? À ce petit jeu, entre le coefficient et les marges de sécurité, on est tous en train de faire du calcul mental de haute volée. Il y a les déçus, les fatalistes, les protestataires, ceux qui font semblant de ne rien en avoir à faire avec un talent impressionnant, et ceux qui n'en ont réellement rien à faire. À travers chaque réaction, les personnalités se révèlent aussi. Moi, encore ce matin, je m'imaginais une note autour de 10. Pile la moyenne. Pas d'exploit, pas de cata. Juste de quoi survivre. Mes profs m'ont souvent dit que je manquais d'ambition. On est à 9. Marie attrape un 9,75 et semble soulagée. Axel s'offre un 11,5. Pauline décroche un 12, comme Léo. Les notes continuent de monter et je n'ose pas y croire. On est déjà à 13. Léa hérite d'un 13,5 et saute presque de joie. Elle me glisse :

— Tu as dû cartonner, ma vieille !

Son enthousiasme me touche, mais j'ai des doutes.

Je suis certaine que la prof va distribuer toutes les feuilles et qu'elle va tomber sur la mienne avec un air surpris, s'excuser de ne pas l'avoir mise à la bonne place et me coller un petit 6 sous le nez. Il ne reste plus que quelques copies entre ses mains. Elle s'éloigne dans une autre allée, pose un 14 sur la table d'Antoine et revient vers moi. 15,5. J'ai eu 15,5 ! Je ne sais pas si je vais pleurer, crier, vomir ou les trois à la fois. Je crois que je suis un peu fragile émotionnellement aujourd'hui. Et il n'est pas encore 10 heures…

À la récréation, je cherche Manon pour lui poser une question :

— Comment ça évolue chez toi ?

— On fait aller.

Je sens bien qu'elle se méfie, mais je dois me lancer :

— Il faut que je te demande un truc, et tu dois me répondre franchement.

— Je t'écoute.

— Tu veux vraiment rester ici jusqu'à la fin de l'année scolaire ?

— Ça m'arrangerait.

— Tu es prête à tout pour ça ?

— Si tu dois me conseiller d'éliminer mes parents, j'y ai déjà pensé mais c'est hors de question. Je sais, je suis vieux jeu mais en général, je respecte les tabous.

— J'ai moins meurtrier à te proposer. Je me suis dit que si on arrive à empêcher tes parents de vendre leur maison, c'est peut-être gagné.

— Va jusqu'au bout de ton idée.

— Imaginons que chaque fois qu'il y a une visite, il se passe un truc qui effraie ou qui dégoûte les acheteurs potentiels…

Manon fronce les sourcils.

— C'est super gentil, Camille, mais premièrement, je ne vois pas comment on ferait et, deuxièmement, je crois que ce ne sont pas tes oignons. J'apprécie que tu m'aides et tu es une bonne amie, mais je pense que cette affaire ne regarde que moi et les miens.

Voilà ce qui s'appelle se faire remettre à sa place. Je ne sais pas quoi dire. Je bafouille :

— Excuse-moi, tu as raison. Pardon. Oublie.

Je voudrais disparaître, m'évaporer, être une petite souris et me réfugier dans mon trou. Une vraie baffe. La honte absolue. Je ne me sentirais pas plus gênée si je me retrouvais toute nue peinte en rouge à un carrefour. J'ai été stupide. Il n'y a que moi pour croire que des plans de ce genre peuvent marcher. Les gens ne sont pas aussi bêtes que moi, et tant mieux. Grand moment de solitude. Je ne vais plus réussir à regarder Manon en face.

Je recule, sans trop savoir où je vais, mais je dois fuir. J'évite les regards, j'ai l'impression que tout le monde sait déjà ce qui vient de se passer. Je me heurte à d'autres gens et je n'arrête pas de m'excuser. Tout à coup, je ne sais pas comment il est arrivé là, mais Axel est devant moi.

— Tout va bien ? Tu fais une drôle de tête…

Avec tout ce qu'il a dû endurer ces derniers jours, c'est lui qui prend encore soin de moi. Il aurait toutes les raisons de se plaindre et, malgré cela, il fait attention à la pauvre petite andouille que je suis. Double ration de honte avec pic de dépression et tendance au recroquevillement sur soi-même. Je baisse les yeux.

— Je sais que Louis t'a tout raconté.

Je vais me dissoudre sur place. Si lui aussi me

reproche de m'être occupée de ce qui ne me regarde pas – et il en aurait le droit –, je ne vais pas y survivre. Pas deux fois de suite, pas de sa part. D'un geste doux, il me relève le menton.

— Et il a eu raison, ajoute-t-il. Je te demande simplement de ne pas en parler.

J'ose le regarder. Je sens ses doigts tièdes sur ma peau. Ses yeux verts, ses cils, son sourire. Il ajoute :

— Merci pour tes messages. Je les ai trouvés ce matin quand ils m'ont rendu mon téléphone.

— Tu devais en avoir des centaines…

— Pas tant que ça, et la plupart n'avaient pour but que d'obtenir un scoop sur le fait-divers du jour. Tout le monde voulait savoir si j'étais un dealer ou un bandit en fuite. Il y avait nettement moins de monde pour prendre des nouvelles de mon moral…

— Comment ça s'est passé ?

— Les gendarmes ont été plutôt cool. Ils ont tout fait pour arranger les choses. Il faut dire qu'ils connaissent l'animal, ils savent de quoi il est capable. Alors ils ont appliqué la loi, mais sans zèle et même en lui compliquant la vie.

— Qu'est-ce qui va t'arriver ?

— Ils ont convaincu l'autre ordure de retirer sa plainte, mais je dois payer les dégâts sur sa voiture. Il en profite à fond. Avec ce qu'il demande, je crois qu'il compte s'en offrir une nouvelle.

— C'est dégueulasse.

— Je préfère ça plutôt qu'un casier judiciaire.

— Tes parents ont de quoi payer ?

Il semble hésiter et répond :

— Il n'y a que ma mère. Et elle n'a pas les moyens. Ce n'est déjà pas évident pour nous.

— Comment vas-tu faire ?

— Je ne sais pas. Les gendarmes m'ont laissé deux semaines pour proposer une solution. Pendant ce temps-là, ils gèrent l'autre abruti.

J'hésite à mon tour, mais cette fois, j'ose :

— Axel, j'ai un peu d'argent à moi. Ce n'est pas énorme, mais…

Il me prend doucement par les épaules et descend à ma hauteur en cherchant mon regard.

— Camille, c'est vraiment gentil, mais c'est non. Je vais trouver une solution qui m'évitera de payer une voiture neuve à un enfoiré en prenant les économies des gens que j'aime.

Qu'est-ce qu'il vient de dire, juste là ?

18

Je ne sais pas si Jérôme Chevillard l'a dit, mais Einstein, Chaplin et Alexandre le Grand l'ont déjà noté avec des formules parfois très efficaces. Pourtant, ce sont Riri, Fifi et Loulou qui me l'ont appris les premiers : dans la vie, le meilleur peut côtoyer le pire. Bien que n'étant ni un canard, ni célèbre, ni morte, je confirme. Ce matin, je planche deux heures en tandem avec Bastien sur une problématique d'éducation civique. Bastien est souvent seul à sa table, mais ce n'est pas à cause de son caractère. Il a simplement du mal à comprendre qu'il faut – sauf empêchement majeur – prendre une douche tous les jours. Bastien pue au point qu'il a gagné le surnom de putois. C'est assez peu original, mais parfaitement adapté à ce que l'on ressent quand on croise son sillage. Toutes les copines sont mortes de rire à l'idée du calvaire que je vais endurer et Léa, hilare, fait semblant de tomber dans les pommes avec une pince à dessin sur le nez. La problématique que nous devons traiter est la suivante : « Les lois sont-elles garantes de l'intérêt général ? » En nous faisant travailler sur ce thème à deux, la prof veut nous inciter au débat et à la confrontation d'arguments. Louable, mais c'est sans doute un sujet qui mérite plus de temps et qui, à notre niveau, risque d'être un survol plus que sommaire fait d'idées préconçues. Dans le genre, elle nous a déjà servi mieux : « Définissez les éléments qui peuvent transformer un innocent en victime de l'Histoire. » Spontanément, j'avais voulu mettre une photo de cette fêlée d'Inès, mais Marie m'en avait empêchée. La fois d'après, elle nous avait demandé de nous interroger sur « Les plus grands risques menaçant l'humanité », et j'avais cette fois proposé de rédiger un portrait circonstancié de mon petit frère. Les autres n'ont pas voulu non plus. Ils ne sont vraiment pas conscients de la menace que représente Lucas. En fait, j'ai du mal à prendre ce genre de questions au sérieux. Elles sont intéressantes, mais tellement hors de nos sphères… Ce type de sujets me fait penser à ces dilemmes que l'on se pose pour se faire peur et que l'on ne résoudra jamais : « Tu es avec ta mère et ton père dans le désert, les deux se font piquer par un cobra, tu n'as qu'une seringue, à qui fais-tu l'injection ? » Inès opterait sûrement pour le serpent… Ou encore : « Préférerais-tu perdre la vue, l'ouïe ou la parole ? » Franchement, qui doit faire ce genre de choix ? C'est de la spéculation pseudo-intellectuelle, de l'affole-neurones pour blaireau, du tapis de course pour cerveau vide. Ça ne sert strictement à rien. Il y a suffisamment de vrais problèmes à résoudre au quotidien sans se perdre dans des problématiques qui font riche mais qui ne servent concrètement à rien, hormis à nous donner l'illusion de réfléchir. C'est sûrement bien de songer à de grandes choses, de prendre du recul, mais de toute manière, même si on trouvait une idée pertinente, personne ne nous écouterait, et jamais, sauf à y sacrifier sa vie, on n'aurait l'occasion de la faire appliquer. Mon père dit que « problématique » est un mot inventé assez récemment pour donner des airs ronflants à de faux problèmes qui, de toute façon, ne seront pas résolus. Les lois sont-elles garantes de l'intérêt général ? La réponse devrait être oui – Bastien et moi sommes d'accord là-dessus – mais le fait est qu'entre le concept et la pratique, quelque chose a dû déraper à un moment donné. On part donc sur un plan abordant la multiplication des lois qui nuit à leur sens profond et à leur application, on aborde aussi l'interprétation des cas et l'impartialité de la justice. À défaut d'apporter une solution, cette problématique nous sert juste à nous rendre compte de l'immense fossé qui existe entre ce que la loi devrait être et ce que l'on en fait. Si décrédibiliser un peu plus notre monde et ceux qui sont censés le gérer est le but pédagogique de l'affaire, c'est parfaitement atteint. Je me suis remonté le col jusque sur le nez façon masque à gaz, en prétextant la chute des températures. Bastien est tellement content d'être à côté de quelqu'un qu'il se colle à moi. Mes vêtements sont foutus. En rentrant, je vais devoir tout brûler et prendre une douche de décontamination. Pire, il vient de se servir de mon stylo quatre couleurs. Je suis maintenant obligée de l'enfouir sous terre pour éviter la propagation de l'odeur et, dans des milliers d'années, lorsque les archéologues tomberont dessus, ils le dévisseront et trouveront, roulé à l'intérieur, un petit mot que Léa m'avait écrit pour me souhaiter bonne chance. Elle m'y comparait à un chimpanzé enfermé dans un labyrinthe inca. Cela devrait interpeller les historiens et les chercheurs pour un bon moment, surtout si l'odeur de Bastien est encore perceptible.

Je pense que vous avez saisi ce que je voulais dire en parlant du pire, mais vous vous demandez certainement où est le meilleur dans cette matinée. Il est bien là, et c'est pour ce genre de sentiment que j'aime ma bande. Afin d'aider Axel, tout le monde a décidé de prendre des petits boulots pour réunir la somme. Ce genre d'élan me bouleverse et me redonne espoir dans la nature humaine. Bien sûr, il y a toujours Dorian et son âme damnée, Laura, pour trouver ça « boy-scout » et « tellement prolétaire », mais on se fout éperdument de ce qu'ils disent.

Du coup, le reste de la journée se passe bien, et Axel semble ému de ce mouvement de solidarité.

Le soir, en rentrant à la maison, je repasse devant l'immeuble en démolition. Le petit monsieur n'est plus là. J'espère de tout mon cœur qu'il est avec sa femme, ou au foyer. Il ne reste rien de l'étage où il vivait. Sa cheminée, sa porte et ses vieux papiers peints sont broyés et ensevelis sous la montagne de décombres qui s'élève maintenant à la place du bâtiment. J'aimerais pouvoir croire qu'il n'était pas là quand tout est tombé. Je ne sais pas ce que je vais lui dire pour lui remonter le moral demain matin. Je ne sais pas si les lois sont garantes de l'intérêt général. Je ne sais pas si Manon me pardonnera. Je ne sais pas ce que je peux faire pour aider Axel. Je ne sais rien.

19

Dans la classe, c'est souvent Quentin qui trouve les idées les plus originales. Et pour aider à réunir l'argent d'Axel, il a encore frappé fort. À lui seul, il va amasser presque 10 % de la somme. Pendant cinq semaines, il va animer des anniversaires au resto burger du coin. Bien sûr, pour être en contact avec les enfants, le gérant préfère des jeunes filles parce qu'elles sont plus patientes et qu'elles présentent mieux pour les parents. Par contre, pour endosser le costume de Monsieur Castor, la mascotte de l'enseigne, il était bien content de trouver un remplaçant à son employé en arrêt de maladie. C'est assez bien payé, ça ne lui prend que les mercredis et les samedis après-midi, et il a le droit de manger tout ce qu'il veut. Je suis certaine que si je décris le job à mon frère, il ne voudra plus jamais faire ni pilote de course, ni chasseur de primes en Arizona. Être payé pour faire le gogol dans une grosse peluche en se goinfrant de hamburgers gratos avant et après constituerait à ses yeux le meilleur travail du monde. C'est d'ailleurs sûrement pour préserver ce fabuleux secret que personne n'en parle. Quoi qu'il en soit, il est 14 heures et nous sommes quelques-unes à être venues soutenir Quentin pour sa première prestation.

Marie, Emma et moi sirotons tranquillement un milk-shake dans le fond du restaurant en attendant l'entrée en scène de notre camarade. Les premiers enfants arrivent. Ils sont mignons, tout jeunots, et ils portent des petits paquets-cadeaux. Ils sont là pour fêter l'anniversaire d'un dénommé Chayan. Quel prénom ! Les gens regardent trop les séries américaines... J'espère pour lui qu'il deviendra surfeur ou détective privé à Hawaï parce que s'il se retrouve contrôleur fiscal dans une sous-préfecture, son prénom sera moins facile à porter. Ou alors, à chaque contrôle, il faudra qu'il arrive en défonçant la porte ou en pulvérisant la fenêtre avant de rouler sur lui-même dans une explosion.

Les mamans déposent les petits invités les uns après les autres. Elles sont souvent pressées, et certaines inondent les jeunes filles qui les accueillent de recommandations, voire de menaces. D'autres mères sont pendues au téléphone, ou encore tellement pressées de partir qu'elles en oublient de faire un bisou à leur enfant. Mais il y en a aussi qui les serrent contre elles comme si elles pensaient ne jamais plus les revoir. Le gamin cherche à se dégager des bras pour courir jouer dans les toboggans alors que la maman entame un deuil dramatique face à cette insupportable absence d'une heure et demie. Comment se comportait ma mère ? Je me demande aussi quelle sera mon attitude lorsque j'aurai des enfants. J'espère n'être ni trop pressée de partir ni trop possessive. Mais qui peut le dire ? Je me vois bien faire l'andouille dans le toboggan avec eux.

Les enfants sont tous là et les hôtesses, en casquette et t-shirt moulant, déploient une énergie phénoménale pour les sortir des jeux afin de les installer autour de la table. Pour apaiser les petits, elles tentent une offrande et déposent des pochettes-surprises aux couleurs vives devant chacun d'eux. Là aussi, plusieurs genres se dessinent. Il y a ceux qui déchirent tout, blasés, et qui envoient valser les petits coloriages et les gadgets ; ceux qui procèdent avec méthode, et une qui reste devant sa pochette comme une poule devant un film de guerre en relief. Inès a donc une petite sœur…

Quand les trois jeunes filles essayent de faire chanter les bambins, c'est un gros flop. Seuls deux sur douze sont disciplinés et tapent dans leurs petites mains en rythme. Les autres font n'importe quoi, et il y en a même un qui colorie sa voisine, en pleurs. Devant le peu de succès de ces activités, les filles, totalement dépassées, décident de sortir l'artillerie lourde : elles annoncent l'arrivée de Monsieur Castor, qui va exécuter sa célèbre danse. Échange de regards avec les copines. C'est le moment de gloire de notre Quentin. Dans un ensemble parfait, les hôtesses désignent la porte de service qui sert aussi aux poubelles. Elles lancent le décompte avec les petits qui, ne maîtrisant déjà pas bien les chiffres dans l'ordre, ont beaucoup de mal à rebours, et soudain la musique explose dans le restaurant.

Je vais vous confier un secret : je suis déjà allée à ce genre d'anniversaire quand j'étais petite, et je sais pourquoi mon corps et mon esprit s'allient pour tenter de l'oublier. Dans mon souvenir, la musique était sautillante et rigolote, mais c'était à l'époque où taper sur mon pot était un acte musical et où je prenais la vieille Mme Cheulot pour une cantatrice parce qu'elle beuglait dans son jardin. Avec le recul, je m'aperçois que la musique est épouvantable, et je me demande si on fait écouter ça aux enfants parce que ça leur est vraiment adapté ou parce que les droits de diffusion de la bonne musique sont trop chers. En plus, je sais que ce petit air pourri va me rentrer dans la tête pour n'en ressortir que dans plusieurs jours après avoir annihilé des symphonies, des chansons sublimes et d'innombrables rengaines pourtant réputées indestructibles…

La porte de service s'ouvre et Monsieur Castor apparaît. Il est immense, avec des yeux gros comme des ballons, un museau noir et des mains à quatre doigts. Il me faut accomplir un effort intellectuel pour prendre conscience que c'est un ami qui bouge là-dedans, et de cette manière. Je ne verrai plus jamais Quentin de la même façon. J'ignorais qu'il était capable de dandiner du popotin à ce point. Tante Margot a bien raison, on ne connaît jamais les gens, surtout, comme elle le dit si élégamment, quand il s'agit de « savoir ce qu'ils peuvent faire de leur cul ». Je tiens à préciser que seule Marie a fait une blague sur la queue plate de Monsieur Castor. Il avance, et l'effet sur les enfants est immédiat. Les petits qui sont habitués se mettent à danser mécaniquement en même temps que la peluche, les autres regardent avec incrédulité et fascination. Deux des enfants se sont sauvés en hurlant, et l'un d'eux vient d'ailleurs de s'exploser contre la vitre parce que, aveuglé par la panique, il ne l'a pas vue. Une hôtesse relève le petit blessé pendant que ses deux collègues se placent de chaque côté de Monsieur Castor qui met le feu.

Quand on est petit et que l'on voit des personnages, on ne sait pas qu'il y a des gens dedans. Pour nous aujourd'hui, c'est différent : non seulement on sait qu'il y a quelqu'un à l'intérieur, mais en plus on le connaît. Je ne suis plus certaine que Quentin ait décroché le job du siècle. Entre deux pas de danse, il salue les enfants dont certains viennent lui faire des câlins. Combien sont-ils à avoir bavé sur les grosses cuisses de Monsieur Castor ? Il y en a aussi qui lui donnent des grands coups, dont un qui doit faire du karaté parce qu'il y va carrément au coup de pied tournant. J'espère que Quentin a une coquille. Notre ami est jeune dans le métier, c'est son premier show et il ne sait pas qu'il n'a pas le droit de dégager les mômes avec les grosses papattes de Monsieur Castor. Monsieur Castor est l'ami des enfants et il ne doit pas envoyer des mouflets de 5 ans valdinguer contre des poubelles à la bouche souriante pleines d'emballages gras et vides.

Les hôtesses essaient de le calmer et la danse continue. Une petite fille s'approche et lui tend les bras pour le serrer. Monsieur Castor, réconcilié avec notre espèce depuis très peu de temps, cède de bon cœur à cet élan enfantin. Mais la petite est lourde, le costume aussi, et Monsieur Castor n'est pas équilibriste au cirque de Pékin…

Lorsque Monsieur Castor s'est vautré comme un yaourt explosé, le temps s'est suspendu dans le restaurant. Et puis, très vite, un premier enfant s'est rué sur lui pour chahuter, et les autres ont suivi. Les hôtesses ont bien tenté de les éloigner, mais il aurait fallu un camion anti-émeute équipé de jets d'eau puissants et de grenades lacrymogènes. On savait que Monsieur Castor n'avait pas le droit de prononcer un mot pour ne pas briser la magie, mais il n'était pas précisé dans son contrat qu'il lui était interdit de hurler de douleur. Au milieu des cris d'enfants, dans le vacarme de l'insupportable petite musique qui continuait malgré le lynchage qui se déroulait devant le comptoir et entre les ordres de plus en plus secs des jeunes filles, on entendait Quentin qui appelait au secours. On s'est levées pour aider notre ami, mais on n'a pas réussi à écarter les enfants. On est juste parvenues à les contenir pendant que les hôtesses traînaient Monsieur Castor, incapable de se relever, jusque dans la réserve en le tirant par les pattes de devant. Je vous en supplie, dites-moi que nous n'avons pas été comme ces petits monstres…

20

On a désormais deux prostrés dans la classe : Tibor et Quentin. Et vu leur tête, ils doivent pouvoir concourir à la grande finale régionale avec un bon espoir de remporter la coupe. Ils ont beau l'être pour des raisons différentes, certains symptômes sont identiques : mine abattue, peur de la musique, peur des enfants et des porte-parapluies. Le cours de M. Rossi se termine dans moins de cinq minutes. Il demande à la cantonade :

— Savez-vous comment le premier fabricant mondial de dentifrice a fait pour augmenter ses ventes et ses profits de 30 % à la fin des années soixante ?

— Il a fait de la pub !

— Sa solution n'en nécessitait pas et coûtait beaucoup moins cher.

— Il a convaincu les gens de se brosser les dents ?

— Bonne idée, mais les gouvernements finançaient déjà des campagnes de sensibilisation à l'hygiène bucco-dentaire.

— Il a offert des cadeaux avec ses produits ?

— Pas stupide du tout, mais cela aurait alourdi les coûts et entamé les bénéfices.

— Il a lancé l'idée de se laver les dents trois fois par jour ?

— Bien vu, mais l'idée n'est venue que dans les années quatre-vingt.

— Alors dites-nous ! clame la moitié de la classe.

— Qu'il est bon de sentir en vous cette soif de savoir !

Il savoure l'instant, soigne son effet avec roulements de tambours :

— Il a simplement augmenté d'un tiers le diamètre de la bouche des tubes. En accomplissant exactement le même geste, les consommateurs déposaient 30 % de produit en plus sur leur brosse et les tubes se vidaient plus vite…

Tout le monde sourit de ce bon coup et salue la performance. La sonnerie retentit. M. Rossi conclut :

— Notez quand même que ce brillant stratagème est tout à l'avantage de ceux qui vendent, mais il se fait aux dépens de ceux qui achètent. Akshan Palany dirait que ce marchand de dentifrice a trahi sa mission. Il abuse ceux qu'il est censé servir. Que cette petite anecdote vous serve de leçon : soyez toujours vigilants. Demandez-vous pourquoi les entreprises ou les gens font les choses. Est-ce dans leur intérêt ou le vôtre ? Dans un autre registre, n'oubliez pas de revoir les principes des taux de change monnaie/matière, vous avez un contrôle jeudi.

Au moment où je m'apprête à passer la porte, il m'appelle :

— Camille, s'il te plaît.

Léa me fait signe qu'elle m'attend dans le couloir.

— Oui, monsieur Rossi ?

— Tu es certainement au courant de cette histoire de lavage de voitures. Plusieurs élèves de la classe semblent s'adonner à cette activité les jours de marché…

— Ils pourraient mieux vous répondre que moi.

— Pas sur ma question suivante. Que se passe-t-il ? On vous entend parler de petits boulots pour récolter de l'argent. Vous avez un projet pour les vacances ?

— On aimerait mieux, mais ce n'est pas ça. On récolte des fonds pour aider Axel, qui a eu un problème. Si vous pouviez éviter de l'ébruiter…

— J'ai entendu parler de son histoire avec les gendarmes. C'est une belle réaction que vous avez là.

— Il le mérite.

— Combien êtes-vous à participer ?

Je compte mentalement avant de répondre :

— Douze.

— Bon courage à vous. Je viendrai faire laver ma voiture pour vous soutenir.

— On fait aussi du baby-sitting. Et Antoine et Louis proposent de s'occuper de l'entretien des jardins.

— La saison n'est pas idéale.

— Tibor offre aussi de promener les chiens des gens. Matin et soir.

— Je ne sais pas si je confierais mon chien à Tibor…

— Et pour le baby-sitting ?

— Je ne suis pas client, faute de matière première.

Avec les beaux jours qui reviennent, nous sommes quelques-uns à profiter des pauses pour sortir prendre le soleil. Le retour de la lumière redonne de l'énergie à tout le monde. Je n'arrête pas de penser au petit monsieur de l'immeuble démoli. Chaque matin, lorsque je débouche de la rue qui donne dans le quartier de la gare, j'espère l'apercevoir. Je ne l'ai pas revu et je suis inquiète. J'ai bien songé à le rechercher par le biais de sa femme hospitalisée, mais je ne connais pas son nom et au standard du centre hospitalier, ils m'ont dit que l'adresse n'était pas suffisante. Il y a deux jours, je suis même allée voir les ouvriers du chantier pour demander si l'un d'eux ne l'aurait pas revu depuis la démolition. Un conducteur d'engin m'a répondu :

— Non, personne ne l'a aperçu, et c'est ballot parce qu'on a une surprise pour lui. On a réussi à sauver le cadre de sa cheminée. Peut-être que ça lui fera plaisir. Tu le connais, toi, le petit père ?

— Non, je ne lui ai parlé qu'une seule fois.

— On quitte le chantier dans trois jours. Après, ce sont les terrassiers qui prendront le relais. Si tu habites dans le quartier, tu as plus de chance de le revoir que nous. Je te confie sa relique.

— C'est lourd ?

Il m'a proposé de la déposer à la maison. Qu'est-ce que je vais faire de ça ? Et si je ne revois jamais le monsieur ?

21

Ce soir, Emma et moi gardons des enfants. C'est le meilleur moyen que nous ayons trouvé pour contribuer à l'effort de guerre d'Axel. J'ai déjà fait du baby-sitting chez des voisins, voilà deux ans. Emma en fait aussi régulièrement, mais là c'est différent. On va s'occuper des enfants de la patronne de sa mère. Ils sont trois, âgés de 2, 4 et 9 ans. En tout début de soirée, maman nous dépose devant une très belle maison au pied du parc de la colline, sur les coteaux. Ce n'est pas par hasard que nous désignons ce quartier comme celui des riches. On y trouve des propriétés immenses avec des jardins gigantesques. Quand j'étais petite, pour l'anniversaire d'une copine de primaire, je suis allée dans l'une de ces résidences. Le jardin était tellement grand qu'on avait peur de s'y perdre. J'avais été bluffée parce qu'elle avait un poney chez elle. Elle pouvait le monter et se promener quand elle voulait sans sortir de son jardin. À l'intérieur de sa maison, j'avais demandé pourquoi il n'y avait pas de coin cuisine dans le grand salon, et la bonne m'avait répondu que ce n'était pas le living mais la chambre de ma copine… Quand j'étais rentrée chez moi le soir, j'avais eu l'impression de vivre dans un placard. La luxueuse maison dont je vous parle ne doit d'ailleurs pas être située très loin de celle devant laquelle nous venons de nous garer.

— Bon courage, les filles, et soyez gentilles avec les petits. Camille, quand les parents seront rentrés, téléphone sur le portable de ton père, c'est lui qui viendra vous chercher.

— D'accord. À tout à l'heure, maman. Bonne soirée.

On sonne. La grille est doublée d'une haie de bambous. Il est donc impossible de voir à l'intérieur. En attendant la réponse devant l'interphone, on vérifie nos tenues. Emma me glisse :

— On a intérêt à assurer parce que sinon, ce ne sera pas bon pour ma mère.

— Tout ira bien.

Un déclic, et la grille s'ouvre. Une voix métallique nous invite à entrer. Impossible de dire si c'est un homme, une femme ou un extraterrestre qui a parlé. « Et refermez bien derrière vous. »

Une série de projecteurs soigneusement disséminés dans la végétation révèle une allée qui serpente entre des parterres parfaitement ordonnés. Au bout de ce chemin de traverses de bois, une maison de conte de fées, toit de chaume et colombages, posée entre des arbres immenses qui semblent la protéger.

— Purée, la baraque…, siffle Emma.

À la porte, une femme élégante, peut-être légèrement plus jeune que ma mère, nous attend.

— Entrez vite, il fait si froid…

Elle est habillée et maquillée comme pour un gala. Son mari descend l'escalier et prend à peine le temps de nous dire bonsoir. Elle nous montre la cuisine, le salon, les chambres à l'étage. Elle nous présente les enfants. Ils sont déjà baignés et en pyjama, « la bonne s'en est occupée ». En quelques minutes, les consignes sont transmises.

— Nous devrions être de retour vers 1 heure du matin au plus tard. Des questions ?

Elle et son mari s'en vont dans leur grosse voiture. Quand les grilles se referment derrière le véhicule, un drôle de sentiment m'envahit. Je prends conscience que nous sommes responsables de cette énorme maison et de ces trois gamins. Ça fait tout drôle. Aucune autorité au-dessus de nous. Si ça brûle, c'est à nous de réagir. Si un voleur arrive, c'est à nous de protéger les petits. Personne pour nous dire quoi faire.

Naturellement, je prends en charge les deux plus jeunes. Charlotte parle à peine et Nathan essaie de courir, mais on sent qu'il manque encore de pratique dans les escaliers. Je suis surprise de voir à quel point ils m'adoptent vite. Ils doivent être habitués à se faire garder. Emma a plus de mal avec la grande, Soraya, qui lui déclare d'entrée :

— Tu dois faire ce qu'on veut, sinon je le dis à ma mère.

Je fais le tour de la maison, avec la benjamine dans les bras et le cadet qui cavale partout en tirant sur tout avec son pistolet laser. J'ai l'impression de revoir Lucas quand il était bambin. Les mêmes bruits de bouche pour simuler les coups de feu, les mêmes mimiques de gros dur menaçant certainement captées dans des films. Je ne sais pas pourquoi, mais ça me fait aussi penser à Flocon qui joue les tigres devant les prises de courant.

Les pièces sont immenses. Je trouve étonnant de découvrir de façon si intime un lieu et une famille que l'on ne connaît pas du tout. J'aime bien essayer de deviner comment vivent les gens en étudiant leur intérieur. Ce qu'ils mettent sur les murs, la façon dont ils agencent l'espace, le style des objets, ce qu'il y a dans leur frigo, tout raconte ce qu'ils sont. C'est ma tante Margot qui m'a donné cette habitude. Une fois, il y a bien longtemps, nous étions chez un oncle pour un déjeuner de famille, et elle m'avait emmenée aux toilettes. Elle s'était soudain arrêtée devant une pièce dont la porte était ouverte et avait déclaré :

— Regarde-moi ça. Tellement de mauvais goût dans si peu d'espace. Il suffit de voir leur terrier pour savoir que ce sont des blaireaux.

Depuis, je ne perds jamais une occasion de regarder le terrier des gens. J'en ai vu beaucoup, chez Léa, chez des copains, des voisins, de la famille, et toujours, j'essaie de lire ce que les lieux racontent de ceux qui y vivent. Je me demande à quoi ressemble l'endroit où habite Axel.

Cette maison-là est imposante, majestueuse. Rien ne traîne et tout est à sa place. Je dirais même que tout est placé pour être vu. Ils doivent beaucoup recevoir. Le canapé est immense, la table de la salle à manger aussi. Chaque photo exposée les présente dans des circonstances officielles, avec des gens bien habillés qui sourient ou dans des poses qui les valorisent. Aucun instant pris sur le vif. Chaque objet est plutôt design. Ce qui me surprend le plus, c'est qu'au rez-de-chaussée, rien n'indique que des enfants vivent ici. Seul indice, dans la cuisine : trois dessins sur le frigo. C'est tout. Quand je pense au foutoir que Lucas et moi laissons traîner à la maison, même si c'est plus petit, je me dis que nos parents, eux, nous ont fait de la place.

Le repas se passe bien. Plats tout prêts réchauffés

que les deux petits mangent sans histoire. Je joue avec eux et ils ont l'air d'en être surpris et d'aimer ça. Avec un bonhomme en plastique que Nathan a descendu de sa chambre, je leur raconte l'histoire de l'invasion du monde par une armée de petits pois. La petite Charlotte ne capte pas tout, mais voir son frère éclater de rire la bouche pleine la met en joie. Emma a plus de fil à retordre avec la grande.

— C'est trop chaud, se plaint Soraya. Celle qui nous garde d'habitude ne sert pas le manger brûlant.

— Tu n'as qu'à boire un peu d'eau.

— Il ne faut pas boire en mangeant parce que ça *difficultise* la digestion.

Si jeune et déjà pleine de sagesse et de vocabulaire, comme c'est mignon… Dans deux ans, elle citera sans doute du Jérôme Chevillard.

C'est très étrange mais, rapidement, le sentiment que j'éprouve dans cette maison évolue. Au début j'étais impressionnée, mais maintenant, j'y suis vaguement mal à l'aise. Non pas que l'endroit soit malsain, mais ma maison à moi, mes repères, Zoltan, Flocon et même Lucas me manquent. Depuis toute petite, j'arrive à imaginer des choses aussi improbables qu'extrêmes à partir de situations réelles. Et là, par exemple, presque malgré moi, je suis en train de me raconter que je vais habiter ici pour le restant de mes jours, ou alors que ma famille est partie sans moi à l'autre bout de la Terre et que ces gens riches sont mon nouveau foyer. J'ai toujours eu cette capacité à partir en vrille. Du coup, je me sens très triste. Les miens me manquent et ma petite maison aussi. À cette heure-ci, Flocon doit être en train de jouer avec son gros copain poilu, Lucas est certainement étalé devant la télé, mon père est sans doute sur son ordinateur et maman pendue au téléphone avec ses copines.

Emma a décidé d'autoriser Soraya à regarder la télé. La gamine ne semble pas croire à sa chance. Emma a surtout fait ça pour avoir le temps d'échanger des SMS avec Arthur. Entre eux, c'est le grand amour. Au moment où je monte avec les deux plus jeunes, elles sont en train de choisir le DVD.

— Celui-là, je l'ai déjà vu. Ça, c'est pour les bébés. Non, pas ça, j'en ai pas envie…

Bon courage, Emma.

Là-haut, les chambres communiquent. C'est assez agréable. Les moquettes et les murs sont dans des tons clairs. Il y a des peluches dans tous les coins. Elles ont encore leur beau poil neuf, pas comme les miennes. Les enfants se brossent les dents dans leur salle de bains. Charlotte a besoin d'aide. Nathan va plus vite, un peu parce qu'il bâcle le travail mais aussi parce que sa dentition est loin d'être complète. Quand il sourit, ses gencives ressemblent à une muraille de château fort après un assaut violent : il manque des créneaux.

— Tu me racontes une histoire ? demande-t-il.

— D'accord. Quel livre aimes-tu ?

Il cavale jusqu'à une étagère et me rapporte un album sur des cosmonautes prisonniers d'une planète pleine de pièges.

— Celui-là, tu es sûr ?

À voir son œil qui pétille et l'énergie qu'il met à hocher la tête, il n'y a aucun doute. Je les installe tous les deux entre coussins et peluches, et je commence à lire. Charlotte joue avec son lapin. Je ne sais pas si elle écoute, mais elle reste près de nous. Nathan est suspendu à mes lèvres. Souvent, il pose des questions :

— Ça fait mal quand il meurt ?

— Vu qu'il s'est fait désintégrer par un laser, j'imagine que oui.

— Ils vont finir par trouver les méchants qui ont mis tous les pièges ?

— Dans le prochain tome, sans doute, mais là, je n'ai pas l'impression.

— J'aimerais bien être avec eux sur cette planète.

Il dit ça parce qu'il est installé bien au chaud dans sa belle maison. Il ferait une autre tête s'il voyait son coéquipier se faire écraser par le vaisseau du méchant pendant qu'un virus intergalactique à dix pattes essaie de lui rentrer dans la bouche pour prendre possession de son corps.

Charlotte s'est endormie. Elle serre son lapin si fort que s'il était vivant, il serait en train d'étouffer. Elle me fait penser à Flocon. Mignonne, fragile, confiante dans le fait que personne ne viendra troubler son sommeil. Après plus d'une heure de lecture, j'annonce à Nathan qu'il est temps de dormir. Il bougonne pour la forme mais ne tarde pas à obéir.

— Tu reviendras ? me demande-t-il.

— Si tes parents me le demandent, pourquoi pas ?

— J'aime bien comment tu racontes les histoires.

— Merci, c'est gentil. Et maintenant, gros dodo !

Je l'embrasse sur le front. J'éteins tout sauf les veilleuses, et je redescends.

En arrivant en bas, je découvre le salon plongé dans le noir, seulement éclairé par les lueurs de la télé dont le son est tout bas. Le spectacle est inquiétant. Emma est occupée à pianoter sur son téléphone et Soraya a les yeux rivés sur l'écran avec une expression d'effroi.

Une brute est en train d'arracher le bras décomposé d'un zombie qui dévore une femme.

— Mais Emma, qu'est-ce qu'elle regarde ?

Sans lever le nez de son portable, ma copine me répond :

— Elle avait déjà tout vu. Elle ne voulait rien savoir. Dans mon sac, j'avais des DVD que je dois rendre à Benjamin, alors je me suis dit pourquoi pas ? Elle a l'air de bien accrocher.

— Tu as vu la tête qu'elle fait ? C'est quoi, ce film ?

— *Zombie Apocalypse*, le 1 ou le 2. En tout cas, ça fait une heure que je ne l'ai pas entendue.

La petite est hypnotisée par la scène, dans laquelle un autre mort-vivant à qui il manque la moitié de la cage thoracique a entrepris de manger une adolescente. Je me penche vers la petite fille :

— Soraya, ça va ?

Elle ne répond pas. Je passe la main devant ses yeux. Aucune réaction. Elle est en état de choc.

— Emma, t'es vraiment malade de l'avoir laissée regarder ça !

Elle rit en lisant le texto qu'elle vient de recevoir et me répond :

— Ben quoi ? Je ne lui ai pas mis le plus trash. Dans l'autre, il y a des cannibales télépathes. Mais je crois que ça ferait trop pour une enfant de son âge…

Je prends Soraya dans mes bras et je m'aperçois qu'elle a fait pipi sous elle.

— Emma, pose ce téléphone ou je le balance ! Et arrête-moi ce film. On a du ménage à faire…

Un zombie est en train d'avaler le chien du petit garçon qu'il avait bouffé juste avant. Le tapis est foutu.

22

Ma nuit a été courte, mais je crois qu'elle l'a encore été davantage pour la petite Soraya. Pauvre gosse, elle va cauchemarder pendant des semaines et dans trente ans, elle sera obligée d'aller voir un psy à cause d'un mort-vivant qui mange les chiens.

La journée s'annonce magnifique. On pourrait croire que c'est le printemps. Voilà une semaine que je n'ai pas revu le petit monsieur de l'immeuble, et j'avoue que je perds espoir. Je me demande ce qu'il est devenu, mais je me prépare psychologiquement à ne jamais avoir la réponse. Notre voisine dit qu'il faut savoir accepter ce sur quoi nous n'avons aucun pouvoir. Elle a peut-être raison. Je déteste l'idée de me résigner, mais que puis-je faire d'autre ?

Léa n'a pas l'air en forme ce matin. Elle rit des bêtises que je lui raconte, mais je vois bien qu'elle se force un peu. Hier soir, elle a vu Axel. Ensemble, ils ont travaillé sur les cours qu'il avait manqués.

— C'est lui qui t'a demandé ?

— Je ne sais plus, mais c'était génial.

J'ai la gorge nouée.

— Tu es allée chez lui ?

— Non, c'est lui qui est venu chez moi.

Je suis tiraillée entre lui en vouloir et me dire que je me fais des idées.

En salle de physique, Tibor est installé à la table devant la nôtre. Il a du mal à se tenir debout et il boite.

— Qu'est-ce qui t'est arrivé ? Tu nous as encore fait une cascade ?

— Ce sont les chiens.

— Les chiens que tu promènes ?

— Oui. Certains sont gentils et d'autres pas. Il y en a un qui m'a chopé à la cuisse, et l'autre qui m'a mordu la fesse.

Sachant très bien de quoi il parle, je compatis sincèrement. Il précise :

— J'en promène jusqu'à huit par soir, et c'est compliqué. Souvent, ceux que je balade ensemble se battent, et chaque fois que je les sépare, je risque ma peau. Et ceux que je promène seuls sentent l'odeur des autres, et ça les excite. Mais qu'est-ce que j'y peux ? Je ne peux pas prendre une douche et me changer entre chaque promenade.

— Les propriétaires ne s'en rendent pas compte ?

— La dame au cocker a bien vu qu'il manquait un bout d'oreille à son chien…

Léa le regarde d'un air attendri. Elle semble sur un petit nuage. J'ai beau faire tous les efforts du monde, je n'arriverai pas à me calmer tant que je ne saurai pas ce qu'elle et Axel ont fait précisément.

Dans la soirée, Lucas et moi sommes seuls à la maison. Mes parents vont dîner en ville avec ceux de Léa. Ils ont des trucs à se dire. C'est la première fois qu'ils nous donnent ce genre d'excuse. Du coup, je suis vaguement inquiète. J'espère qu'ils ne vont pas parler divorce, ou pire, naissance d'un petit troisième ! Lucas est lancé dans un corps-à-corps sans pitié avec Zoltan. Ils se roulent par terre jusque dans la cuisine. Flocon a peur. Il a sauté sur le plan de travail et les regarde sans comprendre. Le chien aboie et fait mine de s'enfuir, pour mieux revenir. Les chaussures bien alignées dans l'entrée ne le sont plus.

— Tu vas me le payer ! hurle Lucas en se lançant à sa poursuite.

Le chien remue la queue et se sauve. C'est reparti pour un tour. Je crie :

— C'est à toi de mettre la table !

Finalement, Nathan avait l'air plus mature. J'attrape Flocon et le serre contre moi.

— Allez viens, mon grand. Je t'arrache à cet enfer.

Vers 23 heures, les parents ne sont toujours pas rentrés. Lucas s'est endormi tout habillé sur son lit avec le chien. Zoltan est installé en plein milieu et mon frère est recroquevillé sur le bord. Quand on les voit ainsi, on se demande qui est le maître et qui est l'animal de compagnie.

Dans ma chambre, comme tous les soirs, je joue un peu avec Flocon. C'est devenu une habitude. Lorsque j'ai fini mon travail, avant de me coucher, je le taquine avec son bouchon. J'adore le voir trépigner, prêt à bondir, les pupilles dilatées, à demi caché derrière mon bureau. Il se prend pour un redoutable félin. Il ne lâche pas le bouchon du regard pendant que je l'agite au bout de sa ficelle et, tout à coup, il s'élance. Il est maintenant beaucoup plus précis. Par contre, si le moindre bruit vient contrarier son attaque ou si le plus petit imprévu survient, alors il se carapate comme le chaton qu'il est encore. Je trouve ça mignon et j'avoue que j'en abuse. Au moment où il attaque, j'adore faire des bruits débiles qui le terrifient. Je sais, c'est moche.

Mon téléphone vibre. Je me précipite. Un message d'Emma :

« On a laissé le DVD dans le lecteur. S'ils le trouvent, on est mortes. »

Je souris et je réponds :

« Aucun problème. S'ils le regardent, ils n'y survivront pas et il n'y aura donc plus de témoins. CQFD. »

« Trop drôle. Je vais y faire un saut demain en racontant que j'ai oublié quelque chose. »

« OK. »

Flocon est habilement dissimulé derrière le fil de la lampe. Il s'imagine qu'on ne le voit pas et fixe le bouchon qui danse avec l'intention de lui faire payer ses actes odieux. Au moment où il bondit, mon téléphone vibre de nouveau. Je fais un geste brusque qui l'effraie et il s'enfuit en crabe en se prenant dans le fil. La lampe bascule. J'arrive à la récupérer de justesse, mais mon Flocon déguerpit sous le lit en dérapant sans aucune dignité.

C'est un message de Léa :

« Absente demain. Tu peux venir faire un tour sur la colline après les cours ? Il faut qu'on parle. Dis-moi. Bisou. »

J'entends la voiture des parents qui arrive. J'éteins ma lampe en urgence et je me couche. Le message de Léa est vraiment bizarre. Elle n'est pas assez bien pour venir en cours, mais elle veut aller faire un tour en forêt ? De quoi veut-elle me parler ? J'espère qu'elle ne va pas rompre notre trêve au sujet d'Axel…

23

Une des choses que j'apprécie le plus avec Léa, c'est que nous pouvons passer du temps ensemble sans parler, et que nous sommes quand même bien. Je me suis rendu compte de ça l'année dernière. Quand on est jeune et qu'on est avec un ami, on parle tout le temps, on est sans arrêt à vanner, à réagir, à rire, à faire du bruit. On a sans doute peur que si on arrête, tout s'écroule. La peur du vide, en quelque sorte. Pour accepter, pour oser être silencieux, je crois qu'il faut avoir confiance en l'autre. Il faut être convaincu que ce n'est pas uniquement ce que vous donnez qui pousse l'autre à rester, mais ce que vous êtes. Pourtant, en cette belle fin de journée, le fait que Léa et moi avancions sans dire un mot ne me plaît pas. Léa a demandé à me voir. Elle m'a écrit que nous devions parler, mais elle ne dit rien. Je gamberge et j'attends, depuis hier.

Nous avons marché vingt bonnes minutes pour rejoindre la colline, et je la trouve plutôt en forme. Elle n'est pas trop essoufflée. Jusque-là, nous n'avons échangé que des banalités. Nous sommes à présent au pied du sentier qui monte jusqu'à la clairière des Cerfs. À en juger par les mauvaises herbes sèches, les ronces et les branches qui jonchent le passage, nous ne devons pas être nombreux à emprunter ce passage à travers les taillis. C'est un raccourci que nous avait montré Julien, à l'époque où il nous accompagnait. C'est notre petit passage à nous, qui nous évite les chemins que tout le monde emprunte. La clairière nous semblait bien plus loin quand nos mamans venaient nous y promener alors que nous étions encore en maternelle. Parfois, j'ai l'impression que le monde rapetisse au fur et à mesure que je grandis. La clairière est un endroit où nous avons beaucoup de souvenirs. C'est là que nous avons fait du camping pour la première fois, avec une bande de copains. C'était génial. Ça paraît si lointain… On était restés entre nous, sans les parents. On s'était raconté des histoires de monstres pendant la moitié de la nuit. Je dormais dans la même tente que Léa. On s'était blotties l'une contre l'autre parce que les garçons raclaient des branches sur la toile en nous faisant croire que des vampires nous attaquaient. Antoine s'était barbouillé de ketchup pour faire semblant d'être blessé. Je ne vous raconte pas la baffe que sa mère lui a collée quand elle a vu l'état de ses fringues. Jamais un zombie ne s'est pris une telle peignée. J'adorais venir ici faire des cabanes. Lucas s'y promène encore parfois avec Zoltan ou ses copains. Depuis le lycée, nous, on n'y va plus trop, sauf certains, en couple.

Le printemps sera bientôt là et partout sur les branches les bourgeons sont prêts à éclater. Chaque fois que le chemin est assez large, Léa et moi avançons côte à côte. Parfois, elle me sourit, mais ne dit rien pour autant. Si le sentier se resserre, je la laisse passer devant, pour qu'elle ait l'initiative, aussi bien dans la marche que dans la parole.

La clairière est telle que dans mon souvenir. Un peu plus petite peut-être. Elle ouvre toujours vers le sud, dans une vue spectaculaire qui embrasse toute la ville. Face au panorama, un banc de béton est installé. Le week-end, l'endroit est pris d'assaut par les enfants qui jouent avec leurs parents et, le soir, ce sont les amoureux qui l'occupent. En semaine et à cette heure-ci, il n'y a que nous.

— On s'assoit ? propose Léa.

— Si tu veux.

Sourires croisés, mais le malaise est perceptible. Je redoute de plus en plus ce qu'elle souhaite me dire. Je ne veux pas que nous redescendions de cette colline en étant moins amies. Je suis prête à faire tous les efforts possibles pour cela. Encore faudrait-il savoir à quelle épreuve je vais être confrontée. Léa soupire.

La ville s'étend à nos pieds. On aperçoit le lycée, notre quartier, et même le centre commercial où travaillent mon père et Monsieur Castor. C'est drôle de constater comme nos points de repère évoluent. Je m'en rends compte en prenant de la hauteur. Au début, j'étais capable de situer l'école primaire, la boulangerie et le magasin de jouets. Puis à ce schéma se sont ajoutés l'adresse de quelques copains, le resto burger, le cinéma et la piscine. Ensuite, il y a eu les boutiques de vêtements, la poste, d'autres adresses de copains. Tout est là, sous mes yeux. En grandissant, la ville s'est agrandie, enrichie, complexifiée.

Léa regarde droit devant elle. Je m'oblige à ne pas engager la conversation la première. Elle finit par déclarer :

— Tu ne trouves pas que ce qui arrive à Axel est révoltant ?

— Si, bien sûr. Mais je trouve aussi super que tout le monde se défonce pour l'aider.

— C'est vrai, c'est beau. Il a bien besoin de réconfort…

Le silence à nouveau. Le vent siffle dans les branches sans feuilles. Léa reprend :

— Tu crois qu'il va réussir à réunir la somme ?

— On fait tout ce qu'on peut pour l'aider. J'ai bon espoir.

Qu'essaye-t-elle de me dire ? Où veut-elle en venir ?

— Camille, on se connaît depuis combien de temps ?

— Douze ou treize ans…

— Tu sais que je n'ai jamais eu de meilleure amie que toi.

Cette fois, je flippe. Elle est enceinte d'Axel. Les nausées et les essoufflements viennent de là. Elle ajoute :

— Je te considère comme ma sœur, et d'ailleurs, ma mère dit souvent que tu es sa deuxième fille.

Elle regarde droit devant elle. Je crois qu'une larme coule sur sa joue. Je n'ose pas prononcer un mot. Elle demande :

— Comment tu te vois dans dix ou vingt ans ?

— Je ne sais pas… J'aurai fini mes études. Peut-être mariée. Avec des enfants. Je ne crois pas que je partirai loin. Une chose est sûre, j'espère que l'on sera toujours amies et que l'on se verra toujours autant.

Elle tourne la tête et me regarde dans les yeux.

— Tes parents ne t'ont parlé de rien ?

— Non, Léa. De quoi voudrais-tu qu'ils me

parlent ? Et maintenant arrête, tu me fais peur ! Bon sang, qu'est-ce que tu veux me dire ?

Elle reporte son regard vers la ville.

— S'il ne te restait que six mois à vivre, qu'est-ce que tu ferais ?

— Mais je n'en sais rien ! Tu me gonfles avec tes questions ! Tu veux aussi savoir le seul livre que j'emporterais sur une île déserte ?

Je m'énerve alors qu'elle reste étonnamment calme.

— Non, ça je le sais. Camille, j'ai eu rendez-vous avec les docteurs. Ils ont trouvé ce que j'ai. C'est une maladie du cœur. Un truc rare.

Je suis comme une imbécile, stoppée net dans ma colère.

— C'est bien qu'ils sachent, ils vont pouvoir te soigner vite. Qu'est-ce qu'ils disent ?

— Il n'y a rien à faire, Camille. Mon cœur a de plus en plus de mal à battre. Il se fatigue, ils disent qu'il durcit. Tout va aller très vite. Alors je te repose ma question parce que je vais avoir besoin de ton aide : s'il ne te restait que six mois à vivre, qu'est-ce que tu ferais ?

24

Je me souviens parfaitement de la première fois où Léa et moi nous sommes retrouvées sur ce même banc. J'en garde un souvenir très fort parce qu'un sentiment inconnu m'avait saisie. C'était la première fois que je découvrais une ville de si haut. Le spectacle de ce quadrillage de rues, de ces petites maisons et de ces minuscules voitures qui se déplaçaient toutes seules dans ce décor de lilliputiens était incroyable. En dominant *ma* ville, je me suis tout à coup sentie toute-puissante. Je n'ai plus jamais éprouvé cela depuis. Par contre, pour ce qui est de l'impuissance, je l'expérimente régulièrement, et pas besoin de voir de haut ou de loin…

Cet après-midi-là, nous étions quatre copains, en première année de primaire. Il faisait beau et le monde s'étendait à nos pieds. Pour nous sentir encore plus grands, nous nous tenions debout, sur ce banc, exactement à l'endroit où nous sommes assises ce soir. Peut-être reste-t-il, quelque part dans la matière rugueuse du béton, des molécules de ce que nous étions.

La mère de Léa nous avait accompagnés. Elle râlait pour que l'on descende parce qu'elle redoutait qu'on tombe. Personne n'a obéi pour autant. Nous étions trop occupés à contempler notre royaume. C'est Léa qui a eu l'idée de jouer à « si je le touche en premier, c'est à moi ». Chacun de nous a fermé un œil pour mieux viser et avec nos doigts, à perte de vue, nous avons touché tout ce que nous voulions nous approprier. J'ai pointé mon index sur le magasin de jouets, la boulangerie, le square, toute ma rue et la mairie. Chacun annonçait ses nouvelles prises dans un joyeux brouhaha. Léa a touché une voiture noire, l'école, son quartier et je ne sais plus quoi. Maxime a remporté le stade, la piscine, la gare, le garage de son père et la moitié des bâtiments officiels. En clignant des yeux, Nicolas a perdu l'équilibre jusqu'à tomber du banc. La seule chose qu'il ait touchée avec sa petite main, c'est une vieille crotte de chien séchée. En ce temps-là, tout était simple. Nos gros problèmes n'en étaient pas vraiment. On en est bien loin ce soir.

Il a suffi d'une phrase pour que soudain tout change. Nous sommes à nouveau sur ce banc. Nous pourrions monter dessus et même danser comme des folles, il n'y aurait personne pour nous demander de descendre. Ma rue ne m'appartient pas, la boulangerie n'existe plus et j'ai pourtant l'impression qu'entre ces deux moments, il ne s'est écoulé que quelques battements de cœur. Comment était ma vie voilà seulement cinq minutes ? Quelle était ma perception du monde avant que Léa ne m'annonce qu'elle risque d'y rester ? J'ai beau me concentrer, je n'arrive plus à m'en souvenir. C'est perdu, envolé, pour toujours. L'annonce de sa maladie m'a changée aussi simplement qu'une déferlante efface un dessin d'enfant sur la plage.

J'ai grandi en considérant que les adultes étaient

vieux et que nous étions les plus jeunes. Nous d'un côté, eux de l'autre. J'ai vécu une première remise en cause de cette vision lorsque ce n'est plus à moi que l'on a demandé de se glisser sous la table pour attribuer les parts de la galette des rois. Lucas avait pris ma place. Et il avait aussi eu la fève. J'étais tellement dégoûtée que j'ai songé à fuguer. Plus tout à fait jeune mais pas encore vieille, comme ça, un dimanche, sans préavis. Deux ans plus tard, j'ai vu sa tête lorsqu'il s'est à son tour fait déloger de ce poste hautement honorifique par un de nos petits cousins. Mais il a eu la fève quand même.

On nous parle tout le temps de grandir, de ce que nous ferons plus tard ; on nous répète que c'est la vie et qu'il faut avancer. Personne ne nous parle jamais du moment où tout s'arrête. Pourtant, nous savons tous que la mort finit par nous emporter. On est prévenus, on nous l'a dit, on a même connu des gens qui sont décédés. Mais cela ne nous concerne pas. Du moins, c'est ce que l'on pense. Pour nous, c'est tellement loin que ce n'est même pas la peine d'y réfléchir. On a déjà assez de mal à se projeter jusqu'aux épreuves du bac…

Léa ne pleure plus. Elle fixe l'horizon dans le jour qui décline. Les réverbères viennent de s'allumer, quartier par quartier, presque tous en même temps, comme si la ville et ses rues n'étaient qu'un décor de train électrique dont François aurait branché les diodes. J'observe Léa. Je ne sais pas comment l'aider. Je vous ai déjà parlé de mon impuissance maintes fois constatée. Ça me rend folle. À quoi pense-t-elle à cette seconde précise ? Moi, j'ai la tête qui va exploser parce que je n'arrive pas à faire rentrer cette nouvelle trop lourde dedans. Jamais je n'ai imaginé qu'un de mes amis puisse ne plus être là. Et encore moins Léa.

En redescendant, le chemin est sombre et nos pas ne sont pas toujours assurés. Le crépuscule nous sert de prétexte, mais c'est le trouble qui nous fait trébucher. J'ai l'impression que même si elle est essoufflée, Léa va mieux, comme si partager son épouvantable diagnostic l'allégeait.

Je ne me voyais pas la laisser se retrouver seule chez elle, même s'il y a sa famille. Je suis restée dîner. Élodie et Christophe parlent de tout et de rien, comme d'habitude, mais leurs visages dégagent une autre émotion que ce que leurs voix tentent de faire passer. J'ai envie de poser des questions sur sa maladie, mais je n'ose pas. Alors je participe à la comédie qui se joue. On discute du gratin de courgettes fait maison, des films qu'on aime bien, des bêtises de Tibor, de trucs insignifiants qui ont beaucoup moins d'intérêt lorsqu'il vous reste si peu de temps à vivre. Au fond de moi, je suis certaine que les médecins se trompent. Je suis convaincue que Léa va guérir et que bientôt on se souviendra de cette soirée comme d'un horrible cauchemar dont on se sera heureusement réveillées.

Je suis restée avec Léa jusque très tard. Elle n'a pas voulu descendre chanter. Nous n'avons même pas beaucoup parlé. Mais nous étions ensemble. On a bu une tisane dans sa cuisine, en se regardant, assises face à face. C'était la première fois que nous faisions ça. Elle a plaisanté en remarquant que c'était un truc de vieux. En temps normal, elle ou moi aurions ajouté que, pour quelqu'un qui va bientôt mourir, il est normal de faire des trucs de vieux. On aurait éclaté de rire avec l'impudence de ceux qui se croient à l'abri. Si la situation avait concerné quelqu'un d'autre, on l'aurait fait. Mais pas cette fois. Elle a pris ses médicaments et j'ai trouvé qu'il y en avait beaucoup.

À minuit passé, elle était très fatiguée et a souhaité se coucher. J'ai hésité à rester dormir, mais j'ai jugé qu'elle se reposerait sans doute mieux seule. En tout cas, je ne voulais pas m'imposer ou me cramponner à elle comme si elle allait y passer dans la nuit. Mon père est venu me chercher en voiture. Je l'ai vu prendre Christophe et Élodie dans ses bras comme on ne le fait qu'au jour de l'an. Élodie a détourné le visage pour que Léa et moi ne puissions pas voir son émotion. Léa m'a raccompagnée jusqu'à la grille. Sa mère lui a lancé :

— Couvre-toi, tu vas attraper froid !

— Quelle importance ? a-t-elle répondu d'une voix à peine audible.

Au moment de nous dire au revoir, elle m'a serré les mains, très fort. Je me suis efforcée de ne pas en faire trop pour que le moment paraisse le plus naturel possible. Après tout, elle va guérir, son cœur ira mieux et ce n'est qu'un sale moment à passer. « Tant qu'il y a de la vie, il y a de l'espoir. » Pas besoin de connaître l'auteur de cette citation. Elle trouve un écho en chacun, de plus en plus puissant à mesure que les années passent.

Au tout dernier moment, Léa m'a glissé :

— Tu ne parles de rien à personne. Je n'ai pas envie que tout le monde sache. Pour le moment, c'est un autre de nos secrets.

J'ai approuvé sans bien réaliser. Je suis montée dans la voiture. Léa a refermé la portière sur moi. À travers la vitre, elle m'a fait un clin d'œil et son petit coucou avec les doigts, comme les enfants qui disent au revoir. Pendant que l'on démarrait, j'ai fait un effort surhumain pour ne pas lui faire d'aussi grands signes que j'en avais envie. Rester sobre. J'ai regardé sa silhouette dressée sur le trottoir, dans la lueur de l'éclairage de la rue, jusqu'à ce que l'on tourne au coin de l'avenue. Je ne sais pas pourquoi mais, de toutes mes forces, j'ai gravé cette image dans mon esprit : Léa debout, agitant sa main pour me dire au revoir.

25

En arrivant à la maison, je n'avais envie de parler avec personne. Besoin d'être seule et de remettre un semblant d'ordre dans ma tête, si possible. Mon esprit ressemble à une caisse de pétards qui aurait pris la foudre.

J'ai souhaité bonne nuit à mes parents et je me suis tout de suite réfugiée dans ma chambre. Flocon était assoupi depuis longtemps. Son bouchon n'était plus posé sur mon bureau mais traînait au pied du lit. Il avait dû jouer tout seul. En le regardant dormir, je me suis demandé si d'autres animaux que ceux de notre espèce savent qu'ils vont mourir.

Maman est montée, certainement pour parler mais je n'en avais pas envie, alors quand elle a frappé doucement, je n'ai pas répondu. Lorsqu'elle a entrouvert, j'ai fait semblant de dormir. Parfois, on va tellement mal qu'on refuse même de voir les gens qu'on aime le plus au monde.

Étendue dans l'obscurité, je n'ai pratiquement pas fermé l'œil. Lorsque je prenais conscience de la réalité de la situation, je pleurais. Le reste du temps, je me racontais des histoires, imaginant des traitements médicaux miraculeux, allant même jusqu'à visualiser la grande fête que l'on allait organiser pour célébrer sa guérison. Étrangement, malgré l'heure et l'épuisement, le seul endroit où j'avais envie de me trouver, c'était l'école, avec Léa et tous les autres, au milieu de ce tourbillon de vie. J'ai rarement été aussi contente de voir l'aube arriver…

Ce matin, pendant notre heure de permanence, Mme Labaume, une animatrice du BDI, nous a tous réunis en salle informatique pour un test d'aide à l'orientation. Nous sommes deux par deux devant les postes et on écoute le programme des réjouissances.

— Beaucoup d'entre vous ne savent pas encore vers quel métier ils vont se diriger, et pourtant l'échéance approche. Connectez-vous sur le site monfuturmétier.com et répondez à une petite série de questions. Le programme d'évaluation vous fournira une liste de professions susceptibles de correspondre à votre profil, en fonction du pourcentage d'affinités.

Cliquetis des touches dans la salle. Tout le monde découvre le site qui va enfin nous révéler pour quoi nous sommes faits. Je me demande ce qu'en pense Léa. Comment réagit-elle à l'évocation de son futur ? Cruel hasard qui veut que si peu de temps après un diagnostic ne lui laissant que quelques mois, on lui demande ce qu'elle fera dans des années…

Je suis mal à l'aise. Notre secret est lourd à porter, surtout vis-à-vis de ceux dont nous sommes si proches. Le fait que je sois la meilleure amie de Léa implique ce triste privilège, mais j'aimerais bien ne pas être la seule à savoir. Pourtant, je comprends son choix de ne rien annoncer. Elle n'a pas envie d'affronter la réaction de tout le monde alors qu'elle-même ne sait certainement pas où elle en est. Pour ma part, je ne réalise toujours pas. Une part de moi – pour ne pas dire tout mon être – refuse d'y croire. Je fais un blocage. C'est peut-être un mécanisme d'autodéfense de mon esprit. Pour ne pas devenir folle, je tente de nier ce que je ne peux ni assumer, ni comprendre. J'ai l'impression que la soirée de la veille n'était qu'un rêve, un délire vaporeux qui me colle encore à la peau. Je voudrais tellement que ce soit ça. Quoi qu'il en soit, si je me concentre objectivement sur le présent, nous sommes là toutes les deux et elle est bien vivante. C'est tout ce que j'ai la force de voir. Je vais m'arrêter à cette vérité éphémère et ne penser à rien d'autre. Garder les yeux ouverts, mais refuser de voir loin.

— Tu commences le test ? me dit-elle.

Il faut d'abord répondre aux questions pour définir mon profil.

Question 1 : « Préférez-vous parler devant 100 personnes ou caresser un animal ? »

Je relis la phrase pour être bien certaine que ce n'est pas moi qui craque. Mais non, j'ai bien lu. C'est quoi ce test ? Pas d'autre choix ? Est-ce qu'il ne serait pas plutôt possible de faire les deux à la fois, de parler à 100 personnes en caressant un animal ? Ou peut-on caresser quelqu'un en parlant à une centaine de chats ? Je choisis d'affronter l'auditoire et de laisser l'animal se gratter tout seul. Si c'est pas malheureux…

Question 2 : « Vous pouvez gagner énormément d'argent pendant très peu de temps ou en gagner beaucoup moins mais pendant toute votre vie. Quelle option choisissez-vous ? »

Ça y est, je passe à la télé dans un de ces jeux

débiles. Où sont les caméras ? Malédiction ! Une de mes chaussettes est trouée et c'est en mondovision ! Franchement, comment voulez-vous répondre à ce genre de question ? Tibor dirait que c'est une question de gros bouffon et il aurait raison. Pour ma part, c'est décidé : j'exige de gagner une petite fortune chaque mois, et durant toute ma vie. Je suis curieuse de voir ce qu'ils vont tirer de mon profil. Ils vont me cataloguer joueuse de poker pro ou employée à la Poste. Mais puisqu'il faut répondre, jouons la prudence : gagnons un peu, mais longtemps.

Dans la salle, certains rigolent en découvrant les questions. Mme Labaume tonne et sa voix monte tout de suite dans les aigus :

— Il s'agit de votre avenir ! Je ne vois pas ce qu'il y a de drôle !

— T'as qu'à faire le test ! lance Antoine en travestissant sa voix.

— Qui a dit ça ? Qui ?

Sa voix est encore plus aiguë. Elle insiste :

— Qui s'est permis de me parler ainsi ?

Avec cette voix-là et en hurlant aussi fort, elle peut faire exploser tout un service en cristal et nous faire perdre deux points d'audition.

Question 3 : « Préférez-vous laver quelqu'un que vous ne connaissez pas ou décorer une maison ? »

C'est fait : nous venons officiellement de basculer dans une autre dimension. Un vrai choix de vie. Le tout est de ne pas se tromper : interdiction de coller du papier peint sur un inconnu pendant que l'on mettrait des couches à un fauteuil Louis XV. Qui sont les génies qui ont conçu ce petit jeu ?

On poursuit jusqu'au bout et toutes les propositions

sont du même niveau. « Préférez-vous être un canard ou manger une plaque d'égout ? » J'exagère à peine. Lorsque tout le questionnaire est rempli, j'envoie le formulaire et, en moins de deux secondes, une liste de métiers s'affiche avec les pourcentages de compatibilité. C'est purement fascinant. Dans les orientations qui me correspondent à 100 %, on trouve fleuriste, moniteur de voile, aide-soignant, plongeur-scaphandrier, éleveur de bétail, conseiller en outplacement – je ne sais même pas ce que ça peut faire un conseiller en outplacement –, directeur de clinique et enfin chargé de mission en parc naturel régional – c'est sûrement le mec qui fredonne des berceuses aux marmottes au moment de l'hibernation. Il faut quand même un bac + 4 pour endormir les marmottes… Sûrement parce que parfois, avant de s'assoupir, comme les enfants, elles posent des questions impossibles du genre : « Combien il y a d'étoiles ? », « D'où vient le vent ? » ou « Pourquoi Dieu ? ». Le chargé de mission en parc naturel a intérêt à connaître son sujet parce que sinon les marmottes dépriment et finissent chez le CDMEPNAATPDAAP, le Chargé De Mission En Parc Naturel Attaché Aux Troubles Psychologiques Des Animaux À Poil. Les animaux sont à poil, pas le chargé de mission.

La liste des métiers est interminable. Merci beaucoup, site visionnaire ! Grâce à toi, j'ai enfin trouvé ma voie dans ce monde, et mes camarades aussi si j'en juge par les sourires joyeux qui illuminent leurs visages. Quand je pense qu'avant on était perdus ! Mais ce temps-là est révolu ! Tout s'éclaire. Notre futur s'illumine ! J'en profite aussi pour féliciter chaleureusement la joyeuse bande de dégénérés pervers qui a conçu cette connerie de merde !

Les fous rires commencent à se multiplier dans la salle, au point que Mme Labaume est en train de perdre le contrôle.

— C'est pourri ! hurle Antoine avec sa petite voix trafiquée.

Profitant de la confusion qui s'installe, il ajoute :

— Moi je veux faire stripteaseuse ! Je veux gagner ma vie en montrant mon cul !

Éclat de rire général. Si l'on en croit ce logiciel extraordinaire, Romain sera brocanteur ou pédicure-podologue. Clément sera œnologue ou guide de haute montagne. Marie sera taxidermiste ou danseuse. Pauline sera inspectrice du travail ou agent d'accueil en office de tourisme. C'est un vrai festival. On est à la maternelle et on joue au jeu des métiers. Quel dommage que la peine de mort soit abolie, sinon j'aurais voulu être bourreau avec une hache mal aiguisée ! En attendant, Léo va finir procureur, Axel acheteur dans l'industrie et Tibor monteur-dépanneur d'ascenseurs.

Petite question : vous en connaissez, vous, des enfants qui ont rêvé de devenir monteur-dépanneur d'ascenseurs, gérant d'une succursale de pompes funèbres ou agent de comptabilisation piscicole en rivière ? Vous imaginez la petite fille, toute mignonne avec ses couettes, qui arrive devant vous en sautillant et qui vous annonce direct que, plus tard, elle sera responsable logistique maritime, administrateur judiciaire ou surveillante de nuit dans une unité d'incarcération pour jeunes filles ? Moi, ça me fait peur. En plus, on ne comprend pas la moitié des intitulés. Qu'est-ce que ça fait un analyste en posture ? Et un agent de développement local ? Il est vrai qu'aujourd'hui on ne dit plus un balayeur mais un technicien de surface. On ne parle plus d'un chômeur mais d'un sans-emploi. Les clochards ont disparu, mais il y a de plus en plus de sans-abri. On ne dit plus non plus un aveugle, on dit un non-voyant. On ne devrait donc plus dire un gros connard, mais un non-pensant en surpoids. L'art d'enrober, de détourner. On nous saoule de mots, de « concepts », d'idées « neuves » et personne ne parle de l'essentiel, de ce qui nous touche tous. Certains diraient que c'est une affaire de problématique… Moi, je crois que c'est une affaire de priorités. Franchement, avec leur test foireux, si le but est de nous faire rire, c'est gagné. Pour ce qui est de nous aider, il va falloir revoir deux ou trois détails. Et dire que des gens sont payés pour développer ces « utilitaires »…

Inès ne comprend pas pourquoi on lui conseille d'être agent d'entraînement en centre équestre. Peut-être à cause de ses dents et de son rire ? Dorian est fier de s'imaginer en détective privé. Je sais bien qu'il n'y a pas de sot métier, mais quand même. Ceci dit, en ce qui le concerne, le logiciel a plutôt bien fonctionné, parce que fouiner dans la vie des autres et remuer la vase lui va bien.

Léa a rigolé avec tout le monde, en évitant soigneusement de faire le test. Pour avoir un métier, il faut être vivant.

26

— Tu n'as pas de problème au moins ?

Je panique. Je ne dois surtout pas croiser le regard d'Axel. Quand il cherche mon regard comme maintenant, avec autant d'attention, je rougis, mon cœur fait n'importe quoi et j'ai la certitude que s'il voit mes yeux, il pourra lire jusqu'aux tréfonds de mon âme comme dans un prospectus grand ouvert. Je fais mine de regarder ailleurs et je réponds :

— Non, tout va bien. J'ai simplement mal dormi.

Il semble se contenter de ma réponse et enchaîne :

— Tu n'as rien de prévu jeudi midi ?

— Non, rien. Pourquoi ?

— Je vous invite à manger une pizza chez Sergio. Le resto face au marché.

— Qu'est-ce qui se passe ?

— Grâce à vous tous, j'ai presque fini de réunir la somme pour l'autre salopard. Ça s'arrose !

— Tu ne veux pas attendre d'en avoir complètement terminé avec lui pour fêter l'événement ?

— Les vacances approchent, et je ne te cache pas que j'aimerais assez laisser toute cette embrouille derrière moi. C'est maintenant ou jamais.

— Tu invites aussi Léa ?

— Ça y est, c'est fait. Elle vient.

Il l'a donc invitée avant moi. Au nom de ce qu'elle endure, j'essaie de chasser la jalousie qui pointe.

— Compte sur moi pour être là. Merci pour l'invitation.

— Cool !

Il s'éloigne en me souriant. Je ne peux pas m'empêcher de le regarder. Malédiction, il a dû voir mes yeux. Maintenant, il sait qu'en page trois du prospectus, il y a une grande promo sur les cœurs d'artichaut.

Je cherche Léa. Je la trouve avec Pauline et Vanessa, et elles rigolent tellement qu'elles se tiennent les unes aux autres. C'est surprenant. Si je ne savais pas pour Léa, à la voir ainsi vivante, joyeuse, je n'aurais aucune chance d'imaginer ce qu'elle affronte. Elle donne le change admirablement. Je ne sais pas si je l'admire ou si ça me fait peur. Peut-être qu'une part d'elle-même – pour ne pas dire tout son être – refuse de croire à ce qui la menace et profite de la vie.

Je m'apprête à sortir faire un tour dans la cour lorsque Manon se plante devant moi. Ses cheveux repoussent peu à peu mais j'ai toujours autant de mal à la regarder en face depuis qu'elle m'a rembarrée.

— Camille, puis-je te parler une minute ?

Je devrais peut-être refuser tellement j'ai peur de m'en reprendre une louche, mais vous savez que j'ai du mal à dire non. Elle m'entraîne dehors, cherchant visiblement un endroit à l'écart. Je n'ose même pas lui demander des nouvelles de sa situation familiale. Elle n'est pas plus à l'aise que moi.

— L'autre jour, lorsque tu as parlé de la vente de la maison de mes parents…

— Je sais, je n'aurais pas dû…
— Laisse tomber, tu voulais bien faire.
Elle hésite à me regarder et lâche :
— En fait, j'ai réfléchi à ce que tu m'as dit. Comment tu t'y prendrais ?
— Comment je m'y prendrais pour quoi ?
— Si tu devais empêcher la vente de la maison, qu'est-ce que tu ferais ?
Cette fois, c'est moi qui hésite :
— Je ne sais pas, je ne veux pas…
— Camille, mes parents se comportent comme des gamins. C'est à celui qui sera le plus immature. Ils sont en train de tout massacrer. J'en ai parlé avec mon frère, il est d'accord. Puisque la maison est la seule chose qui les retient encore ensemble, on va essayer de faire échouer la vente. Comment peut-on s'y prendre à ton avis ?
J'accuse le coup. Devant son regard insistant, je m'aventure :
— Pour moi, le meilleur moyen consisterait à décourager les acheteurs. Ce sont tes parents qui font visiter ?
— Ils n'ont même pas le courage d'assumer ça. L'agence accueille les acheteurs le samedi matin, pendant que l'un est au golf et l'autre à son club de sport.
— C'est peut-être notre chance.
— Qu'est-ce que tu veux dire ?
— Tu es prête à y aller franchement ?
— On n'a pas trop le choix, les prochaines visites ont lieu samedi qui vient…

27

Ce soir, chez nous, il ne doit y avoir que les Playmobil de mon frère pour sourire. C'est notre premier dîner ensemble depuis que tout le monde sait ce qui arrive à Léa. Même Lucas semble sous le choc. Il ne sait pas trop quoi dire et n'a pas sorti la moindre vanne depuis plus d'une heure. Zoltan est assis à côté de lui, au pied de la table, attendant de la nourriture. Je veux pourtant éclaircir certains points :

— Vous êtes au courant depuis quand ?

Maman répond :

— Élodie nous a dit qu'il y avait un vrai problème voilà quelques semaines, et l'autre soir, Christophe et elle ont demandé à ce qu'on dîne ensemble. C'est là qu'ils nous ont annoncé les résultats des examens cardiaques.

— Pourquoi vous ne m'en avez pas parlé ?

Papa répond :

— Avant le diagnostic, il n'y avait pas de raison de t'alarmer et ensuite, Léa a tenu à te l'annoncer elle-même.

— Vous savez exactement de quoi elle souffre ?

— Ça s'appelle une cardiomyopathie restrictive

idiopathique, explique mon père. Les parois de son cœur durcissent de façon anormale et prématurée, empêchant le pompage normal du sang et sa circulation. Ses essoufflements, ses vertiges et ses nausées venaient de là.

— Ça ne se soigne pas ?

Papa consulte maman du regard avant de répondre :

— Une greffe du cœur serait la seule option, mais à son âge, trouver un donneur sain n'est pas évident, et il est encore trop tôt pour savoir si c'est adapté à son cas. C'est une maladie rare dont on ne sait pas grand-chose. En attendant, les docteurs la traitent pour ralentir le processus.

— Les toubibs ne connaissent pas vraiment la maladie mais ils sont quand même sûrs qu'elle n'a plus que six mois à vivre ?

— La maladie est identifiée. Tout dépend maintenant de sa vitesse d'évolution. Ils manquent de recul sur un patient de l'âge de Léa parce que d'habitude cette saleté se déclare chez des enfants plus jeunes…

— Et on arrive à les soigner ? Ils s'en sortent ?

Mon père évite mon regard.

— Rarement. Le cœur finit par se bloquer… Mais chez Léa, il est encore trop tôt pour savoir. Chaque cas est très particulier. Il faudra d'autres analyses pour évaluer exactement où elle en est. Elle doit par contre, et dès à présent, limiter ses efforts physiques au maximum.

Mes mains se crispent, je sens que je m'énerve.

— Alors il n'y a rien à faire ! Rien à tenter ! On n'a qu'à attendre tranquillement qu'elle crève…

Mon père me reprend :

— Ne parle pas comme ça. Les médecins font ce

qu'ils peuvent. Ils ont déjà mis en place deux traitements pour ralentir le processus…

— Et si cela ne marche pas ?

Pas de réponse. Je pose ma fourchette et crie presque malgré moi :

— Comment peux-tu rester aussi calme ? Comment peux-tu parler aussi froidement de ce qui arrive à Léa comme si cela ne nous touchait pas ?

Maman intervient :

— Camille, s'il te plaît, c'est dur pour tout le monde. Nous comprenons ta colère, mais nous n'y sommes pour rien. Élodie et Christophe sont aussi nos amis et ils voulaient parler avec ton père des aspects concrets de l'évolution.

— Qu'est-ce qu'il y connaît ? Il est chargé de la sécurité dans un centre commercial !

Maman me fusille du regard. Lucas lâche :

— Sur ce coup-là, ma vieille, tu es nulle.

Mon père a baissé les yeux. Maman reprend :

— Élodie propose que tu partes avec eux pour les vacances de février. Ils vont au ski. Léa n'aura pas le droit de skier, mais le grand air peut lui faire du bien. Des amis leur prêtent un chalet dans une belle station des Alpes.

— Je vais réfléchir.

Je n'ai plus desserré les dents du repas. J'ai vidé mon assiette à toute allure et j'ai quitté la table.

Je n'ai qu'une envie, c'est de me retrancher dans ma chambre et de jouer avec Flocon. Mais avant, je veux d'abord aller sur Internet pour vérifier ce qui se dit de cette maladie. Je m'installe à mon bureau et je tape « cardio/maladie ». Les résultats s'affichent. Je reconnais le nom annoncé par mon père : « cardiomyopathie restrictive idiopathique ». Différents articles décrivent les symptômes, et je retrouve bien ce qui arrive à Léa. Il existe plusieurs variantes de la maladie, ça parle aussi de traitements qui peuvent « assouplir » le cœur. Quelle horreur… En quelques clics, je bascule dans un univers dont j'ignorais tout jusque-là. Des gens racontent, des parents lancent des appels désespérés pour une transplantation cardiaque. Des photos d'enfants qui sourient dans leur tenue d'hôpital. Je ferme les yeux.

Il existe vraiment plusieurs mondes sur cette terre. Tous dans le même décor, mais chacun son scénario. Personne ne connaît l'histoire des autres avant d'être à son tour concerné. Je me dis qu'il faut absolument greffer un cœur neuf à Léa mais en cherchant je m'aperçois qu'il faut pour cela en trouver un qui soit compatible et qu'à son âge, à part les accidentés… Un jeune doit mourir pour qu'un autre puisse vivre. C'est affreux. Et s'il n'y a qu'un cœur alors que deux malades attendent ? Une avalanche de cas de conscience s'abat sur moi. Les images de ces enfants suspendus à un espoir s'entrechoquent dans ma tête. Je m'efforce de les chasser, de ne pas les laisser envahir chaque recoin de mon esprit. Je déteste me rendre sourde à ces douleurs, mais il le faut. Je n'aurai pas la force de tout assumer. Moi, tout ce que je veux, c'est que Léa vive.

Il est minuit passé lorsque je me glisse dans mon lit. Avant d'éteindre, je contemple ma chambre. Spectatrice de mon monde encore une fois, mais d'une autre façon. Léa est présente sur les photos, ses empreintes sont sur les objets que j'ai gardés en souvenir de ce que nous avons vécu. Elle m'a offert beaucoup des choses qui sont ici. Même dans mon cahier de textes, ses mots accompagnent ma vie à travers ses commentaires déjantés et ses petits dessins. Il y a même un de ses pulls sur ma chaise, et c'est elle qui a installé le petit personnage à table dans ma maison de poupée. Je la vois encore rire en lui mettant la bouteille à la main et en racontant que c'était un alcoolique fini qui battait sa femme. Léa est partout, dans cette pièce et dans ma vie. Faut-il attendre que la mort arrive pour se rendre compte de la place qu'occupent les gens ?

28

Nous avons fini une heure plus tôt, ce qui nous permet d'être au restaurant avant la foule du midi. Douze à table. Dans notre Cène, pas de place pour un Judas. C'est la toute première fois que nous sommes au complet pour partager un repas ailleurs qu'au réfectoire. J'ai souvent rêvé de ce moment magique. Le fait que nous le devions à un type abject à qui notre ami va injustement verser une fortune est assez paradoxal. Il faut pourtant admettre que voir Axel aussi rayonnant, présidant notre tablée entre Louis et Léo, est un bonheur qui n'aurait pas eu lieu sans ce malheur.

Léa et moi sommes installées face à face, à égale distance d'Axel. Entre lui et nous, il n'y a que ses deux meilleurs potes. Je ne sais pas si tout le monde est sensible à ce genre de détail, mais c'est essentiel pour moi. Je ne sais plus qui a dit que « la vérité est dans les détails ». Ça pourrait être du Jérôme Chevillard que je serais d'accord avec lui. Je suis assise entre Louis et Tibor, entre la puissance et la folie, et je m'y sens bien.

Axel se lève et fait tinter son verre avec son couteau comme dans les films. Normalement, ensuite, il est supposé faire sa demande en mariage…

— Mes amis, déclare-t-il en s'amusant lui-même de cette solennité, nous sommes réunis ici parce que tous, vous m'avez sorti du pétrin. Vous avez été mes anges gardiens. Grâce à vous, je vais garder un magnifique souvenir de cette histoire qui était pourtant partie pour être la pire de ma vie ! L'autre nazi aura sa voiture, on lui souhaite bonne route, mais je suis certain qu'il finira par croiser un mur. Il ne l'emportera pas au paradis…

Louis et Léo hochent la tête d'un air entendu. Axel reprend :

— Je crois qu'avec tout ce que vous avez gagné, je vais en plus avoir de quoi payer ce somptueux déjeuner !

Antoine siffle. Romain proteste en riant :

— C'est pas une vraie invitation ! Escroc !

Axel poursuit :

— À tous, je veux dire merci, du fond du cœur. Vous avez lavé des voitures, vous avez vendu des gâteaux, vous avez fait des courses, vous vous êtes fait piétiner par des enfants, vous en avez terrifié d'autres en leur montrant des films « inappropriés », vous avez coupé du bois pour des petites vieilles qui ont tenté de vous frapper, vous avez même promené des chiens qui vous ont mordu. J'en suis à la fois touché et fier. Jamais je n'oublierai ce que vous avez fait pour moi. On peut toujours me dire que ce monde est cruel, que les gens sont des salauds, vous me donnez les moyens d'être certain que c'est faux. À charge de revanche, sauf pour le baby-sitting. Étant donné ce que m'a raconté Quentin, je refuse aussi de faire Monsieur Castor. Mais pour le reste, on se connaît depuis longtemps, et j'espère que l'on vieillira ensemble quels que soient nos chemins l'année prochaine. En attendant, nous allons encore en baver, mais ensemble cette fois, d'ici le bac. Merci beaucoup, bon appétit, et je rappelle aux ivrognes que les boissons ne sont pas comprises dans l'invitation !

Applaudissements. Je suis heureuse comme je ne l'ai pas souvent été. Contempler ces visages, ces amis qui font ma vie, réunis pour une aussi belle occasion, me bouleverse. Je retiens mes larmes. Léa sourit face à moi, elle lève son verre à Axel et tout le monde suit le mouvement. Elle semble fatiguée. Ses yeux brillent beaucoup et je suis incapable de dire qui, de la maladie ou de l'émotion, est responsable.

Louis passe son bras immense autour de mon épaule et me glisse :

— On en menait moins large quand les flics sont venus l'embarquer…

Je sens sa chaleur. Ça me fait tout drôle. Quelque chose de doux m'enveloppe. Je trinque avec lui, puis avec Axel et Léa. Les verres s'entrechoquent. Comme le veut la coutume, je m'applique à bien regarder celui avec qui j'échange. Onze regards, onze histoires, onze sentiments différents, mais toujours quelque chose d'extrêmement fort. À cette occasion rarissime, chacun laisse l'autre le regarder au fond des yeux, sans se cacher, autrement qu'à la dérobée, en offrant ouvertement un regard fait de confiance, d'amitié et d'affection. Antoine et Marie croisent leurs bras pour boire. Les choses se gâtent lorsque je goûte le cocktail d'accueil qui nous a permis ce beau moment. Une fois encore, le pire côtoie le meilleur. Le breuvage est dégoûtant. Un truc infâme à vous cramer la flore intestinale : un tiers lave-glace, un tiers pétrole, et on a enfin retrouvé le précipité chimique que le prof avait perdu la semaine dernière. Tout le monde fait la grimace, sauf Tibor qui demande déjà s'il peut en avoir un autre verre…

L'ambiance est installée. On est bien. Marie a mis deux heures pour choisir sa pizza sous une pluie de vannes parce que tout le monde avait faim. À peine posées, les corbeilles de pain ont été dévalisées par les garçons. Malik fait des mélanges avec les épices, Romain essaie de boire de l'huile pimentée au goulot et Pauline se cramponne à son bras pour l'en empêcher. Elle s'en fiche qu'il en boive, tout ce qu'elle veut, c'est se cramponner à lui. Je crois qu'il le sait. Léo jette des miettes à Marie, qui proteste mais qui a l'air déçue lorsqu'il arrête. Je sais que je n'oublierai jamais ces moments-là.

Depuis qu'il a sifflé son apéro, Tibor rigole à intervalles réguliers, sans aucune raison. Il consulte son portable. Il a reçu un SMS. Je jette un œil par-dessus son bras. Il répond pour accepter de s'occuper d'un chien pendant le week-end. Je m'étonne :

— Tu continues à proposer des promenades ?

— Et comment ! Il m'arrive même d'en garder plus longtemps maintenant. J'ai découvert que j'adorais les chiens. J'aime être avec eux. Je les comprends. Je trouve que l'on ne fait pas assez de choses pour les animaux alors qu'eux font tellement pour nous.

Il s'anime et parle avec passion :

— Beaucoup de gens adorent les câliner quand ça les amuse, mais ils ne prennent même pas le temps de les promener ou de jouer avec. Un peu comme des parents qui veulent des enfants mais ne s'en occupent pas. C'est là que j'interviens. Je les emmène au parc, je les fais courir, je joue avec eux et on partage vraiment quelque chose. Tous les soirs, des êtres purs, honnêtes, aussi frappés que moi me font la fête !

— Ils ne te mordent plus ?

— Si on évite certains mélanges, tout se passe mieux. Il fallait que j'apprenne. Je vais te confier un secret : pour faire plus vite connaissance avec les nouveaux, je fais pipi avec eux sur les réverbères. C'est imparable.

Je ne verrai plus jamais Tibor de la même façon.

— Tibor, dans ton propre intérêt, ne parle de ça à personne, et surtout pas à la conseillère d'orientation.

— Tu as raison, elle pourrait me voler ma clientèle.

Il rigole nerveusement sans aucune raison et ajoute :

— Tu vois, Camille, cette expérience a changé ma vie. J'aime les sciences, mais je me dis que je travaillerais bien avec des animaux. Ma place est avec eux. Pas vétérinaire parce que je ne veux pas les opérer ou les piquer, mais quelque chose de plus positif. Les animaux, c'est bien. C'est vraiment sympa les chiens. Les oiseaux aussi. Tu imagines si j'arrivais à dresser une mésange pour qu'elle chante toutes les heures, comme un vrai coucou ?

Sacré Tibor… Je lui dis :

— Tu sais, j'ai un chien chez moi.

Je sors mon téléphone et je lui cherche une photo. En découvrant Zoltan, il s'exclame :

— Il est magnifique, on dirait un loup, mais gentil !

— J'ai aussi un chat. Il s'appelle Flocon.

Je lui montre une photo. En découvrant la petite boule de poils qui tend sa patte vers l'objectif, Tibor fond littéralement.

— Il est tout mignon.

— Si tu veux, tu peux venir à la maison et tu joueras avec eux. J'ai aussi un frère qui court après les balles et les frisbees.

Je relève les yeux et je m'aperçois que Léa nous écoute en souriant.

— Vous êtes aussi fous l'un que l'autre, commente-t-elle.

Tibor rougit et j'éclate de rire.

Le repas est passé trop vite. À peine le temps de savourer ce bonheur que l'heure est déjà venue de retourner en cours. On va avoir du mal, surtout qu'on a deux heures de SVT. Avant de partir, Tibor demande un sac pour récupérer les restes laissés dans les assiettes.

— Ce sera pour mes chiens, confie-t-il.

Sur le trottoir, je remercie Axel et je rejoins Léa. Pendant le court trajet jusqu'au lycée, nous marchons toutes les deux. Elle semble épuisée. Je lui prends le bras.

— Comment te sens-tu ?

— Il me faudrait des piles neuves.

— À un moment, j'ai cru que tu allais profiter du dèj pour leur annoncer.

— J'y ai songé, mais j'aurais gâché l'ambiance et je n'ai pas voulu.

— Quand comptes-tu leur en parler ?

— Après les vacances. De toute façon, au train où vont les choses, ils ne tarderont pas à se rendre compte que je ne vais pas bien.

Je ne réponds pas.

— Camille ?

— Oui.

— Tu sais, rien ne t'oblige à partir avec nous pendant les vacances. Je comprendrais. Tu as sûrement mieux à faire que de tenir compagnie à une petite vieille qui ne peut même plus courir.

— Des fois, tu es vraiment trop bête.

29

Léo est étendu sur la moquette du salon. Je ne l'avais jamais vu couché. Allongé ainsi, il semble encore plus grand. Ça fait drôle.

— Décale un peu ta jambe, s'il te plaît.

Il s'exécute.

— Comme ça ?

— C'est mieux, mais il faut vraiment que tu aies l'air d'avoir été frappé en pleine course.

Il se retourne sur le ventre, étend un bras et se positionne en s'étirant comme s'il était tombé foudroyé dans son élan. On voit sa peau juste au-dessus de son jean et deux impressionnants muscles dorsaux. Marie avait donc raison. La craie à la main, je me penche auprès de lui et je commence à dessiner le contour de son corps sur le sol. Je longe son bras, son cou. Je fais le tour de sa tête. Je dois être rouge comme une tomate. Il ricane :

— Qu'est-ce qu'il ne faut pas faire…

— Ne bouge pas ou ton empreinte ressemblera à celle d'un danseur de samba.

Je continue à tracer : son épaule, son torse, son bassin, sa jambe, je remonte, son autre jambe. J'ai presque fini le tour complet lorsque Manon fait irruption.

— Dépêchez-vous ! S'ils nous surprennent, ce sera foutu.

— Tu as mis les bandes de travaux autour de la clôture ?

— C'est installé, mais je suis pas trop fan. Sérieux, rouge et blanc, ça fait plus travaux de voirie que scène de crime.

— Désolée, mais c'est tout ce que j'ai réussi à piquer sur le chantier de la gare.

Léo se relève.

— On a le temps de faire une autre empreinte de corps dans l'escalier. Il faut aussi marquer les murs avec des cercles de craie, comme si la police scientifique avait relevé des indices.

— Magnez-vous ! Ils peuvent débarquer d'une minute à l'autre.

— Relax, Manon, on assure.

C'est encore plus acrobatique dans l'escalier. J'enjambe Léo étalé sur les dernières marches et je trace au sol.

En surveillant la rue à travers les rideaux, Manon s'inquiète encore :

— Vous êtes certains que la craie va bien s'effacer avec l'aspirateur ?

Léo plaisante :

— Aucun doute. Par contre, dans l'esprit de tes visiteurs, ça ne s'effacera jamais !

Une fois encore, je parcours ses jambes et j'en rougis. Je lui glisse :

— La dernière fois qu'on s'est retrouvés tous les deux dans un plan de ce genre, tu m'as dit qu'il fallait que j'imagine que c'était une mission qui pouvait sauver le monde. Et cette fois-ci ?

— C'est un plan foireux qui peut sauver une copine.

Ce coup-ci, c'est moi qui lui ai touché les fesses.

— Ils arrivent ! nous alerte Manon. La voiture de l'agence se gare. Celle des acheteurs est juste derrière. La vache, vous verriez la caisse, ils doivent avoir les moyens de s'offrir notre maison ! Je n'aime pas ça. Allez ! On monte se cacher. Grouillez-vous !

Manon nous entraîne devant le placard du dressing de ses parents. Elle ouvre les portes, survoltée, écarte les cintres des robes et des costumes et nous fait signe d'entrer. Je fais remarquer :

— On ne tient pas à trois là-dedans.

— Il va bien falloir, il n'y a pas plus grand dans la maison.

— Et s'ils montent et qu'ils ouvrent ?

Léo s'amuse déjà de la situation.

— Ils auront la trouille de leur vie !

On entend la clé dans la serrure de la porte d'entrée. On s'engouffre et je me retrouve coincée entre Léo et Manon. Des voix étouffées nous parviennent d'en bas. Il est question de « beaux volumes », « d'habitat de caractère dans lequel il n'y a pas de gros travaux à prévoir ». « Il faut simplement revoir la déco parce que pour le moment, elle est ratée, mais il est facile d'imaginer ce que cette maison peut donner avec du goût. » Sympa, la nana de l'agence. Un homme lui répond. Il demande pourquoi il y a un corps dessiné sur le sol du salon. Une femme pousse un petit cri. Est-ce celle de l'agence ou la visiteuse ?

Manon soupire.

— S'ils restent plus de dix minutes, ils nous retrouveront étouffés dans ce placard.

J'ose un commentaire :

— On sera peut-être asphyxiés avant parce que ce n'est pas pour dire, mais le parfum de ta mère mélangé à l'eau de toilette de ton père…

— Je sais, je suis désolée.

Je suis littéralement plaquée contre Léo. Pour essayer de gagner de la place, il a étiré ses bras le long du mur et de la porte. Il n'aurait qu'à les refermer sur moi pour m'enlacer. Cela m'est déjà arrivé une fois, mais le garçon avait d'autres idées et ça s'était mal fini. Est-ce que Léo est aussi gêné que moi ? Est-ce qu'un espion international est tellement concentré sur sa mission qu'il ne pense pas à ces choses-là même en pareille posture ? On aurait besoin d'un conseiller bac + 4. En fait, je suis plutôt bien entre ses bras.

À présent, les voix sont dans l'escalier. Je murmure :

— S'ils viennent jusqu'ici, je…

Léo me pose un doigt sur les lèvres pour me faire taire. La voix de la femme s'exclame :

— Regarde, il y a un autre corps sur les marches ! Oh mon Dieu !

— Savez-vous pourquoi cette maison est à vendre ? demande l'homme.

La commerciale bafouille :

— Une séparation, je crois, mais je n'en suis pas certaine. Un problème dans la famille en tout cas.

— Sûrement un crime passionnel, commente l'homme. Regardez, il y a même des traces sur les murs !

— Paul, je ne me sens pas bien. Je refuse de rester une minute de plus ici !

Le ton monte entre les visiteurs, puis les pas et les voix s'éloignent. Manon triomphe à voix basse :

— Yesss ! C'est ça, barre-toi ! Ici c'est chez nous.

Je sens le souffle de Léo dans mon cou.

— Ça va ? me demande-t-il. Je ne t'écrase pas trop ?

Nos visages sont tout proches. Il m'arrive quelque chose d'épouvantable. Lorsque je pense que c'est Léo qui est contre moi, je suis toute gênée, mais de temps en temps, mon esprit imagine que c'est Axel et alors je suis à deux doigts de tourner de l'œil.

La porte d'entrée vient de claquer. Manon nous libère du placard et se précipite pour vérifier que le trio quitte bien son jardin.

— Alors ? Ils font la tronche ?

— Le couple a l'air très énervé. Je ne pense pas qu'ils fassent d'offre.

Soudain, Manon se baisse brutalement sous la fenêtre.

— La femme m'a vue !

— Tant pis pour elle. Elle va en plus croire que ta baraque est hantée par les gens qui s'y sont fait tuer !

30

J'ai dormi la moitié du trajet et somnolé le reste du temps. Lorsque j'émerge, la voiture roule dans un paysage de montagne et la neige est partout. Je me sens comme Flocon devant sa baie vitrée. C'est beau. On traverse un dernier village, on monte une route sinueuse et nous sommes arrivés.

J'ignore qui sont les amis des parents de Léa, mais ils doivent être riches. Leur chalet est magnifique. Large, posé dans son écrin de neige et de sapins, construit en gros rondins, avec des recoins, des fenêtres à volets ouvragés, des balcons et de larges cheminées, il semble tout droit sorti d'un conte nordique. À l'intérieur, entre le sol de pierre brute et les meubles de bois aux teintes chaudes, on se croirait dans une revue pour milliardaires. Léa et moi retirons nos chaussures et on se dépêche de tout visiter en poussant des exclamations à chaque porte ouverte. J'ai toujours aimé découvrir d'autres lieux. C'est comme déballer un cadeau.

Le salon ouvert donne par toute une série de fenêtres sur une belle forêt de pins, au-dessus de laquelle émergent les sommets enneigés. Ce décor perdu a quelque chose de tout de suite apaisant et, d'après ce que dit

Élodie, le village n'est qu'à quelques minutes en coupant par les bois.

Le voyage a fatigué Léa. Elle monte se reposer à l'étage dans ce qui sera notre chambre sous les toits. J'aide Christophe et Élodie à nous installer. Julien doit arriver le lendemain par le train et le bus, avec un copain.

Je range les provisions dans les placards pendant qu'Élodie suspend les combinaisons de ski dans l'entrée. Christophe est allé chercher les forfaits à la station.

— Vous ne partez pas souvent en vacances de neige, remarque Élodie.

— Nous, c'est plutôt l'océan. Maman et papa se sont rencontrés dans un club de voile.

— Ils nous avaient caché ça ! La mer, c'est bien aussi. Il fait moins froid.

J'empile les paquets de biscuits au bout du plan de travail. Je n'en vois aucun de ceux qui me dégoûtent tant. Il n'y a même que ceux que j'aime.

Élodie revient dans la cuisine.

— Je me prépare un thé, tu en veux un ?

— Peut-être tout à l'heure. Je vais attendre Léa.

Ça me fait drôle d'être à la montagne, dans cette maison que je ne connais pas. Ça me fait aussi drôle d'être seule avec Élodie. Cela n'arrive jamais. La bouilloire siffle. Elle verse l'eau chaude et s'assoit à la table aux formes massives. S'abandonnant à la quiétude du lieu, elle soupire et place ses mains autour de la tasse fumante.

— Viens un peu près de moi, me dit-elle.

Je m'installe face à elle, sagement. D'une voix douce, elle me confie :

— Tu sais, la période est compliquée pour nous en ce moment.

— Je m'en doute.

— Merci d'être venue. Tu comptes énormément pour Léa et je pense qu'elle irait beaucoup plus mal si elle ne t'avait pas comme amie.

Trop de questions me viennent. Je voudrais lui demander si elle croit que Léa va s'en sortir, si elle a aussi peur que moi, si elle arrive à en parler avec sa fille. Je n'ose pas.

Du bruit dans l'entrée. Christophe est rentré.

— J'ai pris des forfaits VIP pour tout le monde ! annonce-t-il. On va pouvoir en profiter. Léa dort encore ?

Élodie confirme d'un hochement de tête.

— Tu veux du thé ? Je viens d'en faire.

— Bonne idée, ça me réchauffera.

— Je ne sais pas si Léa se servira beaucoup de son forfait, commente Élodie. Le professeur Nguyen dit qu'elle doit éviter les efforts.

— Je préfère qu'elle l'ait et ne s'en serve pas plutôt que de me résoudre à ne pas lui en prendre.

Il embrasse sa femme. J'ose m'immiscer :

— Je ne vais sûrement pas me servir du mien non plus. Je ne suis pas douée pour le ski, et je préfère rester avec Léa.

Christophe me sourit. Léa apparaît au pied de l'escalier. Elle s'étire.

— Coucou tout le monde !

— Tu as dormi ? demande sa mère.

— Comme une masse. Mais on n'est pas là pour dormir !

Elle s'approche des fenêtres et admire la vue.

— C'est vraiment magnifique. Camille, que dirais-tu d'aller faire un tour au village ?

31

Bien que nous ne fassions pas grand-chose, les journées défilent à toute allure. Julien et son pote passent leur temps à s'étourdir de snowboard sur les pistes noires. On ne les voit quasiment pas. Au petit dèj, ils avalent deux baguettes et une plaquette de beurre à eux deux, rejoignent la station, enchaînent descentes et remontées, reviennent le soir, se douchent, dorment, et c'est reparti pour un tour. Élodie et Christophe skient le matin et se baladent l'après-midi. Léa et moi naviguons entre le pied des pistes pour prendre le soleil, le grand balcon du chalet au chaud sous des couvertures en admirant la vue, et la taverne du village qui sert de repaire aux jeunes de la station. Il nous arrive aussi de réviser, mais sans grand enthousiasme. Il y a toujours quelque chose pour nous distraire, le plus souvent une conversation sur des sujets aussi essentiels que les cheveux qui frisent avec l'humidité ou les vêtements qui se déforment au fil des lavages. Du lourd, donc. Il nous arrive aussi, à partir d'un détail, de finir par discuter de ce que serait le bonheur ou de ce qui fait l'intérêt d'une vie.

Hier, nous avons passé une bonne partie de la journée au pied des pistes. Nous n'étions venues que pour accompagner Julien, mais Léa a souhaité s'asseoir sur un banc près du loueur de matériel. À force de regarder les gens, de rire de leurs comportements, de s'émouvoir parfois, nous n'avons pas vu le temps passer. L'arrivée des pistes est un spectacle à lui tout seul. Quel que soit leur niveau, qu'ils déboulent d'une piste rouge, d'une bleue ou d'une verte, tous les skieurs finissent par déboucher sur cette immense espace blanc dans un étonnant chassé-croisé. Les jeunes – surtout les garçons – stressent tout le monde avec leurs surfs, fonçant pour aller reprendre les tire-fesses ou les télésièges. Les skieurs aux tempes grises rouspètent et s'indignent. Les enfants ne font attention ni aux uns ni aux autres et se faufilent partout avec une aisance fascinante. On ne prend jamais le temps d'observer tout cela. Encore une fois, tout le monde dans le même décor, mais chacun dans son histoire. Quelque chose me frappe : les tout jeunes enfants bénéficient d'une grâce, d'un instinct que les plus grands semblent avoir perdu. Dans leurs trajectoires improbables, on les croit souvent perdus à cause d'un virage trop serré, et ils parviennent pourtant à se récupérer. On les voit déjà par terre à cause d'un ski mal placé et ils réussissent à se redresser, triomphant des lois de la physique qui nous coûteraient une jambe. Ils éclatent de rire quand n'importe qui hurlerait de peur. Ils se jouent de tout et s'ils tombent, les voilà aussitôt repartis. Bien que plus petits, ils arrivent à prendre de vitesse même les jeunes mâles qui se la racontent. D'où leur vient ce talent ? Est-ce la combinaison de l'inconscience et de l'envie qui leur confère ce miraculeux statut ? Quelle est leur recette ? Ne s'évanouit-elle pas dès que l'on en connaît les ingrédients ? Peut-être qu'en sachant trop de choses, on ne tente plus rien… Léa croit que, pour oser, il ne faut rien savoir. Je suis d'accord, mais si l'on ose trop sans en savoir assez, on peut aussi se détruire.

En piochant dans la foule qui sans cesse se renouvelait, nous avons cherché des exemples et contre-exemples pour nos théories. Malgré le temps que nous y avons passé, aucune certitude ne nous est apparue.

Au village se trouve un autre endroit que j'aime beaucoup : la taverne. Autre ambiance, autre spectacle. On se croirait quelque part en Bavière, avec les boiseries peintes, les collections de chopes qui pendent et les odeurs mêlées de raclette et de vin chaud. Nous y avons déjà nos habitudes et nous nous installons toujours à une petite table dans la partie haute de la salle, d'où l'on domine tout l'établissement. Paradoxalement, c'est au milieu de cette agitation et de ce bruit que nous arrivons le mieux à parler. Nous nous livrons plus que dans le calme du chalet. Peut-être que sans la gravité du silence, ce qui nous distrait nous aide à oublier l'importance de ce que l'on se confie.

Hier, Léa a littéralement flashé sur un skieur d'une vingtaine d'années. Elle l'a remarqué à l'instant même où il est entré. Il est effectivement très beau garçon. Par beaucoup d'aspects, de son sourire à sa façon de bouger, il me fait penser à Axel.

Il s'est assis en contrebas avec deux amis. Léa n'a pas voulu que l'on parte avant que lui-même ne quitte la taverne. Au moment où il s'est levé, elle s'est précipitée comme une folle pour qu'il lui tienne la porte. Je la soupçonne d'avoir voulu revenir aujourd'hui aux mêmes heures uniquement pour tenter de le revoir. Et il est là.

— Tu ne le trouves pas divin ? fait-elle, un peu rêveuse.

— Il est effectivement beau gosse. Mais c'est peut-être un gros naze. Le physique n'est pas suffisant pour moi.

— C'est quand même un bon début, surtout avec des yeux pareils…

Sans le lâcher du regard, elle me demande :

— Tu l'as déjà fait ?

— Qu'est-ce que j'ai déjà fait ?

— Ne joue pas les effarouchées, tu sais bien de quoi je parle…

Je deviens écarlate comme le blouson de Léa.

— Tu crois vraiment que j'aurais pu vivre ce genre de choses sans t'en parler ?

J'hésite, mais je demande :

— Et toi ?

— Une fois, j'ai vraiment failli. Il y a un an, pendant mes vacances au club.

— Tu ne m'en avais jamais parlé.

— Je n'en étais pas fière, et ça n'en valait vraiment pas la peine. Un coach sportif. Je n'aurais été qu'un trophée de plus sur son tableau de chasse.

— Tu as eu raison de ne pas céder. Il ne faut pas gâcher ces moments-là.

— C'est vrai. Mais l'idée de mourir bientôt me fait réfléchir. Tu te vois y passer sans avoir fait l'amour ?

Elle dit cela avec un naturel stupéfiant, comme si elle parlait d'une tarte au citron ou d'un tour de manège. Elle reprend :

— On se dit qu'on a le temps, que les choses viendront quand ce sera le bon moment. Mais quand ta vie devient un compte à rebours, tu réfléchis différemment. Tout est remis en perspective et, devant l'urgence, les priorités changent. Que veux-tu vraiment faire avant de partir ?

— Ne parle pas comme ça.

— Je suis réaliste, Camille. Dans ma situation, je ne vais plus avoir le temps de tout expérimenter. Comme les plats surgelés, j'ai une date limite de consommation. Alors je veux bien m'épargner l'angoisse des études et de la recherche d'emploi, j'accepte de renoncer aux régimes à répétition, au divorce, aux liftings et à la ménopause, mais pour le reste, il va falloir que je me bouge, et vite.

Je sais qu'elle parle ainsi par provocation, pour conjurer ses craintes. Mais quand même. J'ose la questionner :

— La mort ne te fait pas peur ?

— Bien sûr que si. Mais je ne réalise pas qu'elle me tourne autour. J'ai du mal à respirer, je m'épuise dès que je lève trois kilos, mais ça s'arrête là. Pour moi, la mort n'est qu'un concept assez flou. En fait, je la ressens plus comme une frontière. Avant, tout est possible. Après, ça va devenir nettement plus compliqué…

— Tu as réfléchi à ce que tu veux faire…

Ma voix se perd comme pour m'éviter de prononcer « avant de ne plus pouvoir ».

— J'y pense tout le temps. Je me suis demandé quel endroit je voulais visiter. Je me suis imaginée prenant un avion qui me déposerait dans les plus célèbres endroits de la Terre. Une tournée d'adieu dédiée à la beauté du monde. Les chutes du Niagara, les grandes pyramides, les îles paradisiaques, leurs palmiers et leurs eaux turquoise, les neiges de l'Everest, les réserves d'Afrique ou la muraille de Chine. Je me suis aussi demandé ce que je voudrais pratiquer : le deltaplane dans le Grand Canyon, nager avec les dauphins, claquer des fortunes à Las Vegas, chanter à la télé ! Quelle débile je fais quand j'y pense ! Je me suis fait des délires impossibles mais, au bout du compte, si je dois vraiment choisir, je préfère rester avec ceux que j'aime et que j'ai peur de quitter. Toi, Axel, mes amis, mes parents, Julien. À choisir entre une dernière heure avec vous ou un dîner de rêve dans le meilleur resto du monde avec toutes les stars du cinéma, je n'hésite pas. En fait, je n'ai rien à faire des chutes du Niagara ni de Hollywood. C'est sûrement très beau mais c'est bon pour ceux qui ont le temps. Ce n'est pas ça qui me manquera. Mes parents m'ont proposé de voyager, mais je m'en fiche. Si je dois crever bientôt, je veux rester auprès de vous et ressentir.

Les larmes me viennent. J'ose lui prendre la main. Elle me regarde et ajoute :

— On a parlé de l'école avec les parents. Je crois que je peux bosser de toutes mes forces, je vais certainement rater mon bac. Je vais avoir un gros zéro en espérance de vie et il n'y aura pas de rattrapage. Les docteurs ont parlé de maison de repos mais je ne veux pas. J'ai décidé de ne rien changer, de continuer à aller en cours jusqu'au bout, de travailler avec vous. Je crois que je vais moins flipper pour les DST, mais ce n'est pas l'essentiel. Vous êtes ma vie et tant que je suis vivante, ma place est avec vous.

Je suis bouleversée, incapable de prononcer un

mot alors que je voudrais tellement lui dire qu'elle se trompe, lui crier qu'elle va s'en sortir. Avec une drôle d'intensité dans le regard, elle ajoute :

— Avec ce qui m'arrive, tu ne t'es pas demandé ce que tu ferais, toi, s'il ne te restait que quelques mois ? Crois-moi, c'est un bon moyen de savoir ce qui compte vraiment. Tu sais, Camille, ça me fait drôle de me dire que je ne vais pas me marier, que je ne pourrai jamais serrer mes enfants dans mes bras. Je vois toutes ces choses que n'importe qui peut faire et qui me seront interdites. C'est étrange. On se fait une idée de la vie. À cause de l'exemple des autres, des histoires que les livres, les films ou les chansons nous racontent, on s'imagine que cela nous arrivera un jour. On croit qu'on aura notre tour. Et tout à coup, on t'annonce que le film va brutalement s'arrêter, que les deux tiers des pages vont être arrachées et que la chanson n'aura qu'un couplet. Noël dernier était certainement mon dernier Noël. Si j'avais su, j'en aurais profité davantage. Alors crois-moi, je ne vais plus perdre une minute.

— Laisse-toi une chance de survivre…

— Je me suis documentée et, te connaissant, je me doute que tu l'as fait aussi. La seule option serait une transplantation. Regarde autour de nous, regarde tous ces gens bien vivants. Chacun d'eux n'a qu'un seul cœur pour faire sa vie. Comment pourraient-ils m'aider ? Ils sont tous jeunes, insouciants, et ils vont continuer. Tant mieux pour eux. Ils ne se rendent pas compte de leur chance. J'étais l'une des leurs il y a encore peu de temps. On ne choisit pas le moment où l'on change de camp. On ne sait même pas qu'il existe avant d'y appartenir. Le docteur qui me suit a été franc. Il faudrait d'abord que l'on trouve un cœur, et qu'il soit compatible. Il faudrait ensuite que l'opération soit un succès, et enfin que la greffe prenne. Souviens-toi de nos cours sur les probabilités. Quelle chance j'ai de tirer les quatre as en une seule pioche de quatre cartes ? Quelle chance j'ai de rafler la mise au loto en jouant une seule fois ? À ce jeu-là, Camille, je vais perdre, mais je vais jouer aussi longtemps que possible. Plutôt que de m'accrocher à un espoir illusoire, je préfère profiter à fond du peu qui me reste.

D'un mouvement du menton, elle me désigne le séduisant skieur. Il a un sourire magnifique et des fossettes à croquer. Le moindre de ses gestes irradie la vitalité et l'envie. Ce sont deux trésors que tout le monde convoite. Léa m'impressionne. Elle est calme, « pragmatique » comme dirait notre prof de physique-chimie. Comment peut-elle réfléchir aussi sereinement ? Le skieur règle l'addition et se lève. Comme hier, Léa se précipite. En se lançant à sa poursuite, elle me dit :

— S'il me tient la porte, je lui parle. Je veux connaître son prénom ! Demain on pourrait boire un verre avec lui ! Tu imagines ? Je te laisse ses deux copains !

Elle rigole. Elle est belle. Elle est même sublime. Elle a l'énergie de ceux qui savent ce que vaut la vie.

32

Il s'appelle Justin, mais nous ne l'avons jamais revu. Quand nous sommes revenues au chalet, les parents de Léa avaient reçu un appel du professeur Nguyen. Les derniers résultats d'analyses étaient « significativement » moins bons que prévu et il a fallu rentrer en urgence pour renforcer son traitement. On a quitté le joli chalet comme des voleurs.

Dès le lendemain, Léa a été admise au centre hospitalier. Ils ont aussitôt effectué une batterie de prélèvements et d'examens pour réussir à doser ce qu'elle recevra désormais par injection. Dès à présent, elle va aussi devoir vivre en permanence avec une seringue sur elle, qu'il faudra utiliser en cas d'épuisement critique ou d'essoufflement extrême. Bonjour l'angoisse. Si c'est moi qui dois lui faire l'injection, je tombe directement dans les pommes, je m'ouvre le crâne et ça fera deux mortes.

La veille encore, nous étions dans une sympathique taverne à mater les garçons et on se retrouve là, elle blafarde, allongée sur son lit avec interdiction d'en bouger, et moi à son chevet. Je sens bien que personne ne va nous apporter de chocolat chaud et qu'aucun skieur craquant ne va pousser la porte. Dans la précipitation, je n'ai même pas eu le temps de repasser chez moi. Pas question de lâcher Léa. Je fais l'andouille autant que possible pour essayer de la faire rire, mais dans ce décor déprimant, ce n'est pas évident. Ici, Léa n'est plus aussi pragmatique face à sa maladie. Depuis trois heures qu'on est là, elle a déjà pleuré quatre fois.

Une infirmière entre en poussant un chariot encombré de matériel.

— Jeune fille, il va falloir me laisser seule avec la patiente.

Léa m'agrippe le bras et me souffle :

— Préviens la bande. Axel d'abord, puis Léo et Tibor. Ceux qu'on aime bien ensuite.

Dans le hall, un flot incessant de gens qui entrent et qui sortent. Certains portent des nouveau-nés, d'autres poussent des chaises roulantes, plusieurs ont des béquilles et d'autres encore sont en simple visite, la mine réjouie ou fermée suivant le motif qui les a conduits dans ces murs. À chaque ouverture des portes automatiques, une bouffée d'air froid venue de l'extérieur m'enveloppe. Pour passer tous les coups de fil, je me suis installée dans un coin du hall, près de la fenêtre et du radiateur, comme au lycée. À chaque appel, bien que je ne parle que d'une maladie du cœur sérieuse en évitant de préciser l'issue prévue, c'est l'incrédulité et l'abattement. Vanessa et Pauline ont même pleuré. Axel a demandé s'il pouvait venir. Tibor aussi. Je m'efforce de ne pas sombrer dans la même émotion que ceux qui apprennent la nouvelle. J'évite de rester trop longtemps avec chacun, prétextant le nombre de ceux que je dois encore prévenir pour raccrocher au plus vite. Parfois, entre deux appels, je sors respirer.

Je suis en train de prévenir Marie lorsque j'ai la surprise de voir ma mère débouler dans le hall de l'hôpital. Elle va si vite, dans une énergie tellement différente de ce qu'elle dégage habituellement, que d'abord je ne la reconnais pas. Étrange sentiment que de considérer cette femme comme une étrangère qui me dit quelque chose avant de me rendre compte subitement que c'est celle qui m'a donné la vie. Elle fonce trop rapidement vers le comptoir d'accueil pour me remarquer.

— Maman !

Elle tourne la tête et change de trajectoire pour se jeter sur moi. Elle m'enlace comme si c'était moi qui avais une raison d'être à l'hôpital.

— Ma chérie…

Elle lit dans mes yeux.

— Comment va Léa ?

— Avant d'atterrir ici, plutôt bien… Ils n'arrêtent pas de lui faire des examens. Chambre 217, deuxième étage.

— Tu tiens le choc ?

— J'essaie de l'aider. Je suis en train de prévenir tous nos copains…

— C'est difficile, je sais. Mais c'est bien que ce soit toi qui le fasses.

Elle m'embrasse.

— Tu as l'air fatiguée. Élodie est là ?

— Avec Christophe, ils sont en rendez-vous avec les docteurs.

— Je vais essayer de les voir.

Elle s'éloigne. De ce hall, maintenant que nos proches sont au courant, tout semble plus grave. Je n'en suis pas fière, mais finalement, je préférais lorsqu'il n'y avait que moi pour savoir ce dont souffrait Léa. Maintenant, tout le monde va prendre soin d'elle, tout le monde va lui témoigner une affection qu'elle mérite largement mais, du coup, même le maximum de ce que je peux faire semblera plus banal.

Le soir, les infirmières m'ont gentiment poussée vers la sortie à 22 heures. Mon père est passé pour discuter avec Christophe et me ramener. Au bout du couloir, ils ont parlé longuement. Élodie les a rejoints. Les parents de Léa écoutaient papa. Je n'entendais rien de leur conversation, mais en le voyant face à eux, droit, précis dans ses gestes, j'ai retrouvé un peu celui qu'il était avant de changer de métier.

À la maison, Lucas m'avait attendue pour me dire bonsoir. J'en ai été touchée.

— Tu as manqué à Flocon, m'a-t-il dit, le regard fuyant, gêné de parler d'un sujet qui pourrait laisser penser qu'il est capable de tendresse. Il te cherchait partout en miaulant. J'ai bien essayé de jouer avec lui, mais je crois que je ne sais pas m'y prendre. Hier, je l'ai à moitié assommé en lui lançant le frisbee…

En retrouvant mon chat, j'ai eu un vrai choc. Je n'étais partie que quelques jours et il avait pourtant changé. Il semble aujourd'hui plus grand, plus sage, mais heureusement toujours aussi mignon.

— Tu verrais ce qu'il arrive à faire maintenant ! m'a expliqué Lucas. Il saute jusque sur l'étagère des DVD. Zoltan devient fou quand il le voit faire ça ! Il s'installe au sommet et il regarde, peinard, du haut de sa forteresse imprenable. Je l'ai aussi vu grimper sur le bouleau dans le jardin, bien au-dessus des premières branches ! Et il lorgne sur le cerisier…

Même lorsque vous n'êtes pas là, le monde continue.

Alors que je rejoins ma chambre, Flocon me suit en trottinant. Au moment d'entrer dans la pièce, il me double et file s'asseoir au pied de mon bureau. Il fixe ostensiblement le plateau.

— Tu veux ton bouchon ?

Il répond d'un miaulement. Je suis tellement heureuse qu'il veuille encore jouer. Tout n'a pas changé. J'ai tellement peur de perdre ceux que j'aime. Même la simple idée de m'en éloigner m'est insupportable.

Le bouchon rebondit sur mon tapis et Flocon s'en donne à cœur joie. Il a gagné en rapidité et en précision. Ce doit être de cela que nos parents parlent lorsqu'ils disent que l'on change à vue d'œil.

33

Au lycée, la nouvelle de la maladie de Léa s'est répandue comme une traînée de poudre. C'est LE sujet de ce retour de vacances. Même ceux qui ne connaissent pas son prénom savent ce qu'elle risque. Il y a ceux qui prétendent qu'elle a un cancer, ceux qui confirment qu'elle est déjà morte dans d'horribles souffrances, ceux qui racontent qu'elle a perdu tous ses cheveux, d'autres, encore mieux informés, qui précisent que les toubibs lui ont déjà amputé les deux jambes pour tenter de stopper la mystérieuse gangrène galopante qui la ronge. Et au sommet de cette pyramide de racontars et de rumeurs, on trouve Dorian et sa garce de Laura qui minimisent et méprisent le sujet – comme tout ce qui les empêche d'être l'unique centre d'attention.

Léa va mieux. Les médecins ne veulent pas la laisser retourner au lycée tant que le traitement n'est pas dosé, mais le fait est qu'elle a retrouvé des couleurs. Il faut dire qu'elle est très préservée et ne fait aucun effort physique, hormis les fous rires que l'on a eus dans sa chambre à cause d'une infirmière qui la traite comme une gamine de 2 ans. « Elle a pas mangé tout son yaourt ? C'est pas bien, ça. Il faut manger tout son yaourt si on veut être une gentille fille. » J'ai passé mon après-midi à l'imiter. On a bien rigolé.

Axel a été le premier à lui rendre visite. Avec des fleurs. Je ne l'avais jamais vu offrir des fleurs à quelqu'un. Je ne veux même pas y penser. Je comprends qu'il le fasse, mais quelque part ça me fait mal. Mais je comprends. Mais ça fait mal. Ça marche aussi quand je commence dans l'autre sens. Ça me fait mal qu'il lui offre des fleurs, mais je comprends. C'est sans fin. Léo et Tibor sont aussi venus. En repartant, Léo m'a dit que j'étais l'ange gardien de Léa et m'a souhaité bon courage. J'en ai hoqueté d'émotion. Je n'avais jamais fait ça. S'il m'avait demandée en mariage juste après, j'aurais dit oui. Pauline, Marie, Vanessa et Antoine sont venus également. Il y a aussi ceux qui m'ont appelée. Parce que, en plus, je fais le standard pour tous ceux qui n'arrivent pas à joindre Léa. Maintenant, je suis une vraie pro : « Je lui transmets ton appel et je sais que cela lui fera plaisir. Ne t'inquiète pas. Non, demain entre 15 heures et 16 heures, elle a déjà deux personnes. Est-ce que tu peux décaler à 17 heures, mais je dois te prévenir, elle sera fatiguée… » Si je n'arrive pas à faire plongeur-scaphandrier, je pourrai toujours faire assistante.

Je ne sais pas si c'est le contrecoup de ce que j'ai vécu ces derniers jours ou le fait que Léa ne soit pas au lycée, mais ce matin j'ai le moral à zéro. Me retrouver en cours sans elle à côté de moi me flanque le cafard. En première heure, on avait SVT. J'étais toute seule à ma table. Je voyais tous les autres par paires, j'entendais leurs rires, je sentais leur complicité. Moi j'étais à côté d'une chaise vide, passant d'un délire à l'autre, me disant soit que Léa était déjà morte et qu'elle ne reviendrait jamais, soit que seules ses deux jambes amputées pourraient suivre les cours parce que tout le reste était trop contagieux.

Être isolée ainsi n'a pas dû m'arriver plus de trois fois depuis que je vais à l'école. En deuxième heure, Antoine est venu s'asseoir à côté de moi. Mon visage a dû s'illuminer comme une braise sur laquelle on jette dix litres d'essence. Je l'aurais embrassé de gratitude. S'il m'avait demandée en mariage juste après, je lui aurais dit oui. Je sais ce que vous pensez, mais s'il vous plaît, ne me jugez pas. Je ne suis pas frivole, tout au plus fragile en ce moment. Antoine m'a dit :

— Ça ne doit pas être facile pour toi, alors je viens te tenir compagnie en attendant qu'elle revienne. Toi et Léa, c'est un peu comme Malik et moi. S'il était à l'hosto, il me manquerait, ce gros bâtard…

Je me retourne et je vois Malik qui me sourit tout en faisant un geste obscène à son complice. Un vrai témoignage d'affection entre garçons, d'après mon expérience.

Antoine sort son classeur et sa trousse. Nous n'avons jamais été voisins directs. On se regarde. Son œil pétille. Il me dit :

— Là, si on était en voiture, je dirais que je suis à la place du mort. Mais vu ce qui arrive à Léa, c'est pas super drôle…

Effarée, je secoue la tête. Il s'excuse :

— T'as raison, c'est nul. En même temps, voyons le positif de la situation : si Léa ne revient pas tout de suite et que je reste à côté de toi pendant les contrôles, ma moyenne en maths va sûrement remonter…

Ce soir, après la sortie des cours, Louis a prévu d'aller voir Léa le premier. Axel ne peut pas aujourd'hui et moi j'irai un peu plus tard parce qu'il faut d'abord que je lui photocopie les cours qu'elle a manqués. Je crois qu'elle n'y touchera pas, mais je tiens à le faire quand même parce qu'elle doit rester impliquée.

À la maison, en rentrant, j'ai encore été témoin de quelque chose d'hallucinant. Rien que d'entendre Lucas exploser de rire de cette façon-là me faisait redouter le pire. J'ai retiré mes chaussures en hâte et avant même d'aller embrasser maman, je me suis précipitée voir quelle stupidité pouvait le mettre dans une joie pareille. La première chose que j'ai aperçue en passant la porte du salon, c'est Flocon, tout ébouriffé, faisant un salto arrière et retombant pour repartir à fond comme un hystérique. Il a traversé le canapé comme un malade avant de se fracasser sur le mur de l'escalier. Ça a fini par arriver : mon crétin de frère a drogué mon chat.

— Mais qu'est-ce que tu as fait manger à Flocon ?

— Rien du tout, regarde. C'est le laser. Il est prêt à tout pour attraper le point rouge…

La petite tache lumineuse passe près de mes pieds et Flocon la poursuit avec des yeux exorbités de chat psychopathe. Mon frère projette soudain le point sur ma cuisse. Trop content de voir sa cible enfin immobile, Flocon piétine, prend son élan, et tel le guépard qui veut se farcir l'éléphant, bondit. Ses griffes n'ont aucun mal à traverser mon jean pour se planter dans ma chair. Je hurle. Lucas est mort de rire. De la cuisine, maman s'énerve :

— Lucas, si tu continues, je te supprime ce chat !

C'est dégueulasse. Ce pauvre chat n'y est pour rien. C'est Lucas et son laser qu'il faut supprimer.

34

— Tu crois que ça va marcher aussi bien que le coup des meurtres ?

— Regarde donc ce que j'ai apporté dans ce sac…

Manon ouvre l'emballage plastique, en découvre un autre à l'intérieur, puis encore un autre.

— Dis-moi, c'est de l'uranium là-dedans, ou t'avais peur que ça se sauve ?

En apercevant le contenu, elle lâche tout et recule en poussant un cri d'effroi. Heureusement que ça ne casse pas…

— C'est répugnant ! Où as-tu trouvé ces horreurs ?

— Dans les poubelles du labo de science. Et il n'y a plus aucune chance pour que ça se sauve…

Manon est écœurée. Elle secoue la tête pour chasser la vision. Je referme le sac et lui tends une petite boîte hermétique.

— Allez, aide-moi à installer les boules puantes. Il faut en disposer partout. On va aussi en cacher dans le massif, à côté de ta porte d'entrée, comme ça ils seront vite dans l'ambiance. Tu disais que l'agence de la dernière fois a jeté l'éponge ?

— Ouais, du coup, c'est une nouvelle qui fait visiter. La bonne femme était folle, elle a dit à mon père que personne ne voudrait jamais acheter une maison où ont été commis des meurtres. Mon père n'a rien compris, il s'est énervé et il les a jetés. Heureusement, il n'a rien cru de ce qu'elle a raconté. Mon frère a été génial. Lorsque les parents lui ont répété tout ce que la nana avait vu, il a simplement dit : « Ils sont prêts à raconter n'importe quoi pour ne pas faire leur boulot, ceux-là. »

Je casse la première ampoule et verse le liquide dans un pot de yaourt vide. Les effluves de pourri ne tardent pas à se faire sentir.

— C'est vraiment à vomir, commente Manon. Il y a quelques années, un cousin a eu une sale période avec ces cochonneries. Il en mettait partout.

— Va planquer ce pot-là derrière la télé.

En quelques minutes, la maison est truffée de récipients contenant le jus nauséabond. L'air devient vite irrespirable. Il ne reste plus qu'à mettre en place les pièces maîtresses pour parfaire le tableau d'un logement hautement insalubre. J'enfile des gants de ménage…

À l'entrée de la cave, mais aussi sous le meuble de l'entrée, dépassant légèrement ou encore pointant leur petit museau au pied de l'évier, j'ai délicatement posé des souris crevées récupérées après dissection. Manon me regarde faire, l'estomac au bord des lèvres.

— Il va falloir tout désinfecter après, se plaint-elle.

Bruit de moteur dans la rue. Manon vérifie discrètement par la fenêtre.

— Ils arrivent ! On monte. Tu connais le chemin…

— Vu ce que ça pue ici, je suis presque contente d'aller m'enfermer avec les parfums de tes parents.

On se retrouve toutes les deux dans le placard du dressing. Il y a plus de place sans Léo mais c'est moins drôle.

Des voix dans l'entrée. Cette fois, c'est un homme qui fait visiter. À peine les gens ont-ils franchi le seuil que l'on entend des exclamations :

— C'est inacceptable ! s'indigne une autre voix d'homme.

Soudain, un cri perçant, féminin, déchirant.

Petite souris numéro un, repose en paix. Bravo, tu ne seras pas morte en vain.

Ils ne sont même pas entrés. On a entendu la porte se refermer brutalement. Manon a attendu quelques secondes en comptant jusqu'à cinq à voix basse puis elle s'est précipitée aux rideaux pour voir les ex-futurs-acheteurs repartir. Cette fois, en grande pro, elle a pris garde que personne ne la voie.

— Génial. Je pense que cette agence-là va aussi rendre son mandat. Il faut que j'appelle mon frère pour lui raconter ça.

— Avant, tu as intérêt à ramasser les souris et à aérer. J'espère que ça ne sentira plus quand tes parents vont revenir…

35

C'est du jamais-vu au lycée. Ce matin, on s'est offert une arrivée digne des plus grandes vedettes de cinéma. Léa est de retour. Sa mère nous a déposées. On n'avait pas fait trois mètres à pied que déjà certains l'interpellaient joyeusement.

Dans le hall, je lui ouvre la voie comme un garde du corps. On se fraye un chemin pour tenter de rallier notre coin. Ceux qui ont entendu parler de son histoire réagissent à sa réapparition et alertent ceux qui ne la connaissent pas. La foule attire la foule. Comme un cortège royal, nous fendons le public pendant que Léa salue au hasard avec un sourire incrédule. Les commentaires vont bon train : elle est donc ressuscitée, ses cheveux ont repoussé et la greffe de ses jambes artificielles bioniques a parfaitement réussi. Tant de miracles valent bien une émeute.

D'instinct, notre classe forme une sorte de bouclier humain autour d'elle, un cordon de sécurité qui a surtout pour ambition de ne partager avec personne le privilège que nous avons de la retrouver et de l'entendre raconter son calvaire. Axel se tient derrière elle, très protecteur. Tout le monde la presse de questions, ça rigole, ça vanne. Emportée par la bonne humeur du moment, l'espace d'un instant, j'arrive même à croire que le cauchemar est terminé, que sa maladie est vaincue et que tout est redevenu comme avant. Notre vie et rien d'autre.

Sa présence galvanise notre groupe, mais pas uniquement. Dans la classe, même ceux qui ne sont pas spécialement proches d'elle semblent bénéficier des bienfaits de sa présence. Tout le monde aime les histoires qui finissent bien. Du coup, la première heure de cours est pour le moins dissipée… Mme Holm a salué son retour :

— Bien contente de te retrouver, Léa. Comment te sens-tu ?

— Mieux, merci madame.

— Pendant ton absence, je ne sais pas si tes camarades ont été perturbés ou si c'est un effet prématuré du printemps, mais ils ont fait n'importe quoi.

Elle sort un paquet de copies de sa sacoche et les brandit.

— C'est du *nifnaf* ! s'énerve-t-elle tout à coup.

« Nifnaf », dans la langue de Mme Holm, ça veut dire « ni fait, ni à faire ». Elle a deux ou trois expressions du même genre, très parlantes. J'ai toujours trouvé que « nifnaf » était un mot trop mignon pour qualifier des ratages. On dirait plutôt le nom d'un petit animal tout chou, un peu comme les souris du labo – mais encore en vie –, qui se cache dans les buissons et pousse d'adorables petits couinements quand il est content. Pour le dictionnaire, je propose cette définition : « Nifnaf : nom masculin, mammifère de petite taille de la famille des rongeurs qui chante à la tombée de la nuit, laisse caresser son ventre tout doux par les enfants sages et se reproduit derrière les radiateurs à la mi-septembre. » Mais non, c'est pas ça, nifnaf, et Mme Holm n'a pas l'air contente du tout. Elle parle du contrôle surprise sur les activités réflexes du corps humain :

— Quand je vous demande de citer des exemples de réflexes atypiques, j'ose espérer que vous allez vous appuyer sur le cours et pas sur des âneries entendues je ne sais où. Parfois, on ne dirait pas que vous êtes en terminale ! Alors non, Julien, quand on te tape juste sous le genou avec un petit marteau, le réflexe n'est pas de mettre une baffe. Non, Hugo, baver en voyant une jolie fille n'est pas un réflexe et, pour l'amour du ciel, Inès, le fait que les pendus aient leur « petit robinet » tout dur par temps d'orage ne relève pas du réflexe puisqu'ils sont morts ! Et les garçons n'ont pas de petits robinets mais des pénis !

Vu la façon dont elle a hurlé, tout le bâtiment est maintenant au courant de ce qu'ont les garçons. Malgré des notes minables, nous sommes tous très contents.

Pendant le repas du midi, tout le monde n'en a que pour Léa, et c'est bien normal. Puisque chacun est aux petits soins pour elle, j'en profite pour aller récupérer le cahier de textes oublié en salle de maths. En sortant du réfectoire, je tombe sur Eva, en embuscade derrière la porte. Cachée, elle surveille quelqu'un. C'est une fille très franche et ce genre de plan n'est pas du tout son genre.

— Qu'est-ce que tu fais ? Tu espionnes ?

— Ne reste pas en vue, tu vas me griller.

D'un geste vif, elle m'attire derrière elle.

— Un problème avec quelqu'un ?

— Pas pour le moment, mais je redoute le pire…

Elle me désigne une table à laquelle un garçon et une fille, certainement des secondes, déjeunent ensemble.

— Mais c'est ta sœur…

— Exact, et le petit play-boy qui lui fait les yeux doux a déjà essayé de coucher avec huit filles depuis le début de l'année. D'après ce que j'ai compris, il a d'ailleurs réussi avec deux, qui ne s'en sont toujours pas remises. J'ai pas envie qu'il se fasse les dents et le reste sur Lola.

C'est vrai qu'il n'y a pas besoin de les observer longtemps pour constater que le garçon en fait des tonnes. Il parle avec les mains, roule des épaules, lance des regards de velours à Lola en la faisant rire. Les pigeons font ce genre de truc à la saison des amours. Il ne lui manque que les plumes. Je dois admettre que, pour un petit de seconde, il sort le grand jeu. Sur ce point-là aussi, on change vite. Deux ans plus vieux, les garçons sont déjà beaucoup plus fins, beaucoup plus « subtils » dans leurs tentatives de séduction – et ça laisse encore pas mal de marge avant l'élégance… Le comportement de ce jeune mâle ferait hurler de rire n'importe quelle fille de terminale alors que son show à deux balles semble très bien fonctionner sur la petite sœur d'Eva… Comme nous toutes, elle apprendra à repérer et à se méfier de cette sorte d'énergumène, mais en attendant, si le jeune homme est aussi obsédé que ça, je comprends l'inquiétude de ma camarade.

— Regarde-le faire son joli cœur, grogne-t-elle. Si j'étais un mec, j'irais lui péter sa jolie petite gueule.

— Tu as essayé de prévenir ta sœur ?

— Et depuis quand une fille sous le charme écoute les conseils ? Viens, ils se lèvent, on bouge.

Je laisse Eva à sa surveillance rapprochée et je gagne notre bâtiment pour rejoindre la salle de maths. Après l'effervescence du hall, le calme des couloirs déserts est assez flippant. Les minuteries ont coupé les lumières et, dans le silence, au lieu des bruits de cavalcades habituels, mes pas résonnent de façon inquiétante. Mon cauchemar serait de tomber nez à nez avec la brute qui m'a menacée et que j'aperçois de loin de temps en temps. Je ne m'attarde pas dans les escaliers, et surtout j'évite de me dire que les ombres projetées des rampes dessinent des dents géantes sur le mur. Voilà un excellent décor de film d'horreur pour traumatiser la petite Soraya lorsqu'elle aura guéri de sa phobie des zombies mangeurs de chiens. J'arrive enfin à la salle B 209 et j'entre directement.

À peine la porte ouverte, je pousse un cri. Je crois que je n'ai jamais hurlé comme ça. Je m'étais déjà copieusement « pré-épouvantée » dans les corridors sombres, mais ce que je découvre me pétrifie.

Tibor est debout sur une chaise, elle-même posée sur le bureau. Juché sur son échafaudage, il a les bras plongés dans le faux plafond. Il a eu aussi peur que moi et mon irruption a manqué provoquer sa chute.

— Tibor, qu'est-ce que tu fous ? J'ai failli crever.

Il tremble.

— Tu m'as fait peur…

— Qu'est-ce que tu trafiques dans le plafond ?

— Je vais tout t'expliquer. Mais avant, tu dois me jurer de n'en parler à personne. Jamais. Sinon…

Il saute de sa chaise et s'approche. Je ne sais pas pourquoi, mais j'ai l'impression de ne pas le reconnaître. Il me met mal à l'aise. Je recule, mais je ne tarde pas à me retrouver coincée dos au mur. Je l'aime vraiment bien ce garçon, je ne voudrais pas qu'il soit impliqué dans un truc louche.

— Camille, tu sais que j'aime les animaux et que je déteste le gâchis…

J'approuve d'un mouvement de tête aussi vite que je peux tout en me demandant ce qu'il va pouvoir dire après ça. Je l'imagine ajoutant : « C'est pour ça que j'adore dévorer de la chair humaine… Ahahahah ! », avant de me découper avec une machette. Ou alors il dirait : « Eh bien, je vends de la drogue que je cache dans le plafond pour financer des refuges ! »

Il est devant moi. Lui ne tremble plus, moi si. Sa voix s'étrangle :

— J'ai un peu honte, mais je pense que tu comprendras. J'ai de la chance que ce soit toi qui m'aies découvert. Depuis deux semaines, je vole des aliments que tout le monde laisse sur les plateaux au réfectoire pour nourrir les animaux que je garde et ceux qui n'ont pas de maître. Je ne supporte pas de voir toute cette nourriture jetée alors que ces petites bêtes ont faim…

Soupir de soulagement intérieur. Il est fou, mais seule sa voix sera étranglée aujourd'hui.

— Mais qu'est-ce que tu fais dans le faux plafond ?

— C'est ma réserve. Je ne peux pas trimbaler mon butin tous les après-midi, alors je le cache là-haut. Tu veux voir ?

Il saute sur le bureau, escalade la chaise et sort trois sacs plastique de leur cachette. Des portions de fromage, des gâteaux, du pain, quelques yaourts, que des choses emballées.

— Tes chiens mangent des yaourts ?

— Je garde un chihuahua qui s'appelle Octavio et

qui en raffole. Surtout ceux à la pêche avec des morceaux de fruit.

— Et tu récupères ce que tu as pris le soir ?

— Dès que tout le monde est parti. Parfois, ce n'est pas possible parce que les femmes de ménage sont déjà là.

Il remonte ses provisions dans leur cachette et remet la dalle en place. Quand tout est en ordre, il nettoie la chaise et le bureau d'un revers de manche.

— Tu n'en parleras à personne, promis ?

— Bouche cousue.

Sans crier gare, il me prend dans ses bras.

— Merci, Camille.

Le pire serait qu'à cette seconde Dorian et Laura entrent. Mais le dieu facétieux qui gère notre monde doit être occupé ailleurs. Personne ne nous a surpris. On est restés quelques instants l'un contre l'autre. On a juste crié de peur en sursautant comme des chinchillas foudroyés quand la sonnerie a retenti.

36

M. Rossi a raison : nous ne sommes que des animaux. D'un côté, il y a le stress des examens qui approchent de plus en plus vite, les pièges de la vie dont on nous informe chaque heure, les actualités scandaleuses et déprimantes, les drames au milieu desquels nous vivons – divorces, maladies, Dorian et Laura, récemment surnommés peste et choléra –, sans parler de la famine et des guerres si on élargit un peu l'horizon. On devrait être stressés comme des cochons d'Inde scotchés sur le capot d'une formule 1 lancée à 250 km/h à l'entrée d'un grand virage. On ne devrait plus dormir, on ne devrait plus rire, on ne devrait même plus espérer. Et pourtant, il suffit qu'il fasse un temps comme aujourd'hui pour que tout cela ne compte plus.

L'arrivée des beaux jours est à elle seule suffisante pour nous faire tout oublier, pour annihiler toutes les pressions et nous élever au rang d'êtres joyeusement insouciants et heureux. Quand il fait beau alors qu'il a fait gris si longtemps, la peau frémit et le cochon d'Inde peut danser sur le capot pendant que le bolide dérape. M. Rossi dit en riant qu'au printemps, notre cerveau se dissout dans les hormones et qu'il n'y a plus moyen de nous tenir. Il nous prévient aussi que les prédateurs apprécient cette période parce que leurs proies sont alors moins vigilantes. J'aime bien sa théorie : il rappelle qu'à l'origine, les vacances d'été étaient faites pour libérer les enfants qui devaient aider leurs parents pendant les moissons. Les beaux jours constituaient alors la saison la plus active. C'est toujours vrai pour les animaux. Dès qu'il fait beau, les oiseaux s'activent à construire les nids, les castors refont leurs barrages et les ours passent au moins une semaine à se déconstiper. Mais pour nous, c'est l'inverse. À notre époque, la saison durant laquelle on pourrait en faire le plus est celle où l'on en fait le moins. Pour l'immense majorité, l'été ne sert plus à rien d'autre qu'à glander. Résultat, beaucoup « se trouvent dépourvus quand la bise fut venue ». Je suis certaine que vous savez déjà que ce n'est pas de Jérôme Chevillard.

Dans la grande série « nous ne sommes que les jouets de la nature », Mme Holm nous a aussi parlé des canards dont l'activité sexuelle varie en fonction de la lumière. À mesure que l'ensoleillement augmente, les testicules des mâles grossissent, les poussant à s'accoupler. Ce qui nous conduit à cette merveilleuse citation que je vous offre : « Lumière depuis le matin, ça va chauffer pour Coin-coin. » Jérôme Chevillard n'aurait pas dit mieux. Qui osera mettre ça à l'entrée d'un musée ou au début d'un livre ? Je ne sais pas pourquoi mais cette histoire de testicules qui gonflent avec la lumière me renvoie au Don Juan de la petite sœur d'Eva. Dans quel état va-t-il être après une journée pareille ? J'ai aussi une pensée émue pour les canards.

Victimes de la lumière. Les pauvres. Qu'est-ce que ça donne quand on les photographie avec un flash ?

Le matin, je prends mon vélo jusque chez Léa, mais pas question pour elle d'aller au lycée en pédalant. Sa mère nous accompagne en voiture. À la place de l'immeuble de la gare, il n'y a maintenant qu'un immense trou au fond duquel des hommes qui paraissent tout petits s'activent sur des engins étonnants dont je ne comprends pas toujours la fonction. Je n'ai pas revu le petit monsieur. J'y pense chaque jour.

À la maison aussi, le printemps produit son petit effet. Zoltan est encore plus excité que d'habitude. Flocon demande maintenant à sortir et je me suis aperçue que désormais il s'éloigne de la maison. Des voisins m'ont raconté l'avoir vu, et ils habitent trois jardins plus loin. Je suis inquiète. J'ai peur qu'il tombe sur un chien hargneux, un vieux matou méchant aux oreilles rongées, ou qu'il se fasse piéger par un sadique qui déteste les animaux.

Souvent, lorsque j'ai fini mes devoirs, je sors sur la terrasse et je l'appelle. C'est rare qu'il revienne. Zoltan a compris que quand je vais dehors sans enfiler mon blouson, c'est pour appeler son copain. Alors il m'accompagne et s'assoit sagement. Il regarde partout, prêt à faire la fête à son pote félin. Mais là n'est pas le plus grand changement dans la vie de Flocon.

La semaine dernière, il a fait quelque chose d'insensé. Il était tard, j'étais dans ma chambre à travailler, la fenêtre ouverte pour aérer. Assis à l'angle du bureau, il faisait tranquillement sa toilette. Tout à coup, comme s'il avait reçu l'ordre d'une télécommande reliée à sa tête, il a sauté sur la commode placée sous la fenêtre. Il a tendu ses moustaches dehors, posé une première patte sur le rebord et soudain, avant que j'aie eu le temps de faire quoi que ce soit, il a sauté dans le cerisier dont les branches frôlent la façade. En panique complète, j'ai bondi de ma chaise, en hurlant son nom. Lui se faufilait tranquillement sur sa branche. Il a tourné la tête vers moi et je peux vous jurer que même si ce n'est qu'un chat, il y avait dans son regard la fierté d'avoir réussi son coup. « Alors, t'es pas bluffée ? » semblait-il me dire. Et d'ajouter avant de continuer son exploration arboricole : « Moi, je suis plutôt content, je me donnerais un A +. » Eh oui, Flocon est jeune, il est en primaire, il ne connaît pas encore les notes sur 20.

J'avais la trouille qu'il tombe. Je suis descendue comme une folle dans le jardin. J'ai réveillé toute la maison. Je le suivais en dessous, prête à le rattraper s'il chutait. Une vraie épreuve de jeu télévisé. Mais il n'a même pas perdu l'équilibre. Saleté de petit jeune surdoué. Monsieur Boule de poils a pris son temps pour revenir sur la terre ferme. J'étais un peu énervée mais, au fond, assez fière. Depuis, j'évite d'ouvrir la fenêtre. Pendant que je fais mes exercices, Flocon reste le nez collé au carreau.

Il existe un autre témoin du printemps, à la fois fascinant et mystérieux, c'est la tronche de mon frère. Je ne sais pas si les beaux jours lui font de l'effet aux testicules, mais son visage de moins en moins poupin est constellé de jolis boutons qui, comme un jardin magique, éclosent jour après jour. C'est à faire vomir un rat. Un vrai feu d'artifice de pus. Suprême humiliation, maman lui a interdit de poser son visage sur les coussins ou les papiers peints. J'ai bien proposé qu'on lui emballe la tête dans du papier toilette, mais personne ne veut d'une momie à la maison. Même

Zoltan se montre moins empressé quand il s'agit de lui lécher la figure. Pauvre Lucas, il ne le vit pas bien. Je le vois lorsqu'il est devant le miroir de la salle de bains. Quand je m'efforce de le rassurer d'un : « T'inquiète pas, ça va partir. On est tous passés par là », il me répond : « Barre-toi, sorcière, ou je te fais un câlin... » À la couleur près, on dirait un magnifique gazon anglais à qui les taupes auraient décidé de faire la peau – c'est le cas de le dire.

L'autre soir, alors que je contemplais sa face mitraillée par les merveilles de Dame Nature, il m'a semblé que les boutons de son front formaient un mot. Si, si, je vous jure. Comme dans ces jeux où il faut relier des points. Je vous assure que l'espace d'un instant, j'ai cru lire « gogol » ou « neuneu ». À bien y réfléchir, le front est peut-être un panneau d'affichage sur lequel le corps envoie des messages au monde à l'aide de bubons qui forment des mots. Ne dit-on pas : « Y a pas marqué la Poste » ou « C'est pas écrit sur mon front » ? Eh ben là, si. Enfin pas « la Poste » mais d'autres trucs. À la lumière de cette découverte qui va révolutionner la perception que nous avons des adolescents, beaucoup de choses s'éclairent. Je me souviens très bien qu'une des filles que j'ai vu avoir le plus de boutons était Laura, qui à l'époque n'était pas encore tombée sous la coupe de Dorian. Maintenant que j'y pense, je crois que sur son front façon champ de bataille après le bombardement, on pouvait clairement lire « sale garce ». Quand je vous dis que les signes sont partout... Il suffit simplement de les lire.

Je remarque tout ce qui change autour de moi, sauf quand cela me concerne personnellement. Lucas grandit, Flocon aussi. Les deux sortent moins leur petit bout de langue lorsqu'ils réfléchissent. Lucas ne balance plus ses pieds sous les chaises parce que ses jambes sont trop longues. Il sort avec ses copains. Est-ce que mes parents éprouvent pour nous les inquiétudes que je ressens pour mon chat ? Ont-ils autant de mal à nous voir nous aventurer de plus en plus loin ? Si je réfléchis en toute honnêteté, je redoute de voir Flocon s'éloigner pour deux raisons : la première, c'est que je connais les dangers de ce monde mieux que lui. Je sais ce qu'il risque. La seconde, c'est qu'égoïstement je vais mieux lorsqu'il est près de moi. Je suis bien avec lui. Je l'ai tellement soigné, aidé, nourri, amusé, qu'il a pris une place importante dans ma vie. Chacune de ses absences laisse un vide. Je crois que c'est pareil pour les parents des jeunes humains que nous sommes. Papa, maman, je vous promets de ne pas me jeter d'une fenêtre sur un arbre. Surtout que Lucas l'a déjà fait du garage sur la voiture…

Il est tard. Tout à l'heure, j'ai surpris une conversation entre mes parents. Mon père s'étonnait que l'état de Léa semble moins m'affecter. Il s'indignait presque que depuis son retour au lycée, tout le monde évite de parler de sa maladie, comme si elle n'existait plus. J'ai trouvé ses arguments si justes que j'en ai eu mauvaise conscience. Maman lui a répondu posément, lui rappelant que lorsqu'ils étaient plus jeunes, alors qu'ils ne se connaissaient que depuis quelques semaines, un de leurs copains du club s'était tué en scooter. Ils ne m'avaient jamais parlé de ça. Le choc avait été immense et quelques jours plus tard, c'était l'anniversaire d'un autre de leurs amis. Mon père avait alors été de ceux qui n'avaient pas voulu annuler parce que : « La vie ne doit jamais renoncer face à la mort. »

D'après maman, l'ambiance de l'anniversaire était un peu spéciale, mais cela avait aidé tout le monde à surmonter le drame. Elle a ensuite parlé de quelque chose qui, ce soir-là, l'a beaucoup marquée. Le vieux qui tenait le bar où avait lieu la fête a dit quelque chose qu'elle n'a jamais oublié : « On vit, on meurt, les gens pleurent, et après ils se demandent ce qu'ils vont manger. » Même en le racontant des années après, maman semblait encore très émue. En parlant de nous, elle a dit à papa : « Laisse-les croire que tout va bien. Qu'ils oublient cette horreur aussi longtemps qu'ils le peuvent. »

Je suis remontée dans ma chambre sur la pointe des pieds. Flocon était devant la fenêtre. Je me suis approchée. Je l'ai caressé.

— Tu as envie de sortir, mon grand ?

Il a miaulé. J'ai ouvert la fenêtre. Il m'a regardée, surpris que je lui cède, et il a vite sauté au cas où je changerais d'avis. Une fois arrivé sur sa branche, il s'est retourné. Je vous jure que même si ce n'est qu'un chat, ses yeux m'ont dit merci.

37

« Qu'ils oublient cette horreur aussi longtemps qu'ils le peuvent », avait dit maman. Cela n'aura duré que deux semaines.

Léa est dispensée de sport. À chaque cours, elle reste sur la touche, assise au grand air, souvent avec Tibor dans le rôle de l'arbitre qui siffle n'importe quand.

Ce jour-là, l'ambiance était légère. Après le cours, une partie de notre bande avait même prévu d'aller faire un tour au centre commercial. Pas moi. Je n'ai pas eu envie de les accompagner parce que la simple idée d'être repérée par l'une des soixante-cinq caméras de surveillance de mon père me hérisse. Axel a lui aussi décliné parce qu'il avait autre chose à faire. Nous étions en pleine partie de volley. Inès s'était déjà prise deux fois dans le filet comme un papillon. Du coin de l'œil, j'apercevais Léa et Tibor qui rigolaient bien ensemble. C'est peut-être le fait de rire autant qui l'a épuisée. Nous venions d'attaquer la seconde partie lorsque Léa s'est repliée sur elle-même en suffoquant. Puis tout à coup, elle est tombée de son banc. Tibor a aussitôt appelé à l'aide.

En trois enjambées, Axel est à son chevet. J'arrive la deuxième, le prof ensuite.

— Écartez-vous, dit-il. Laissez-la respirer. Léa, parle-moi.

Elle ouvre les yeux en grimaçant de douleur. Elle semble sur le point de s'étouffer. Je me jette sur son sac en criant :

— Il faut lui faire sa piqûre !

M. Taribaud la place délicatement en position latérale de sécurité. Il est très calme, contrairement à moi. Je me penche sur mon amie et je lui murmure à l'oreille :

— Respire, ma vieille. Je trouve ta seringue et tout ira mieux.

J'attrape l'étui. Le prof intervient :

— Tu sais faire les injections ?

Je secoue la tête négativement. Il me prend doucement la boîte des mains.

— Je vais m'en occuper.

Il regarde la petite note d'instructions de l'hôpital en retirant le capuchon de l'aiguille.

La classe s'est rassemblée autour de nous. Il y a si peu de bruit que chacun entend le souffle court de Léa. Tibor lui a pris une main et Axel l'autre.

Pendant qu'il fait l'injection, le prof appelle Louis :

— Fonce à l'accueil et demande-leur de prévenir les pompiers.

Léa suffoque. Sa peau prend une teinte que je n'ai jamais vue et que je n'aime pas du tout. Son regard est fuyant, ses yeux se révulsent presque. Je ne dois pas pleurer. « Laisse-les croire que tout va bien », disait maman. Et maintenant, qu'est-ce qu'on fait ? Les images les plus horribles s'imposent à moi. Si ça se trouve, Léa ne sortira pas vivante de ce terrain de sport. Si ça se trouve, cette journée est la dernière que nous aurons passée ensemble. Je sens que je vais craquer. Axel pose sa main sur mon bras. Au-dessus du corps étendu de Léa, nous échangeons un regard. Il est aussi ému que moi, mais lui trouve la force de se contenir. Il me donne le courage de me ressaisir.

Léa est soudain secouée de convulsions. Un murmure de panique parcourt la classe.

— Tout va bien, tempère le prof. La notice dit que c'est le premier effet visible de l'injection. Les produits commencent à faire effet.

Moi qui le prenais pour un clown avec des ballons, je trouve qu'il a un sacré cran.

Les secours n'ont pas traîné. Mon grand-père répétait toujours que même dans le pire des drames se cache toujours quelque chose d'hilarant. Il a raison. Lorsque les pompiers sont arrivés, sans doute par habitude, ils se sont rués sur Tibor, qui s'est enfui à travers le terrain de foot en hurlant :

— Je vais bien, je vais bien ! C'est pas moi ! Foutez-moi la paix !

Les pompiers ne m'ont pas laissée accompagner Léa. Elle est partie toute seule. Je trouve ça épouvantable. Elle ne respirait toujours pas normalement, même placée sous oxygène. Lorsque les portes de la camionnette rouge se sont refermées sur sa civière, j'ai éclaté en sanglots.

38

Que les délégués de classe soient convoqués n'est déjà pas bon signe, mais que je le sois avec eux, c'est complètement inhabituel. Je sais que je n'aurais pas dû envoyer balader Dorian pendant le cours de chimie, mais il l'avait bien cherché. De toute façon, depuis que Léa est à l'hôpital, j'ai les nerfs à fleur de peau. Le reste de la classe n'est pas en meilleur état et les profs disent qu'on est insupportables. On va se prendre un sacré savon…

En arrivant avec Marie et Antoine devant la salle des profs, on n'en mène pas large. Chacun prend une dernière inspiration avant de se jeter à l'eau. Ultime échange de regards avant de pénétrer dans la fosse aux lions. Antoine frappe. Première mauvaise nouvelle : c'est la voix puissante de M. Tonnerieux qui répond. Si le proviseur s'est déplacé, ça va être une boucherie. On ouvre et on entre les uns derrière les autres, comme les canards au stand de tir de la fête foraine.

Deuxième mauvaise nouvelle : tous les profs sont là. Ce n'est plus une réunion de recadrage, c'est un vrai conseil de discipline.

— Asseyez-vous, nous avons peu de temps, lance le proviseur.

Mme Serben, M. Rossi, Mme Holm et même Shelley, Gerfion, Alvares et Taribaud sont là. Et moi, pauvre andouille, je n'ai même pas pris un bloc et un stylo pour faire sérieuse. Je vais me faire dézinguer.

— Nous avons un problème avec votre classe, attaque M. Tonnerieux, et nous allons devoir réagir.

Antoine est passé en mode « élève modèle » et hoche la tête avec déférence. Marie et moi sommes plutôt en mode « lapin pris dans les phares » et on attend de voir les petits légumes arriver, prêtes à se faire réduire en civet à coups de hurlements. Il poursuit :

— Depuis maintenant plusieurs semaines, vos résultats sont en chute libre. Même chez les bons élèves.

Tous les profs approuvent dans un ensemble parfait. Il marque un temps avant d'ajouter :

— Votre comportement s'est aussi… compliqué, dirons-nous pudiquement.

Échange de regards ironiques entre nos enseignants. On va prendre perpète avec option torture.

— Nous pensons que cette dégradation est en grande partie liée à ce que vous ressentez vis-à-vis de l'état de santé de Léa et son hospitalisation. Beaucoup d'entre vous dans cette classe sont très liés avec elle, nous le savons. Mais les examens approchent et au train où vous allez, vous risquez de rater vos épreuves. De toute façon, même si par miracle vous vous en sortiez, notre bienveillance ne pourrait pas sauver les notes actuelles qui figureront sur vos dossiers. Cela risque de vous pénaliser pour les inscriptions en études supérieures. Nous sommes confrontés à une situation exceptionnelle. Croyez bien que nous comprenons l'attachement que vous éprouvez pour Léa. Mais nous ne voulons pas que le drame qui la touche entraîne toute la classe vers l'échec, et c'est pour cela que nous avons voulu vous parler.

Stupéfaction de notre trio. Ils ne nous ont donc pas convoqués pour nous exécuter mais pour nous aider ?

M. Rossi prend la parole :

— Nous sentons clairement que la plupart d'entre vous vivent avec beaucoup d'émotion ce qui arrive à Léa. Vous êtes nombreux à lui rendre visite à l'hôpital et vous êtes préoccupés. Cela se fait aussi au détriment de vos études et des objectifs que vous ne devez pas perdre de vue. Aussi difficile que cela puisse paraître, nous vous demandons, dans votre propre intérêt, de vous focaliser sur vos études. Vous êtes à une étape cruciale de votre vie et ce qui arrive à l'un de vous ne doit pas vous détourner des raisons pour lesquelles vous êtes ici. Nous allons vous aider, mais nous ne pourrons rétablir la situation que si vous êtes motivés. C'est pourquoi nous comptons sur vous, les délégués, et toi Camille, en tant que proche de Léa, pour faire passer le message à vos camarades.

Mme Serben ajoute :

— Nous sommes très en retard sur le programme. Vous passez les épreuves dans moins de quatre mois et cette histoire vous déstabilise complètement. Il faut vous ressaisir.

Je suis en train de passer de la peur à la colère. Je suis outrée. Ils nous demandent ni plus ni moins que de mettre Léa de côté, de l'oublier, pour bosser le bac. Est-ce qu'ils se rendent bien compte de ce que nous ressentons ? Est-ce qu'ils nous prennent pour des machines qui ont des objectifs, des programmes et pas de cœur ?

— Vous ne dites rien ? s'étonne Mme Holm.

Je lâche d'une traite :

— On va avoir du mal à oublier Léa. Elle n'est pas encore morte et elle va peut-être même survivre. Nous savons bien que les examens arrivent mais franchement…

Les mots sont sortis sans que j'aie eu le temps de réfléchir. Mme Shelley soupire bruyamment :

— J'étais certaine qu'ils allaient réagir comme ça. Quel manque de maturité ! Incapables de penser plus loin que le bout de leur nez. Moi, je ne vais pas me compliquer pour aider des gens qui ne le veulent pas. La vie se chargera d'eux…

M. Tonnerieux réagit :

— Lise, s'il vous plaît, évitons ce genre de raccourci.

Tout va trop vite. Le proviseur appelle la prof d'anglais par son prénom et prend notre défense ? La prof d'anglais a un prénom ?

Il se tourne vers moi :

— Camille, il ne s'agit pas d'oublier Léa. Il s'agit de ne pas tout laisser tomber parce que vous en êtes proches. Nous ne savons pas ce qui va lui arriver et malgré ce que tu sembles croire, cela nous importe. Mais vous tous, l'année prochaine, vous serez ailleurs, en train de continuer votre vie…

— Excusez-moi, monsieur, mais rien ne dit que Léa ne fera pas sa vie avec nous l'année prochaine…

— Nous espérons de tout notre cœur que Léa va s'en sortir. Mais quel que soit son avenir à elle, le vôtre va sérieusement se ternir si vous ne réagissez pas. Nous sommes en contact étroit avec ses parents. Il est désormais acquis qu'elle ne reprendra pas une scolarité normale avant des mois. Nous ne savons même pas si elle pourra revenir au lycée dans les prochaines semaines, ce qui serait pourtant bon pour son moral. Ses parents s'organisent pour qu'elle puisse déjà revenir chez elle, ce qui serait un excellent début.

— Je sais tout ça, je la vois tous les jours et nos familles sont amies.

M. Rossi intervient :

— Ce que nous savons, nous, c'est que chacun de ses départs ou de ses retours a un impact réel sur vous tous et que nous voulons vous aider à les encaisser sans ruiner votre scolarité. Nous ne nous battons pas contre Léa – nous ferons même notre possible pour l'aider –, nous nous battons pour vous. Alors si pour une fois les policiers et les voleurs pouvaient s'entendre, parce qu'il y a le feu et que personne n'a intérêt à ce que l'incendie ravage tout…

L'argument me parle. Je me calme. M. Tonnerieux reprend :

— M. Rossi s'est porté volontaire pour piloter votre classe pendant cette période difficile. De par son emploi du temps, il est plus disponible que Mme Serben, votre professeur principal. Nous ferons un point au minimum chaque semaine. Nous sommes conscients que cette épreuve vous demande un effort, mais vous devez aussi savoir que c'en est un pour toute l'équipe pédagogique. Ensemble, essayons d'éviter qu'un drame ne devienne une catastrophe.

39

Hugo et Vanessa sont passés voir Léa. Même si elle s'efforce de faire bonne figure, je vois bien qu'elle n'a pas d'énergie. À peine ont-ils quitté sa chambre qu'elle retombe au fond de son lit, affaiblie. D'une voix monocorde, elle commente :

— Alors comme ça, les profs vous organisent une cellule de crise psychologique pour surmonter mon absence ?

— Eh oui, tu es un vrai traumatisme pour notre classe. Sais-tu quand tu pourras rentrer chez toi ?

— Pas avant la semaine prochaine. Les parents ont dû commander du matériel spécial pour mesurer le souffle, la tension et je ne sais quoi encore. Il va falloir qu'ils suivent une formation pour s'en servir, et une infirmière passera tous les deux jours.

— Traitement de star…

— Je m'en passerais bien, en plus maman est en train de liquider tous ses jours de congés. Au fait, tu ne devineras jamais qui m'a téléphoné tout à l'heure…

— Dis-moi.

— Le proviseur *himself*. Il a pris de mes nouvelles, il a été super gentil et m'a dit qu'il viendrait certainement me voir. Il m'a aussi demandé si ça ne m'ennuyait pas que Mme Serben passe me saluer.

— Elle va te coller une interro surprise !

— Même à l'hosto, pas moyen d'être tranquille ! Ça me fait drôle, mais je dois avouer que même les contrôles me manquent. Tu te rends compte où j'en suis ?

— En manque d'interros, ma pauvre, là ça devient vraiment inquiétant.

— Qu'est-ce que je peux m'ennuyer… La télé, ça va trois minutes. Les livres, c'est bien mais j'ai du mal à me concentrer longtemps et les revues, quand tu en as lu une, tu les as toutes lues. Du coup, j'attends vos visites et, pendant des heures, je gamberge… Pourquoi je n'ai pas eu tout ce temps l'année dernière ? T'imagines, j'aurais pu potasser mes textes de français !

— Même des mois d'hospitalisation ne peuvent pas suffire à lire *Le Père Goriot*.

— T'as raison. *Bel-Ami* ou un lavement de trente-cinq litres, je prends le lavement !

— Tu m'étonnes. Ils nous gavent avec les « valeurs » et avec la « responsabilité », et ils nous font lire l'histoire de cette petite raclure sans scrupule !

— Sûrement pour nous expliquer que ça existe, s'amuse Léa.

— Et après ils s'étonnent qu'on se méfie des livres…

— Je me souviens quand tu t'étais fait pourrir par la prof de français parce que tu avais osé lui dire qu'*Antigone* était aussi trash que la pire des émissions de téléréalité, la musique du générique en moins.

On est en plein éclat de rire lorsque l'infirmière qui prend Léa pour une gamine fait son entrée. Elle nous regarde avec un léger mépris, accroche un dossier au pied du lit et annonce :

— Si vous vous épuisez, je fais interdire les visites.

Léa lui réplique :

— Vous ne savez pas qu'on soigne encore mieux par le moral que par les piqûres ? C'est un pénitencier ou un hôpital ?

Je ne l'avais jamais vue faire preuve d'autant de mordant. Avant de sortir, l'infirmière lâche :

— Vous avez intérêt à vous calmer parce que le docteur Langeais ne va pas tarder et qu'il n'est pas dans un bon jour…

Elle claque la porte. Léa commente :

— Langeais, je me demande pourquoi il est toubib. On dirait qu'il n'aime pas les gens. Il te regarde avec les trous de nez, il est convaincu d'avoir un pouvoir de vie et de mort sur nous autres, pauvres créatures grouillantes. Je le déteste et, en plus, je crois qu'il n'y connaît rien. Ce n'est même pas lui qui me suit…

La porte s'ouvre sur un homme guindé dans une blouse blanche impeccable. Un luxueux stylo noir dépasse de sa poche. Il correspond parfaitement à la description faite par Léa. Bien que s'adressant à moi, il ne me regarde même pas :

— Veuillez aller attendre dans le couloir.

Puis saisissant le dossier de Léa sans la regarder non plus, il commence :

— Alors, que nous apprennent les derniers résultats ?

Léa me fait un clin d'œil et alors que je me dirige vers la sortie, elle se fige et fait celle qui s'étouffe. Elle en fait des tonnes, elle hoquette, suffoque. Je crois qu'elle fait l'imbécile, mais elle le fait tellement bien que ça me rappelle quand même le très mauvais souvenir du stade. Le docteur passe instantanément de la prétention à la panique. Envolée, la prestance ! Sans aucune dignité, il se rue sur la sonnette pour appeler les infirmières. Il ne s'occupe même pas de sa malade. Bien moins pro que notre prof de sport… Pas la plus petite attention envers Léa, trop occupé qu'il est à chercher le moyen de refiler la patate chaude de toute urgence.

— Calmez-vous, se contente-t-il de répéter. Respirez profondément.

Bravo pour la pertinence du conseil.

Excédé par le délai de réaction de son personnel qu'il trouve trop long, il sort et appelle dans le couloir.

— On a besoin d'aide ici ! Et tout de suite !

Trois infirmières arrivent en trombe. Elles ne prennent même pas la peine de lui demander ce qui se passe, sans doute trop habituées à ne pas compter sur lui.

Léa reprend alors une attitude tout à fait normale. Je suis bluffée. Elle met ses mains en porte-voix et annonce :

— Fin de l'alerte, ceci était un exercice ! Je répète, ceci était un exercice ! Le docteur Langeais doit passer d'urgence au bureau des inspections pour réviser les procédures d'intervention. Quand il y a un problème, on ne s'occupe PAS de la sonnette, mais du MALADE. Rompez !

Les infirmières rigolent à moitié et réprimandent Léa pour la forme. Le médecin, encore plus raide qu'en arrivant, drapé dans ses diplômes et la haute image qu'il a de lui-même, sort sans rien dire. Léa est écroulée de rire et tousse.

Si un jour on m'avait dit que je la verrais faire preuve d'autant d'audace et d'effronterie face à des gens que l'on nous a appris à respecter, je ne l'aurais pas cru. Je ne l'avais jamais vue comme ça. Elle doit le lire dans mes yeux.

— Tu sais, Camille, si je dois claquer dans deux mois, je n'ai plus de temps à perdre avec des gens qui prétendent t'aider et qui ne font en fait que se servir de toi pour se donner de l'importance. Ce type ne devrait pas être médecin. Il est sûrement intelligent, mais il a oublié qu'il travaille avec des humains. Il aurait dû faire vétérinaire, et encore. Heureusement qu'ils ne sont pas tous comme lui. Tu verras, le docteur Nguyen est génial.

Elle me tend la main. Je m'apprête à la saisir lorsqu'une voix nous surprend.

— Je ne vous dérange pas, les filles ?

Axel est à la porte. Oubliant toute fatigue, Léa éclate d'une joie sincère et lui tend les bras. Je suis de nouveau scotchée. Il me semble qu'elle est bien plus heureuse de l'accueillir que lorsque c'est moi qui arrive. Il s'avance sans hésiter et l'enlace.

Je ne sais pas si vous pouvez imaginer ce qui se passe en moi. Si j'étais un océan, ce serait la tempête du siècle suite à un séisme de magnitude 10. Si j'étais une expérience, je serais une explosion nucléaire souterraine. Si j'étais la plus belle des fleurs, j'aurais flétri en moins d'une fraction de seconde.

Est-ce qu'ils ne s'embrassent pas sur la bouche parce que je suis là ou parce qu'ils ne le font pas d'habitude ? Est-ce qu'ils sont amis ou y a-t-il autre chose ? Malgré toute l'affection que j'ai pour Léa, je suis à deux doigts d'être dans une colère noire contre elle. Pourquoi ne m'a-t-elle parlé de rien ?

Axel reste à son chevet.

— Alors, quoi de neuf ?

— Je suis toujours vivante, c'est déjà beaucoup. Tu restes un peu ?

— Impossible, je suis obligé de rentrer. Mais je voulais au moins te saluer.

— C'est gentil.

Si vous pouviez voir la façon dont elle le regarde, vous comprendriez mon état. Axel se tourne vers moi :

— Camille, tu comptes partir bientôt ?

Il me jette dehors ou quoi ? Est-ce que ce jour restera comme celui où mes deux plus proches amis m'auront trahie ensemble ? Est-ce que le tableau idyllique qu'ils forment restera l'image la plus déchirante de ma vie ? Je n'arrive même plus à parler.

— Je… je sais pas, je bredouille.

— Parce que si tu ne tardes pas trop, je file avec toi.

Si j'étais une horloge, je me mettrais à tourner en sens inverse. Si j'étais la pluie, je remonterais dans les nuages. Si j'étais une fleur fanée, je refleurirais comme jamais.

J'ignore si c'est pour tout le monde pareil mais parfois je me fais l'impression d'être une substance chimique hyper réactive. La moindre molécule d'émotion que l'on m'envoie peut me détruire, me ranimer, me changer, me consumer ou me faire briller pour toujours. Théoriquement, cette matière ne se trouve nulle part dans notre univers, et pourtant j'existe. Je vais avoir un gros zéro en chimie.

40

L'air frais me fait du bien. En vérité, je ne sais pas vraiment si c'est l'air ou le fait de marcher avec Axel. Je ne me souviens pas que nous ayons déjà été tous les deux seuls, ailleurs qu'à l'école. Ici, dans cette rue banale, la situation a quelque chose de nouveau. Si on était tout petits, on se raconterait qu'on est comme des grands, dehors, dans la vraie vie. On éprouverait ce léger frisson de liberté qui accompagne les premières autonomies. Plus personne ne nous tient la main pour nous aider à traverser en sécurité. Nous n'en sommes plus là. Mais personne ne me tient la main pour le plaisir de marcher ensemble. Je n'en suis pas encore là. J'espère que ça viendra un jour.

Je regarde la main d'Axel qui se balance au gré de ses pas. Qu'est-ce qui m'empêche de la saisir ? Pourquoi n'aurais-je pas le droit de glisser mes doigts dans les siens ? Quelle serait sa réaction ? Quand je compare tout ce que Léa ose et tout ce que je n'ose pas, je me dis que je pars de loin dans la vie. Que ferait-elle à ma place ?

Axel semble lui aussi savourer cette fin de journée printanière. Il avance, levant parfois le nez comme un jeune chien qui humerait l'air. Il n'habite pas très loin de l'hôpital. Sans savoir exactement où, je sais que c'est dans les parages. À un prochain coin de rue, il va me dire que c'est là que nos routes se séparent. Par avance, je déteste déjà ce moment-là. Comme je ne sais pas à quel croisement il va tourner, je redoute chaque intersection. Avant chacune des rues que nous croisons, mon cœur se serre et je me prépare au pire. Je surveille le moindre de ses gestes pour anticiper son changement de direction. J'écoute le moindre de ses souffles pour sentir naître la parole qui m'apprendra son départ. S'il pose le pied sur la chaussée pour traverser avec moi, alors mon cœur bondit de joie jusqu'à la prochaine rue. Axel ne le sait pas, mais il marche à côté d'une explosion nucléaire qui refleurit miraculeusement à chaque carrefour. À quoi pense-t-il ? À qui ? Peut-être à Léa…

Nous arrivons à l'angle d'une rue. Il jette un coup d'œil vers moi et s'apprête à parler. Entre le moment où j'ai détecté le premier mouvement de ses lèvres et celui où le son de sa voix m'est parvenu aux oreilles, il n'a dû s'écouler que quelques dixièmes de seconde. J'ai pourtant eu le temps d'imaginer qu'il me proposait de me raccompagner jusque chez moi. J'ai eu le temps de rêver qu'il me disait qu'il était bien en ma compagnie. J'ai aussi eu le temps de regarder ses yeux magnifiques dans cette lumière-là. J'ai même eu le temps de l'entendre m'expliquer longuement que Léa n'est qu'une amie et que, depuis longtemps, il sait le pacte secret qui nous lie, elle et moi, vis-à-vis de lui.

— Il va falloir que je te laisse. J'habite par là. Je t'aurais bien raccompagnée mais je suis en retard.

Je ne dois ni tomber dans les pommes parce qu'il

a pensé à me raccompagner, ni perdre la face parce qu'il va quand même me quitter.

— Ce n'est pas grave. De toute façon, je suis en retard aussi. Je dois me dépêcher de passer au Copyshop pour photocopier mes cours pour Léa avant que ça ferme.

Comment j'ai pu lui sortir un truc pareil ? Pourquoi je n'ose pas dire ce que je ressens ? Pourquoi me réfugier derrière des prétextes idiots et ne pas lui dire que je suis verte qu'il s'en aille et que le Copyshop ferme à 22 heures ? Et si j'éclatais en sanglots ? Et si je le suppliais à genoux ? Et si je sortais une arme de mon sac et que je le prenais en otage sans jamais demander de rançon ?

Axel semble hésiter. Je m'en fous, je sais que j'ai au moins droit à une bise avant qu'il se sauve. Je compte dessus. C'est le minimum du minimum. Il ne m'enlacera peut-être pas, mais je sentirai au moins sa joue tiède. Pourquoi me regarde-t-il comme ça, et qu'est-ce qu'il semble avoir tellement de mal à dire ?

— Si ça te fait gagner du temps, tu peux venir chez moi. Je scanne tes cours, on imprime et ça t'évite d'aller jusqu'au centre-ville. Je crois que ton magasin ferme à 22 heures mais je n'habite vraiment pas loin et ce sera plus sympa.

La totalité du stock nucléaire mondial vient de péter en sous-sol.

41

Il se passe quelque chose de très étrange en moi. Voilà des années que j'essaie d'imaginer le lieu où il vit, sa famille, et alors que nous nous en approchons, tous les décors que je m'étais construits explosent au profit de la réalité que je découvre. Mon cœur bat à cent à l'heure et tous mes sens sont en alerte. Il fait des grands pas et je suis obligée d'en faire deux fois plus que lui pour le suivre.

La résidence où se trouve son immeuble est ancienne mais propre. On sent que tout est fait pour valoriser ce qui tient encore. Des enfants jouent au ballon dans l'allée qui conduit au parking. On passe entre deux bâtiments. Il me désigne celui de gauche :

— Au deuxième, le balcon avec le VTT, c'est chez Louis.

Sur le trottoir, il pointe discrètement une voiture bleue rutilante avec un désodorisant à demi déballé qui pend au rétroviseur. Il s'incline vers moi et murmure :

— C'est la voiture que tu as contribué à payer à l'autre déchet humain…

Clin d'œil.

Axel est en train de me faire visiter son monde. J'entre

dans son univers. Il suffit de quelques pas, et soudain tout change. C'est sans doute l'un de ces moments insignifiants pour tout le monde sauf pour celui qui l'a rêvé, un de ces instants que l'on n'oublie jamais. Une première fois qui a du sens. Sans le savoir, ces enfants qui jouent, cette femme qui traîne sa poussette, ces forsythias aux fleurs jaunes éclatantes et même la voiture de l'autre nazi font partie d'un des moments les plus forts de ma vie. Je n'aurai plus jamais à me demander comment Axel vit. Je n'aurai plus besoin d'imaginer, de rêver, de supposer. Je n'aurai qu'à me souvenir.

Il compose le code de sa cage d'escalier et nous montons. Nos pas résonnent sur les marches en marbre reconstitué. Troisième étage. Il sort un trousseau de clés de sa poche. Je retiens mon souffle.

Nous sommes à peine entrés qu'une femme arrive sur lui.

— Vous êtes en retard. Vous savez pourtant que ça me complique la vie !

Sa mère ? Comment une femme aussi biscornue a-t-elle pu faire un garçon aussi beau ? Pourquoi le vouvoie-t-elle ?

— Je sais, madame Balmé. Je suis désolé, j'étais à l'hôpital pour voir une amie.

Elle attrape ses affaires et passe devant moi en me détaillant de la tête aux pieds.

— Visiblement, elle va mieux, votre amie.

— Une autre amie, madame Balmé.

— Ça vous en fait des amies… Vous direz à votre mère que j'ai fait un quart d'heure de plus.

— C'est noté, pas de problème. Bonne soirée.

— Bonsoir.

Il referme la porte en s'appuyant dessus. Il souffle

pour évacuer le ras-le-bol qu'il a contenu. Pendant ce temps-là, je ne perds pas une minute. Je suis déjà en train de passer au crible tout ce que contient l'entrée. Un meuble sur lequel est posé un atlas des communes de la région bien usé, des clés dans une coupelle, un calendrier avec des Post-it, du courrier. Je voudrais avoir le temps de tout lire mais un mouvement venu du fond du couloir attire mon attention.

Il y a bien une femme dans la vie d'Axel. Elle doit avoir 9 ou 10 ans et elle court vers lui.

— Tu es rentré ! s'écrie-t-elle.

Elle lui saute dans les bras. Il l'attrape au vol et la soulève jusqu'au luminaire qui pend du plafond. Elle le serre de toutes ses forces. Un instant, une image de mon passé se superpose à ce présent : moi dans les bras de mon père. La petite ferme les yeux en l'enlaçant. Tout le monde serre Axel dans ses bras, sauf moi. Je me demande ce que ça peut donner quand il fait ses courses et qu'il croise toutes ses voisines…

— Camille, je te présente Océane, ma petite sœur. Océane, je te présente une très bonne amie, Camille.

« Une très bonne amie. » Qu'est-ce qu'il aurait dit pour Léa ? Et pourquoi, même s'il sort avec elle, n'a-t-il pas dit de moi : « Je te présente ma meilleure amie » ? S'ils se marient, après tout, une fois que j'aurai fini de les épier depuis le jardin public en pleurant, je serai leur témoin.

La petite me regarde. Elle a les mêmes yeux que son grand frère. Sans la poser, Axel se déchausse et avance vers le fond. Je l'imite et regarde tout ce qui passe à ma portée. L'appartement n'est pas grand et plein comme un œuf.

Océane raconte :

— Tu sais, aujourd'hui, j'ai eu un A en écriture. La maîtresse a dit devant toute la classe que c'était bien.

— C'est très bien. Et d'après ce que je sens, tu as aussi mangé du chocolat alors que tu n'as pas le droit. On est mardi, ma puce, et c'est permis uniquement le mercredi et le dimanche.

Il pose la petite, qui fait une moue contrite. Axel lui explique :

— J'ai du travail à faire avec Camille. On va aller dans ma chambre. Je n'en ai pas pour longtemps et ensuite, je m'occupe de toi. Exceptionnellement, tu peux regarder la télé si tu veux.

Océane boude :

— La dernière fois, t'avais déjà dit ça avec l'autre dame et ça a duré deux épisodes de *Amies pour la vie*.

C'est qui l'autre dame ? Et ça dure combien de temps un épisode de *Amies pour la vie* ?

Axel me fait signe de le suivre. On passe devant la cuisine, trois portes fermées, et on arrive chez lui. Mes yeux sont comme des caméras qui captent chaque détail. La consigne donnée à mon cerveau est très claire : enregistre tout, on fera le tri plus tard.

Sa chambre est plus petite que la mienne. Il y a une armoire ouverte qu'Axel s'empresse de refermer. Trop tard : sur le dessus de la pile, j'ai vu le t-shirt qui lui fait des épaules de quarterback. En dessous, je crois que c'étaient ses pantalons. Son lit est fait. Aucune peluche dessus. Un gros camion en Lego sur une étagère. C'est donc là qu'il se repose. Peu de choses au mur, excepté quelques photos de voitures et le grand poster d'un paysage sauvage.

— C'est super beau. Où est-ce ?

— Islande.

— Tu y es déjà allé ?

— Trop cher, trop loin. Peut-être un jour. Passe-moi tes cours à scanner.

Sur son bureau, entre l'ordinateur et les livres, je remarque deux photos, les deux seules de la chambre. Sur l'une, Axel est entouré de Louis, Léo et d'autres garçons que je ne connais pas. Le cliché a certainement été pris en été vu le ciel bleu, et sans doute l'année dernière étant donné qu'ils n'ont pas trop changé. Mais je ne sais pas où parce qu'ils sont plusieurs à porter des pagaies. Sur l'autre photo, Axel est entre Léa et moi. C'était à l'anniversaire de Malik. À côté du cadre, il y a le mug que je lui avais offert. Mon cœur s'emballe à nouveau… Jusqu'à ce que, de l'autre côté, je découvre qu'il y a aussi le superbe stylo que Léa lui avait acheté.

— Tu n'as qu'à t'asseoir sur mon lit pendant que je scanne, ce ne sera pas long.

Je m'en fiche que ce soit long. Ça peut même durer des heures pour chaque page. Au pied de l'armoire, il y a les chaussures dans lesquelles il court si vite. Sur son étagère, il y a ses coupes sportives.

— Tu ne lis jamais de romans ?

— Je n'ai pas trop le temps. Ma mère rentre tard. Elle est sur deux mi-temps qui sont assez éloignés et je m'occupe beaucoup d'Océane. Il faut jongler. La dame que tu as vue nous aide, mais parfois elle nous plante et je suis obligé de me débrouiller tout seul.

— Et ton père ?

Il ne répond pas immédiatement.

— Il est parti quand maman était enceinte d'Océane. Ça fait plus de dix ans. Il nous a laissé des dettes et un canapé-lit.

Qu'est-ce qui m'a pris de poser la question ? De

quoi je me mêle ? Pourquoi je ne lui ai pas en plus demandé qui est l'autre « dame » qu'il a emmenée dans sa chambre et avec qui ça a duré deux épisodes ?

— Je suis désolée.

— Au final, même si ce n'est pas toujours évident, on se débrouille mieux sans lui. Le seul vrai souvenir que j'ai de mon père, c'est une raclée qu'il m'a collée quand j'avais 7 ans parce que je lui avais dit ce que je pensais…

Il scanne mes pages, les unes après les autres. Il s'occupe de moi. En fait, il s'occupe aussi beaucoup de Léa puisque les copies sont pour elles. De qui s'occupe-t-il, en fait ? Je m'en fiche, c'est moi qui suis avec lui et qui le regarde. Je l'admire quand il soulève les feuilles, je l'admire quand il baisse le capot, je l'admire quand il tape sur son imprimante dont la cartouche d'encre fait des caprices. Quelle folle je fais… Je suis bien tentée de lui baratiner que je n'avais pas copié les cours d'hier non plus pour que ça dure plus longtemps, mais ce serait nul.

Ici, chez lui, dans sa chambre, je mesure tous les efforts qu'il accomplit pour être ce qu'il est. Je me doute que ça ne doit pas être simple, entre sa sœur et sa mère. Je comprends mieux ce détachement par rapport aux valeurs si futiles que partagent beaucoup de ceux de notre âge. Ça ne lui donne pas moins de valeur à mes yeux, c'est même tout le contraire. Plus que deux pages à scanner. C'est terrible. Un véritable compte à rebours. Mon esprit s'emballe. Il faut qu'il m'ait embrassée avant la dernière feuille. Il faut que je lui dise tout ce que je ressens avant la dernière ligne. J'ai envie de passer une vie entière avec lui dans les trois prochaines secondes. Ce n'est pas possible. Ça fait mal. Ça fait du bien. Si c'est ça être vivant, alors je comprends qu'on en sorte fatigué.

42

Difficile d'imaginer papa en petit frère. Quand je vois tante Margot à côté de mon père, j'ai du mal à me dire qu'ils ont été comme Lucas et moi. Est-ce qu'elle lui a donné à manger quand il était bébé ? Est-ce qu'elle l'a vu se coincer les fesses dans la cuvette des toilettes en criant au secours ? Est-ce qu'il lui a dessiné des chiens hideux qui ressemblaient à des poux pour les lui offrir avec tout son amour ?

Dans une même famille, les gens peuvent être différents. Margot et son mari forment un couple qui n'a rien à voir avec celui de mes parents. Je l'ai toujours senti, mais je comprends pourquoi depuis peu de temps. Ils sont plus libres, plus ouverts. Ils parlent de tout, ils sortent, partent en voyage. Ils n'ont pas d'enfants. Du coup, tante Margot a toujours été super gentille avec nous. Elle nous gâte, et quand j'étais petite, je me souviens d'avoir joué avec elle des heures durant, comme si c'était une copine.

Le repas se passe bien mais je trouve le temps long. Sauf quand Margot a raconté qu'une fois, papa et elle jouaient à glisser sur la rampe de l'escalier chez leurs grands-parents. Après plusieurs descentes maîtrisées, mon père s'est pris pour un cowboy, et il s'est élancé en faisant tournoyer son petit chapeau de feutre marron. En arrivant à fond sur la grosse boule de verre qui décorait l'extrémité, il a poussé un cri d'otarie électrocutée et a bien failli ne jamais avoir d'enfants. Selon l'expression de Margot, « elles sont remontées jusqu'aux yeux et ça lui faisait un drôle de regard ». J'ai plus faim. Lucas explose de rire, comme si cela dédramatisait le fait qu'il lui soit arrivé la même chose la semaine dernière en faisant des acrobaties à vélo.

Hormis cet épisode, je n'attends qu'une chose : aller m'asseoir avec Margot pour parler. Quand j'étais petite, selon un rituel bien établi, après le café, elle venait dans ma chambre. Je lui montrais tout ce qui avait changé depuis la fois d'avant, je lui racontais ma petite vie et on restait des heures à discuter. Maintenant, quand le temps le permet, on va faire un tour dehors ou on s'installe dans le jardin. Pour moi, elle est un peu à la fois une grande sœur et une grand-mère – si elle apprend que je la considère comme une grand-mère, elle va m'assassiner. J'aime sa vision de la vie et sa franchise. Elle ne s'embarrasse jamais de faux-semblants.

Dès l'entrée servie, elle a remarqué Lucas, qui refourgue tout ce qu'il ne veut pas manger à Zoltan sous la table. Mais elle ne dit rien.

Maman et elle s'entendent super bien. Marc, son mari, forme aussi un bon tandem avec mon père. Quand Margot fait une remarque à son petit frère – décidément je ne m'y fais pas –, papa démarre au quart de tour comme s'il avait toujours 7 ans. Il l'envoie balader en lui rappelant qu'elle n'est pas sa mère. Si on pousse un petit peu la voix dans les aigus et que le texte est prononcé avec une moins bonne articulation, on jurerait entendre Lucas. Tante Margot est la seule personne sur Terre capable de faire bafouiller mon père. Mais on ne doit pas en parler. Et tante Margot ne veut pas qu'on l'appelle tata. Juste Margot.

J'ai attendu des heures avant que l'on se retrouve enfin dehors toutes les deux, assises sous le cerisier. À travers le jeune feuillage, les rayons du soleil dessinent des formes sur le sol. Léo y verrait sans doute un excellent camouflage. Mélissa y distinguerait des cœurs, et Inès essaierait de balayer les ombres pour que ça fasse plus propre. Chacun voit ce qu'il veut. À l'autre extrémité de la pelouse, Flocon se balade sous la haie. Il se prend encore pour un grand tigre des steppes. Trop chou.

— Il est magnifique, ton chat. Ta maman m'a raconté comment tu t'en es occupée. Je suis fière de toi.

— Je l'adore.

— Marc ne veut pas que nous ayons d'animaux. Il dit que ça nous bloquerait à la maison…

Changeant de ton, elle ajoute :

— Tes parents m'ont aussi parlé de ce qui arrive à ton amie. Je ne l'ai pas vue souvent, mais je me souviens bien d'elle. C'est terrible. Comment réagit-elle ?

— Ça dépend des jours. Des fois, elle s'accroche, des fois, c'est plus dur…

— Et toi ?

— Je me dis qu'on finira par trouver un moyen. Ce serait trop injuste.

— Je reconnais là ton idéalisme, mais la justice n'a rien à voir avec ce qui se produit dans ce monde. Plus tôt tu le comprends, moins tu souffres. Je crois que la justice et la chance sont deux concepts que notre espèce a inventés pour justifier ce qu'elle ne maîtrise pas. Ça fait passer la pilule, ça justifie, mais ça ne change rien. Il vaut toujours mieux agir que croire.

J'aperçois maman qui nous regarde par la fenêtre. Il faut absolument que je parle à Margot de ce que je ressens avant que ma mère ne débarque. Je me jette à l'eau.

— Tu as déjà été amoureuse ?

— Voilà une entrée en matière bien directe. Pudique comme tu l'es, le sujet doit être brûlant… Il est beau garçon ?

— Je ne sais pas…

— Tu l'as rencontré sur Internet ?

— Pas de danger. Je préfère la vraie vie.

— Tu me rassures. Est-il au moins gentil avec toi ? C'est le minimum qu'il faut demander à un homme.

— Il est très gentil avec moi, mais comme avec tout le monde.

— N'essaie pas de faire en sorte qu'il ne le soit qu'avec toi. Ça lui donnerait envie de partir.

— Il n'y a rien entre nous. Il ne sait même pas ce que j'éprouve pour lui.

— C'est à ton sujet que tu te poses des questions ?

— Oui. Et je m'en pose beaucoup.

— Tu te demandes si tu as le feu au cul ou si c'est sérieux ?

— On peut le résumer comme ça.

Nous échangeons un regard. Elle sourit :

— Et là, jeune fille, tu te demandes si ta vieille tante sait ce que c'est que d'avoir le feu au cul.

Je n'ose pas la regarder. Je n'ose même pas entendre.

— Ça m'est arrivé une seule fois, mais j'étais plus âgée que toi. Un voyage d'affaires, un type beau comme un dieu qui m'a fait un effet pas possible. On ne s'est jamais revus et je t'épargne les détails parce que je me souviens très bien du dégoût que j'éprouvais lorsque j'entendais les « vieux » parler de turpitudes qui me paraissaient réservées aux jeunes. C'est de l'histoire ancienne pour moi. La prochaine fois que j'aurai le feu au cul, ce sera au crématorium.

Silence. De l'autre bout du jardin, Flocon la regarde avec des yeux ronds. Je crois qu'il a entendu et qu'il a compris. Parfois, les chats me font peur.

— Marc le sait ?

— C'était avant lui, mais j'ai fini par lui raconter. Lorsque j'ai rencontré Marc, j'avais déjà connu pas mal d'autres hommes et, crois-moi, je me suis posé des tonnes de questions. Comme toi, comme nous toutes. C'est sans doute notre lot. Mais en rencontrant Marc, je n'en étais plus à me demander avec qui j'allais construire le « bonheur idéal d'une vie de couple ». Je cherchais quelqu'un avec qui il était seulement possible de cohabiter. Le désespoir t'enseigne le pragmatisme. Je crois qu'il en était au même point que moi. Il s'est montré gentil. On a démarré ce qui promettait de devenir une jolie amitié avec quelques folies physiques de temps en temps, et puis on s'est fait surprendre tous les deux. Peut-être parce que nous n'attendions plus rien, nous avons du coup tout apprécié, et aujourd'hui je suis plus heureuse avec lui que si j'avais épousé tous les mecs sur lesquels j'ai fantasmé.

— Comment sait-on que l'on est amoureuse ?

— Si j'avais la réponse… On le sent, on le sait. Je t'ai toujours connue en train de t'interroger, d'observer, de douter. Ton père et toi êtes bien faits dans le même bois sur ce point-là. Vous vous posez toujours des questions. Moi aussi, je crois. On doute de tout. C'est peut-être la peur. Je ne suis pas la mieux placée pour te donner des leçons, mais je suis au moins certaine d'une chose : lorsque j'ai été amoureuse, c'est bien la seule fois dans ma vie où je n'ai pas eu de doute. Pourquoi tu ne dis pas à ce garçon ce que tu ressens pour lui ?

— C'est compliqué. Léa l'aime aussi.

— Ma pauvre. Pas facile comme situation. Et lui ?

— Il a un faible pour elle.

— Tu dois en être certaine. Nos émotions sont le trésor que cette vie nous offre. Protège tes sentiments, si possible sans abîmer ceux des autres.

— C'est pour ça que je me demande si je l'aime vraiment ou si, comme toutes les filles, je ne suis attirée que par un beau gosse. Quelle est la différence entre une attirance physique et le véritable amour ?

— Camille, on couche parce qu'on a envie. On aime parce qu'on n'a pas le choix.

43

Mme Holm n'est pas encore arrivée. Théo poursuit Inès à travers la classe en brandissant la boîte crânienne empruntée sur le bureau. Il fait claquer la mâchoire, en sifflant d'une voix horrible :

— Inès, Inès ! Je suis la tête du pendu avec le gros kiki. À chaque orage, je vais venir te hanter ! J'habite dans tes petites culottes !

Antoine hurle :

— C'est une contrepèterie !

Inès est très énervée :

— Arrête ! Arrête ! Je crois pas aux fantômes !

— Mais tu crois aux gros kikis, j'espère ? Parce que…

La prof entre et Inès s'écrie :

— Madame, madame ! Y a Théo qui fait claquer des dents à la tête de mort pour me faire peur !

La prof blêmit :

— Mais quel âge avez-vous ?

On commence le cours. Mme Holm nous parle aujourd'hui des différentes parties du cerveau – cortex, cervelet et autre lobes –, ainsi que des connexions avec le système nerveux. Elle parle vite, dessine des schémas au tableau, enchaîne les informations. Elle nous montre sur la tête de mort en plastique où sont situées les différentes zones.

Quand elle a terminé son énumération, elle repose le crâne sur son bureau carrelé et marque une pause. Cette rupture de rythme est inhabituelle. D'ordinaire, les profs marquent un temps parce qu'ils s'étranglent ou parce que nous faisons trop de bruit, mais là ce n'est pas le cas. Mme Holm semble soudain préoccupée, comme en interrogation vis-à-vis d'elle-même. Lorsqu'elle relève son visage vers nous, son expression est différente et sa voix a changé.

— Je voudrais profiter de notre sujet d'étude pour vous parler de quelque chose qui n'est pas au programme, mais qui pourrait vous être utile. Vous avez peut-être déjà entendu parler de gens qui, suite à un accident ou un traumatisme, développent des aptitudes exceptionnelles dans certains domaines. Les médias avaient beaucoup parlé de cet Américain qui, après un accident de moto, s'était mis à jouer du piano comme un virtuose alors qu'il n'avait jamais touché un clavier de sa vie. On connaît aussi les cas de certains autistes qui manipulent mentalement des nombres ou effectuent des opérations que même les plus grands savants ont du mal à traiter avec leur calculatrice. Vous savez que les aveugles développent une ouïe surpuissante par rapport à la nôtre. Même si l'on sait qu'à différentes zones du cerveau correspondent différentes fonctions, nos connaissances sont sans cesse remises en cause par ce que nous découvrons tous les jours. Seule certitude aujourd'hui : notre cerveau se reconfigure en permanence pour s'adapter à ce que nous devons accomplir et surmonter, aussi bien matériellement que psychiquement. Après des accidents, certains patients se sont révélés capables de résoudre des problèmes et des énigmes logiques qui étaient hors de leur portée avant. La façon dont notre cerveau, notre esprit, nous permet de dépasser les épreuves est fascinante. Même les pires traumas peuvent lui permettre de progresser. Il y a d'excellents articles sur ce sujet dans des publications scientifiques disponibles au CDI. Je vous parle de cela sans doute maladroitement car il n'est pas courant pour nous de sortir du rail des cours et des programmes, mais ce que je souhaite vous dire, c'est que ce dont nous parlons ici vous concerne. Mes cours ne sont pas uniquement une masse d'informations dont vous seriez seulement spectateurs. L'étude de notre corps ne vous permet pas uniquement d'obtenir des notes et un examen. Cela permet aussi de mieux comprendre ce que nous vivons, et c'est particulièrement nécessaire pour vous en ce moment. C'est de vous qu'il est question, de vos structures, de votre vie. Même si vous n'avez pas subi de maladie, l'une de vos camarades est en train d'en affronter une. Ceux qui la côtoient l'ont peut-être constaté, son esprit évolue. Elle réorganise ses priorités pour affronter ce qui lui est imposé. Je ne considère pas Léa comme un sujet d'étude, certainement pas. Mais le fait est que vous aussi, chacun à la mesure de votre implication, vous affrontez le coup du sort qui la frappe. Et cela change votre façon de penser. Cela modifie votre vision du monde et de la vie. Votre cerveau intègre son histoire pour en tenir compte dans tous vos raisonnements. Vous êtes peut-être moins insouciants, plus conscients des limites de la vie et de sa fragilité. Chacun trouvera les exemples qui lui correspondent en réfléchissant à ce que cette situation a changé. N'oubliez pas que vos jeunes esprits sont encore en formation, en découverte. Chaque jour, votre cerveau – même le tien, Théo – fabrique des neurones et organise des connexions en fonction de ce qu'il expérimente ou reçoit comme informations. Ne sous-estimez pas la puissance du formidable outil qui se cache sous vos cheveux. Vous allez vous adapter à ce qui arrive. Vous le devez. C'est pour cela que notre espèce a survécu depuis des millénaires en se développant bien plus que n'importe quel animal sur cette planète. Le simple fait de pouvoir se parler aujourd'hui, ici, de ce sujet, est un fabuleux exploit lentement préparé de génération en génération, à force d'adaptation, face à l'adversité. Que vous puissiez aujourd'hui ressentir tout ce que vous vivez d'affectueux et de dingue entre vous est le résultat de cette progression accomplie au fil des époques. Je ne sais pas si j'ai été très claire. Mais je tenais à vous le dire. Il risque de nous falloir du courage pour affronter le futur, et je ne parle pas du bac blanc qui vous attend la semaine prochaine. Je suis avec vous.

44

— Il y a encore deux ans, mon cœur battait entre 80 et 100 fois par minute. Maintenant, il est à moins de 50. Je me fais l'effet d'une vieille pendule dont le balancier ralentit tous les jours.

— Ça reviendra.

— Je suis officiellement sur une liste d'attente pour une greffe. Tiens-toi bien : il y a des coefficients de priorité. Tu imagines ? On m'a parlé de petits qui sont dans des cas bien plus désespérés que le mien... Jour après jour, on les maintient en vie en espérant que le lendemain un organe arrivera enfin. Un calvaire pour ces petits bouts et leurs familles. Forcément, il y en a pour faire du fric là-dessus. Ceux-là, il faudrait les tuer. C'est horrible. Dans ma catégorie, on n'est pas nombreux à attendre. J'ai compris qu'il y avait une Espagnole, un Anglais, un Italien et un autre Français. Une vision de l'Europe particulière... Mais comme il n'y a presque aucun donneur, finalement, on se retrouve dans la même panique.

— Accroche-toi. Ça va aller. Regarde, c'est déjà un vrai progrès d'être revenue chez toi.

Les parents de Léa ont fait tout leur possible pour

ne pas dénaturer sa chambre, mais la pièce ressemble maintenant à la base secrète d'un super-héros. Autour du lit déplacé au milieu s'alignent des appareils remplis d'écrans, de boutons, de voyants et de cartes qui enregistrent tout. Les peluches se sont réfugiées au sommet de l'armoire, sa commode avec ses miniatures de parfums est reléguée dans l'angle.

Elle contemple son décor.

— J'ai cru que je ne reviendrais jamais.

— Tu es folle.

Sa maladie a vraiment quelque chose de paradoxal. Quand on la voit étendue ou assise, elle semble en parfaite santé, avec une bonne mine. Ses gestes sont normaux et on se dit que si elle veut, elle peut se lever et courir comme n'importe qui de son âge. Mais dès qu'elle fait le moindre effort, son cœur ne suit pas et elle s'essouffle comme un jouet dont les piles arriveraient en fin de course. Du coup, Léa est obligée de quantifier très précisément toutes ses dépenses physiques. Il y a quelques mois, elle faisait encore du vélo. Voilà quelques semaines, on marchait encore jusqu'à la colline. J'espère que cette saleté va se stabiliser parce qu'à la vitesse où ça va, elle n'aura même plus droit à ses quatre heures d'activités « normales » par jour. Elle se lève de son lit :

— Tu sais de quoi j'ai envie ?

— D'une glace avec des morceaux de caramel ?

— Même pas. Je veux descendre au sous-sol et chanter à tue-tête.

— Est-ce bien raisonnable ?

— Je m'en fous, ça fait trop longtemps.

Sans aller jusqu'à dire qu'elle dévale l'escalier, je la trouve en forme. Nous voilà en bas, aussi contentes d'y être qu'à chaque fois. Je l'oblige à s'asseoir pendant que j'installe le matériel comme je l'ai vue le faire tant de fois. Je choisis le morceau :

— « You're Nobody… » ?

— Parfait.

Son regard pétille. Aux premiers accords de piano, elle commence. Elle se lève et je la regarde. Sa voix est immédiatement en place, mélodieuse, avec son joli grain. Le souffle n'est pas aussi puissant que d'habitude, mais son timbre est si beau. Dans cette cave sans fenêtre, on se croirait dans un studio d'enregistrement, moi aux manettes et elle qui donne naissance en direct à l'un des plus beaux albums de l'année.

Discrètement, je baisse le volume de la chaîne pour que la musique ne prenne pas le dessus sur sa voix plus faible que d'ordinaire. Elle a vraiment un don. Derrière elle, la rampe de spots l'éclaire à contre-jour. Elle ressemble à une star. Pas tant à cause de son image que par ce qu'elle dégage. Elle a cette capacité à vivre les émotions et à les faire passer. Léa, c'est une machine à ressentir. C'est sans doute ce qui nous rapproche autant. À travers elle, les mots prennent leur sens. Les paroles pourraient être d'elle. Elle parle d'aimer, d'être aimée. Elle dit que seul l'amour que les autres nous portent nous donne notre valeur. Peu importe la langue, peu importe la culture, c'est vrai dans tous les pays du monde. Dans toutes les vies. Ces mots simples trouvent un écho incroyable en moi. Sa voix m'imprègne d'une vérité profonde. Pas une citation, pas une maxime ou un aphorisme, mais un sentiment. Seules les grandes chansons magnifiquement interprétées produisent cet effet-là. Je trouve injuste qu'une personne comme Léa puisse risquer sa vie à cause de son cœur alors qu'elle en a tellement.

Le crescendo de la chanson l'oblige à monter. Elle force. Je sens bien qu'elle souffre, mais je ne veux pas me mettre à chanter avec elle comme on le fait parfois. Elle se dirait que je m'en mêle parce qu'elle ne fait pas le poids et ça lui ferait encore plus mal. Je dois la laisser courir son galop, seule, libre, dans le champ des notes et des émotions. Le morceau n'a beau durer que trois minutes, il finit par paraître long comme une épreuve. Léa donne tout ce qu'elle peut et parvient à terminer même si sa voix se perd. Je n'arrive pas me résoudre à être sa seule spectatrice. Je trouve que son talent devrait être partagé. Il faut que ses proches l'entendent. Je devrais peut-être l'enregistrer avant qu'elle ne puisse plus chanter. À peine cette pensée formulée, je la rejette violemment. Elle me choque. Je me fais l'effet de ces gens qui prennent des tas de photos de leur grand-mère parce qu'ils se disent qu'ils la voient peut-être pour la dernière fois. C'est un vol à l'arraché, une profanation de l'espoir. Il faut croire au futur. Il faut se battre.

Léa glisse dans son fauteuil.

— Alors ? J'ai pas trop perdu.

— Ce que tu as la chance d'avoir ne se perd jamais.

Elle sourit et change de sujet :

— J'ai trop soif. On remonte ?

En débouchant de l'escalier de la cave, je tombe nez à nez avec un homme, et j'ai un vrai mouvement de recul.

— Tu vas finir par me convaincre que je suis vraiment monstrueux…

Il me faut quelques instants pour le resituer tellement je trouve sa présence ici incongrue : M. Rossi se tient dans le couloir avec la mère de Léa. Ma question sort malgré moi :

— Qu'est-ce que vous faites là ?

Élodie répond :

— Monsieur Rossi est venu planifier les présences de Léa au lycée.

— Elle va revenir ?

— On l'espère. D'abord quelques jours, de temps en temps.

Léa remonte à son tour. M. Rossi lui tend la main.

— Bonsoir, Léa.

— Bonsoir, monsieur. Ça fait plaisir de vous voir !

— Merci. La réciproque est vraie. J'allais partir. Je pensais que tu te reposais. Je suis heureux de voir que ta complice est là et que vous vous amusez.

Élodie intervient :

— J'espère que vous ne vous êtes pas épuisées à la cave. Dans un quart d'heure, on fait ton point mesure.

M. Rossi plaisante :

— Même loin du lycée, tu n'échappes pas aux évaluations…

Léa a un petit rire nerveux. Je consulte ma montre :

— Il est tard, je dois rentrer. Maman doit déjà m'attendre.

— J'y vais aussi, déclare M. Rossi. Si tu veux, je te dépose.

45

C'est la première fois que je monte dans la voiture d'un prof. C'est aussi la première fois que je vois un de mes enseignants faire autre chose que parler devant un tableau. Il n'explique rien, il ne présente rien. On se contente de fonctionner autour de petites choses insignifiantes, comme si on était des proches. Il me tient la porte, je m'excuse de lui passer devant, on admire le ciel couchant d'un beau rouge, il vérifie que j'ai attaché ma ceinture. Mon père fait cela. Tous les pères doivent le faire. Quand M. Rossi a démarré, la radio s'est tout de suite mise en marche sur une station de variétés. Il s'est dépêché d'éteindre, mais j'ai eu le temps de reconnaître. Je serais curieuse de savoir s'il lui arrive de chanter sur les chansons qu'il aime, comme nous.

Sa voiture est petite mais impeccable. Pas vraiment une familiale. Une raquette de tennis traînait sur la place du passager, qu'il a mise derrière pour que je puisse m'asseoir. Il y a des cartons de livres sur la banquette. Pas de désodorisant, pas de paquet de chips éventré, pas d'autocollant ridicule à l'arrière. Fonctionnelle et sans aucun élément qui pourrait permettre d'en savoir trop sur lui.

Il conduit comme il parle, doucement mais avec précision, en entretenant la conversation :

— Si Léa revient au lycée, je pense que pour elle, l'effet sera bénéfique malgré la fatigue que cela engendrera.

— C'est certain. Mais il faudrait faire gaffe – enfin je veux dire attention – à ce qu'elle ne nous refasse pas une crise comme la dernière fois.

— Il faudra aussi faire « gaffe » à vous. C'est pour cela qu'on essaye de planifier. M. Tonnerieux et les collègues sont d'accord pour qu'elle revienne, mais pas à l'improviste. Il va falloir vous gérer.

— Vous pourriez l'empêcher de revenir ?

— D'un point de vue scolaire, son année est fichue et elle va certainement être obligée de redoubler. Alors on pense à vous et à l'effet que sa présence irrégulière provoque sur votre préparation à l'examen. À l'extrémité du boulevard, je tourne à gauche, c'est ça ?

— On peut couper par la rue, tout de suite au feu.

Il met son clignotant. J'ose demander :

— Vous croyez qu'elle va s'en sortir ?

— Tu veux dire guérir ?

— Survivre, au moins.

C'est la première fois que je pose la question frontalement. Tous les adultes à qui je pourrais le demander sont trop impliqués affectivement et l'interrogation à elle seule évoque le pire.

— Je ne suis pas qualifié pour répondre. Je l'espère.

— Mais en vous, perso, vous avez bien un avis. Comment le sentez-vous ?

— Je comprends ton envie de te rassurer – même auprès de quelqu'un d'aussi monstrueux que moi ! – mais je ne veux te donner ni faux espoir, ni frayeur inutile.

— Vous n'avez jamais peur ?

Il me jette un coup d'œil surpris :

— Jamais peur ? Tu plaisantes ? J'ai tout le temps peur. Et je peux t'assurer que c'est pour tout le monde pareil, sauf pour les crétins – et encore.

Je le fixe, stupéfaite. Derrière son profil, les lumières de la ville défilent en scintillant.

— Mais vous avez l'air si sûr de vous... Vous ne vous trompez jamais de mot, vous avez toujours les réponses justes. On ne perçoit aucun doute...

— Lorsque j'enseigne, je parle de choses que je pratique depuis des années, que d'autres avant vous ont remises en cause et auxquelles j'ai réfléchi. Et puis on parle de théories économiques. On brasse des chiffres, des idées, on va d'un point du globe à un autre en une phrase. Ce n'est pas la réalité. La vie n'a rien de théorique. Si, dans un exercice d'économie, tu te trompes sur le résultat, tu auras tout au plus quelques points en moins. Dans la vie, ça peut faire des morts.

— Au prochain stop, il faudra tourner à droite et on sera dans ma rue.

Le fait de découvrir que M. Rossi a peur et l'entendre l'avouer avec un tel naturel me chamboule.

— Vous croyez vraiment que tous les adultes ont peur ?

— Bien sûr.

— Mais Mme Serben, par exemple, elle ne peut pas avoir peur.

— Dominique ? Je vais te confier un secret : quand elle était jeune enseignante, elle vomissait pratiquement avant chacun de ses cours. Elle avait la trouille des élèves. Peur d'être jugée, sur son physique, sur tout. Peur de ne pas arriver à leur apprendre.

— On la rend malade ?

— Pas vous. C'est elle qui se rend malade. Parce qu'elle n'a pas confiance en elle. Ce n'est heureusement plus aussi vrai maintenant. La moitié des profs ont le ventre noué, mais leur envie de faire leur métier est encore plus forte que leur trouille, au moins pour ceux qui ont la vocation, alors ils se jettent quand même dans la fosse aux lions.

Qu'il emploie cette expression me secoue. On se dit exactement la même chose lorsque l'on doit se rendre en salle des profs. Il perçoit mon trouble :

— Tu sembles étonnée ?

J'élude, en lui désignant ma grille :

— On est arrivés. C'est là.

Il s'arrête :

— Tu sais, Camille, quoi que nous réserve l'avenir, vous allez non seulement être obligés d'apprendre vos leçons pour l'examen, mais vous allez en plus être obligés d'apprendre la vie. J'espère sincèrement que l'épreuve ne viendra pas, mais la jolie bulle d'innocence qui vous entoure risque de voler en éclats.

Ses mots me remuent jusqu'au plus profond de moi. Je les comprends parfaitement. Au moment de descendre, je ne sais pas si je dois lui tendre la main ou simplement le remercier et sortir. Mais j'ai encore une question :

— Monsieur Rossi ?

— Oui.

— Qu'est-ce qui vous fait le plus peur dans la vie ?

— Je n'ai peur que de deux choses, Camille : de ce qui menace Léa et de ce qui risque de vous arriver. Tout le reste n'est que péripéties.

— Qu'est-ce qui menace Léa ? Qu'est-ce qui risque de nous arriver ?

— Mourir et perdre espoir.

46

Si vous voulez un témoin fiable de la belle saison qui s'installe, il suffit d'observer la façon dont Vanessa s'habille. Ça vaut toutes les grenouilles et les dictons populaires : « Vanessa cache son cou, l'hiver encore sur nous. Vanessa montre son popotin, le printemps n'est plus loin ! » Ce matin, la belle a basculé de sa garde-robe « mi-saison-pouvant-réserver-des-surprises » à celle de « devinez-mon-superbe-corps-à-travers-mes-vêtements-tendance ». Il est vrai qu'elle est vraiment jolie et cela n'échappe à aucun garçon. Un rayon de soleil là-dessus, et ce sont encore les canards qui vont trinquer. C'est des trucs à ce que leurs pattes ne touchent même plus le sol. Pauvres bêtes.

Dans la classe, l'ambiance est bonne. Depuis que ceux qui veulent voir Léa peuvent lui rendre visite, tout le monde accepte mieux son absence au lycée. On lui copie ses cours, on parle d'elle, et même les dames de la cantine demandent de ses nouvelles. Elle est avec nous. On dirait simplement qu'elle est en voyage.

La journée s'annonçait normale jusqu'au cours de physique. À quelques minutes de la fin, M. Tonnerieux a débarqué.

— Je viens vous annoncer qu'en accord avec les parents de Léa et ses médecins, elle sera présente tous les jeudis et vendredis. Nous vous demandons la plus grande vigilance à son égard.

Soupir bruyant venu du fond de la classe.

— Un problème ? demande M. Alvares, le prof.

Tous les regards sont braqués sur l'auteur de cette réaction excédée : Dorian. M. Tonnerieux ne laisse pas passer :

— Le retour de votre camarade ne vous fait pas plaisir, monsieur Flaneck ?

Grosse pression. Même Laura semble gênée. Il a quand même le culot de répondre :

— Je suis navré de ce qui arrive à Léa, mais est-ce qu'on est obligés d'en parler tout le temps et de tout organiser en fonction d'elle ? La vie continue et ses histoires de santé nous perturbent déjà assez comme ça. On dirait que plus rien d'autre n'existe…

Quelle enflure ! Le jour où je vais lui balancer ma main dans la tronche approche à grands pas. Il se pourrait même que ce soit aujourd'hui. L'indignation de la classe est perceptible. Dorian n'avait la sympathie de personne, mais il vient de réussir l'exploit de se mettre tout le monde à dos.

M. Tonnerieux prend son temps pour répondre :

— Mon garçon, vous êtes scolarisé dans l'établissement que je dirige, et malgré la très haute opinion que vous avez de vous-même, ne vous en déplaise, c'est moi qui, avec l'équipe, fixe les règles. Je ne vais même pas essayer de vous expliquer ce que votre remarque a d'inacceptable. Si vous n'êtes pas satisfait de nos décisions, vous vous plaindrez à vos parents, qui me demanderont un rendez-vous. Ils me feront peut-être même un procès, comme ils l'ont fait à l'établissement précédent qui vous a d'ailleurs renvoyé, raison pour laquelle vous êtes ici. Il est aussi dans nos attributions d'accueillir ceux qui ont des problèmes. Vous en faites partie. Mais à la différence de Léa, vous êtes seul responsable.

La sonnerie met un terme à la charge. M. Tonnerieux repart. M. Alvares nous énonce la liste des exercices à faire et tout le monde remballe ses affaires. Cette fois, je ne vais pas me retenir d'aller dire à cet enfoiré de Dorian ma façon de penser. En grand courageux, il doit bien sentir que nous sommes nombreux à être furieux. Il ne demande pas son reste et file en vitesse.

Dans le couloir, alors que le flot se dirige vers le grand hall pour la récréation, j'aperçois Louis, Axel et Léo en grande conversation avec Dorian. En m'approchant, je me rends compte qu'en fait ils l'ont collé au mur et sont en train de lui dire ses quatre vérités. Je reste à quelques pas et j'observe. Louis est très énervé.

— Tu nous prends pour des niais, des naïfs. Tu méprises. Tu juges. Tu te la pètes. Mais qu'est-ce que tu vaux ? Qui es-tu pour te croire supérieur ? Ça fait trop longtemps que ça dure. Je vais t'expliquer un truc que même un connard comme toi devrait pouvoir comprendre : il existe deux sortes de gentils dans la vie, ceux qui le sont parce qu'ils n'ont pas les moyens d'être méchants, et ceux qui le sont parce qu'ils le décident. Tu crois que parce qu'on est sympas on n'est pas capables de te défoncer la tête ? Tu veux vraiment faire le test ? Quand on est gaulé comme toi, quand on se comporte comme tu le fais avec tout le monde, soit on est très costaud et génial, soit on est très con.

Tu te crois plus fort parce que personne ne t'a jamais flanqué de raclée ? Laisse-moi te confier un secret, Flaneck : tu te trompes. Tu ne t'es jamais pris de raclée parce que les gens que tu croises sont tous plus gentils et valent bien mieux que toi. Aujourd'hui, tu es allé trop loin et, cette fois, tu vas le sentir passer.

Dorian est dos au mur, au propre comme au figuré. Il n'ose pas regarder Louis en face alors que d'habitude il s'amuse à soutenir le regard de n'importe qui juste pour remporter de pathétiques petites victoires quand l'autre baisse les yeux.

Un ami de mon père dit qu'il faut écraser les cafards lorsqu'ils sont jeunes parce que après, ils grandissent et, quand on marche dessus, on s'en met plein les chaussettes.

Comme moi, Léo a vu le poing de Louis se fermer. Il le retient.

— Calme-toi, grand, il n'en vaut pas la peine.

Axel s'en mêle :

— Ne lui pète pas sa gueule de petit crevard, Louis. Mais on ne va pas le laisser s'en sortir pour autant…

Axel se place devant Dorian, au ras de sa figure.

— Alors, quel effet ça te fait ? Tu le sens bien, le danger ? On va passer un marché, Flaneck. On va te donner une petite leçon pour t'apprendre à fermer ta gueule. À défaut de pouvoir t'enseigner le respect, on va t'apprendre la trouille. Et je te préviens, si jamais tu te plains, à qui que ce soit, si jamais tu nous accuses de quoi que ce soit, je te le jure les yeux dans les yeux, tu ne t'en sortiras pas sur tes deux jambes et il y aura cinquante témoins pour certifier que nous étions ailleurs. De toute façon, tu n'auras plus ta langue de pute pour baver. Si tu m'as compris, hoche la tête.

Dorian s'empresse de s'exécuter. Il essaie quand même d'argumenter :

— Déconnez pas, les gars…

— Les gars ? réagit Louis. On est potes maintenant ? On n'est plus les « pauvres ploucs » qui font tache dans ton monde avec nos problèmes vulgaires, nos « solidarités d'enfants de chœur » et nos petites vies ?

— Je veux bien admettre que j'y suis peut-être allé un peu fort. Pardon.

Les trois garçons se regardent, hilares. Léo ironise :

— Vous entendez ça, les mecs ? Dorian Flaneck « veut bien admettre » et demande pardon. J'hallucine ! Tu vas nous répéter ça, on va le filmer et on le mettra en ligne.

Dorian semble presque soulagé, mais Léo douche ses espoirs :

— Tu rigoles, mon pote ? Tu ne vas pas t'en tirer aussi facilement. À peine arrivé au bout du couloir, tu te seras convaincu que tu as encore eu le dessus en nous roulant dans la farine. Alors non. On va te donner une leçon que tu n'es pas près d'oublier. Messieurs, je lance un appel à projet punitif. Quelqu'un a une idée ?

47

Tout est allé très vite. Axel, Louis et Léo m'ont vraiment fait peur. Ils étaient dans un tel état que je ne les reconnaissais pas. Le plus effrayant, c'est le calme glacial avec lequel ils ont agi. Désormais, je comprends ce que Louis explique sur la différence entre les gentils qui n'ont pas les moyens d'être méchants et ceux qui en ont largement le pouvoir mais qui évitent au maximum. Je pensais bien connaître les trois garçons, mais j'ai découvert une facette d'eux que je n'aurais jamais soupçonnée. Rien n'est plus impressionnant que la colère sincère de gens adorables.

Ils ont traîné Dorian jusque dans les toilettes. Une vraie poupée de chiffon. Je les ai suivis parce que je craignais qu'ils ne le massacrent. Je n'ai pas tout vu, mais j'ai entendu. L'autre imbécile avait tellement peur qu'il ne s'est même pas débattu. Il n'a pas crié. Pas le moindre soupçon de panache dans la débâcle. De toute façon, que pouvait-il faire ? Je le sais depuis longtemps, ce sont les plus convaincus qui l'emportent et, en l'occurrence, ce sont aussi les plus balèzes. Face à eux, Dorian n'avait aucune chance. Il a dû voir sa vie défiler devant ses yeux. Il a brutalement basculé d'un monde dont il pensait être l'un des maîtres, à une réalité qui a dû piétiner beaucoup de ses certitudes. Axel, Louis et Léo étaient décidés, précis, complices et redoutablement efficaces.

Ils ont tellement bien réussi leur coup qu'il n'y a eu aucun témoin. Personne ne peut dire comment Dorian s'est retrouvé au milieu du grand hall, attaché sur une chaise, en caleçon, à l'heure où tout le monde afflue pour la cantine. Sur son torse et son dos nu, il est écrit au marqueur :

« Prosternez-vous ! J'ai tout vu, tout compris et tout réussi. Je vous suis supérieur, même en calecif ! Aucune fille ne peut me résister, et même les garçons ont le droit de craquer. Je suis Dorian Flaneck et quand je serai devenu Dieu, vous pourrez dire que vous avez eu la chance de me rencontrer en vrai. »

Tout le monde rigole, et quand je dis « tout le monde », je pourrais aussi bien dire « la foule » parce qu'à cette heure-là, tout le lycée passe par ici. Les filles lui tournent autour pour lire tout le texte en le prononçant à haute voix. Elles se moquent de lui et de son pauvre caleçon bariolé. Les mecs ne lui tournent pas autour – c'est bien connu, les garçons ne lisent pas – et se contentent d'un sourire narquois. Beaucoup font des photos et des vidéos qui vont se retrouver sur le Net dans quelques minutes. J'ai photographié la scène pour montrer à Léa. Dorian ne pourra jamais se débarrasser de ces centaines de clichés qui vont se propager comme la gale. Cette histoire le poursuivra longtemps, peut-être toute sa vie. Moi qui me demande toujours ce que pensent ou ressentent les gens, je me fiche éperdument de ce qu'éprouve Dorian. Il a humilié, blessé, vexé et fait pleurer tellement de monde, tellement souvent, que c'est bien son tour. J'ai d'ailleurs toujours envie d'aller lui en coller une.

Tout le lycée défile devant l'attraction du jour, et chacun y va de son petit commentaire. Dorian devrait être content, son rêve se réalise : on ne parle que de lui. Il est devenu une vraie vedette ! Les surveillants sont occupés à la cantine et, à l'évidence, personne ne les a prévenus. Conformément aux instructions de Léo, notre classe déambule en ordre dispersé, « par hasard », pour admirer Dorian en se gardant de toute réaction qui pourrait nous trahir. Cerise sur le gâteau, on a même eu le droit au drame shakespearien lorsque Laura a découvert son « excellent ami » en si mauvaise posture. Elle s'est littéralement décomposée. Était-elle déçue de le découvrir doté d'une musculature si faiblarde, ou embêtée pour lui ? On ne le saura jamais.

Ça a été terrible. Elle a dû hésiter moins d'un dixième de seconde avant de décider de passer à côté de lui en faisant semblant de ne rien voir. Fabuleux exemple de loyauté. Merveilleuse grandeur d'âme alliée à une si touchante compassion… Il faut dire que les deux maîtrisent parfaitement l'art de ne pas voir les gens quand cela ne leur est pas utile. J'ignore si leur belle « amitié » survivra à ce lâchage en règle. Les deux en sortent grandis : souvent, la couardise est livrée à la même adresse que la bêtise et la méchanceté.

On aurait presque pu s'habituer au spectacle, mais c'était compter sans Tibor. Il a surgi comme un diable du couloir, courant comme un dératé, une paire de ciseaux à la main. Personne n'a eu le temps de l'arrêter et les seuls qui en auraient été capables se sont abstenus pour ne pas se démasquer. Je me suis tout de suite demandé ce qu'il comptait couper. Les liens de Dorian pour le libérer ? Impossible. Connaissant les principes de Tibor, il devait être fou de rage contre ce petit foireux après sa réaction au sujet de Léa. Lui couper les cheveux ? Pourquoi pas… Je suis impatiente d'admirer le résultat. Il s'entraîne peut-être pour tondre les chiens qu'il promène !

Tibor a fondu sur Dorian comme un condor sur une crevette décortiquée. Sans la moindre hésitation, il a sectionné les deux côtés de son caleçon, et il a tiré un coup sec par l'avant. Les filles ont fermé les yeux pour ne pas voir et les garçons ont fait une drôle de tête pour une autre raison. Mme Holm appelle cela « la compassion génitale », très répandue chez les mâles humains qui se crispent dès qu'ils voient l'un de leurs semblables, ou même un animal, se prendre un grand coup dans l'entrejambe. Il n'y a plus qu'à espérer que Tibor ne lui ait rien arraché en tirant comme un psychopathe. Sinon, il va falloir passer le hall au peigne fin pour retrouver la pièce manquante avant la tentative pour recoudre. Quoi que ce soit, ce n'est pas moi qui la mettrai dans la glace. De toute façon, avec de la chance, Inès aura marché dessus…

Dorian fait une tronche pas possible, mi-horrifiée, mi-joyeuse. On dirait un suricate lobotomisé devant le bouquet final d'un feu d'artifice. Dorian, tel le Penseur de Rodin, est maintenant à poil sur son séant. Tibor a disparu aussi vite qu'il était apparu, en brandissant son trophée multicolore comme un drapeau. Notre vie ne serait pas aussi belle sans lui.

L'après-midi, Dorian était absent. On ne sait même pas qui l'a libéré. Si les flics débarquent pour nous interroger, on a mis au point une version officielle : ce sont des jeunes extérieurs à l'établissement qui s'en sont pris à Dorian. Sans doute une terrible affaire de trafic de caleçon. Il paraît que certaines peuplades roumaines raffolent de ceux qui sont assez bariolés pour faire crever un caméléon et payent des fortunes pour en obtenir. L'histoire du trafic ne fait évidemment pas partie de la version officielle. On n'est pas complètement débiles non plus.

Pendant les cours qui suivent, certains se repassent les photos et on entend régulièrement des fous rires. Moi-même, j'ai eu les larmes aux yeux en voyant un cliché sur lequel on distingue Tibor, qui bouge tellement vite devant Dorian qu'il en est flou. En observant d'autres images, j'ai remarqué que juste sous le texte griffonné sur le corps de Dorian, Axel avait tracé un étrange symbole. Je me suis demandé pourquoi il avait fait ça et ce que cela signifiait. Un signe cabalistique ? La marque d'infamie d'une confrérie secrète dont Axel serait le chef ? En zoomant au maximum, j'ai fini par découvrir que ce petit dessin était en fait composé de deux lettres : « PL ». Ce ne sont ni les initiales d'Axel, ni celles de ses complices. Je n'ai pas arrêté d'y penser tout le reste de la journée. J'ai même cherché du côté des insultes et cela me semble la piste la plus probable.

Le soir, quand j'ai raconté ce qui s'était passé à Léa, elle était dégoûtée d'avoir manqué l'événement. Elle était aussi très touchée de la réaction des garçons face à l'affront dont elle a été victime. Je la comprends. Si quelqu'un avait réagi aussi spectaculairement pour me défendre, je serais super fière. J'en serais même reconnaissante à vie. Mais je ne sais pas si je suis le genre de fille pour laquelle on déchaîne sa violence en prenant autant de risques. Je ne sais même pas si quelqu'un me défendrait, même un peu.

Avec Léa, on a réfléchi sur le sens de ce « PL » mais nous n'avons pas percé le secret de l'énigme. Il a fallu que j'attende d'être à la maison, tard, seule, pour trouver. Mme Holm a raison : notre cerveau fait des merveilles. L'air de rien, il cherche pendant qu'on mène nos petites affaires et tout à coup, alors que l'on n'y pense plus, il vous livre la réponse. J'ai compris voilà seulement quelques instants, une fois prête à me coucher. Tout s'est éclairé dans mon esprit. C'est évident. Résultat : je n'ai plus du tout envie de fermer l'œil. « PL », ça veut dire « Pour Léa ». J'en suis certaine. Comme une offrande à celle qu'il aime, Axel lui a dédié sa vengeance.

Cette découverte me bouleverse. Elle indique sans l'ombre d'un doute ce qu'Axel ressent pour Léa. Tante Margot dirait que j'ai désormais ma réponse. Il est clair que je ne suis pas celle pour qui il aurait accompli cet acte. Je suis dévastée, mais qui puis-je blâmer ? Léa n'est pas coupable d'être ce qu'elle est, et je comprends Axel. Les drames sans responsable sont les pires de tous. Personne à qui en vouloir. La chance et la justice sont en dehors du coup. C'est ainsi, c'est tout. Un gouffre insondable, plus noir que la nuit, est en train de s'ouvrir en moi et de m'engloutir. Une douleur m'étreint la poitrine. Exactement comme ma meilleure amie. Nous sommes toutes les deux victimes de nos cœurs, qui devraient battre et nous faire vivre, mais qui nous font souffrir et peuvent nous tuer. Face à pareille vérité, il n'est plus question de se mentir. Et soudain tout change. Je suis perdue en moi-même et je flotte sans repère. Je perds pied. Mais quelque chose de plus fort que ma souffrance m'apparaît. Plus rassurant qu'une bouée dans un naufrage, plus doux qu'un abri dans la tempête. Si je ne peux combattre le sort, je vais l'aider. Ces deux lettres gribouillées sur la peau d'un abruti me poussent à prendre la décision la plus difficile de toute ma vie. Ma meilleure amie va peut-être mourir, mais avant, je jure de lui offrir la plus belle des histoires d'amour, même si c'est avec celui que j'ai toujours aimé.

48

Je profite d'un des rares moments où celle que je cherche est isolée pour l'aborder :

— Vanessa, je peux te poser une question personnelle ?

— Bien sûr, ma Camille.

Je lui enlace le bras pour ne pas qu'elle s'échappe.

— Qu'est-ce qui fait qu'un garçon tombe amoureux fou d'une fille ?

Son expression change radicalement. Elle était dans la configuration « relations-publiques-meilleures-copines » et je l'ai déstabilisée. Mon interrogation est trop directe. Elle jette un œil autour d'elle et me répond à voix basse :

— Autant me demander les numéros gagnants du loto pour la semaine prochaine. J'ai plus de chance d'arriver à te répondre…

— Je ne plaisante pas, Vanessa. J'ai vraiment besoin de savoir.

— Moi aussi, Camille, je suis super sérieuse. Si je savais, je te le dirais, mais franchement…

— Pourtant tous les garçons sont à tes pieds…

— Tu plaisantes ? Puisque tu veux parler sérieusement, on va parler sérieusement. Tu vois ça de ta place, mais la réalité est un peu différente…

— Tous les mecs qui te courent après, c'est quand même pas une illusion d'optique ?

— C'est un mirage en tout cas. Ils me trouvent jolie, ils aimeraient bien avoir une petite amie comme moi et batifoler avec, mais pour le reste, il n'y a pas grand-chose. C'est mon physique qui les attire, et ils ne voient pas plus loin. Je sais que toi tu n'es pas de ce genre-là, mais la plupart des filles sont jalouses de moi parce qu'elles me cataloguent comme une chasseuse de mecs. Je suis la concurrente qu'il faut à tout prix éliminer, sinon je vais leur piquer les mecs qu'elles veulent. C'est faux. Au maximum, j'essaie de gérer la demande, et crois-moi, ce n'est pas simple.

En moi-même, je me dis qu'elle fait quand même tout pour se mettre en valeur et que si les garçons lui courent après, elle en est quand même plutôt responsable. Il n'y a qu'à voir son petit chemisier qui lui fait une poitrine de surfeuse californienne…

— Je vais te confier un secret, Camille : les jolies filles attirent les crétins. J'ai payé pour l'apprendre. On les attire comme un aimant. On récupère ceux qui pensent sous la ceinture, ceux qui rêvent d'avoir une voiture de sport rouge et qui ne voient les femmes que comme les trophées de leur propre gloire. Ceux-là sont pour nous. Et il y en a plein ! J'en ai tellement bavé avec ça que j'ai même songé à m'enlaidir. Ne plus me laver les cheveux, me saper avec des fringues achetées au marché. Je te jure ! Mais au bout du compte, est-ce que tu renoncerais à réfléchir parce que ce monde est fait pour les tarés ? Est-ce que je dois me tirer une balle dans le pied et gâcher ce que tous les garçons hormonés remarquent, que je le veuille ou non ? M. Rossi a raison : on peut se considérer victime de ce que l'on est, ou apprendre à s'en servir. Alors pour le moment, j'essaie d'être jolie et je rigole à toutes les blagues idiotes que j'entends, mais ça ne me correspond pas vraiment. Et laisse-moi te dire autre chose : les hommes bien préfèrent les filles comme toi.

Stupéfaction.

— C'est quoi, une fille comme moi ?

— Tu veux la vérité ?

— Je t'en prie.

— Une fille qui n'est ni très jolie, ni très moche, ce qui laisse aux hommes le temps de remarquer ce qu'elles ont dans la tête et dans le cœur. Trop jolie : ils ne regardent que tes seins ou tes fesses. Trop moche : ils ne veulent rien regarder du tout et ils passent à la suivante. C'est horrible mais c'est la réalité.

— Mais tout le monde sait que tu es intelligente, et drôle !

— Ben voyons. On ne fait pas des magazines ou des calendriers pour les mecs avec de l'intelligence ou de l'humour… Si tu savais le nombre de types qui ont essayé de m'embrasser alors qu'ils ne connaissaient même pas mon prénom…

Je suis abasourdie. On croit toujours que notre propre situation est la pire. On est toujours convaincu d'être les plus malheureux, que les autres s'en sortent mieux. Je pensais la vie de Vanessa si facile… Quand on échange les points de vue, même si ça ne résout pas grand-chose, ça permet de relativiser. Vanessa reprend :

— T'es amoureuse d'un mec et tu voudrais qu'il te remarque ?

— Même pas. C'est pour une amie.

— Elle est dans ton genre ?

— Un peu plus jolie. Tu ne la connais pas... Elle n'est pas au lycée.

— Et lui ?

— Gentil. Pas sur la frime. Plus mûr que la moyenne. Beau garçon.

— D'autres filles lui tournent autour ?

— Quelques-unes, oui.

— Alors c'est mort. Il a déjà dû déclencher sa sélection.

— C'est pas trop le genre à « sélectionner ».

— Alors il est gay.

— Je ne crois pas.

— Camille, tu ne t'es jamais demandé pourquoi le capitaine de l'équipe de foot sort toujours avec la meneuse des pom-pom girls ?

— Je me pose pas mal de questions, je te promets, mais j'en suis pas encore arrivée à celle-là...

— Ils sortent ensemble parce qu'ils n'ont pas le choix. Le monde entier les pousse à ça. Tout les précipite l'un vers l'autre. Le plus costaud avec la plus jolie. Ils sont victimes de ce que les autres projettent sur eux. Le monde nous range dans des petites cases. Tu es jolie, tu es forcément une quiche. Tu as des lunettes, tu es une intellectuelle. Et rares sont ceux qui vont au-delà des apparences. Deux sportifs finiront en couple. Deux obsédés des sciences se rapprocheront inéluctablement...

— Elle est horrible ta vision !

— Peut-être, mais elle est réaliste. Regarde autour de toi. Pense à tes parents, à tes voisins, à ta famille.

Essaie de trouver un contre-exemple. Tu as déjà vu la copine de Louis ?

Je m'étrangle.

— Non.

— Comme lui, elle est métisse, comme lui elle est grande. Ils se sont connus en faisant du running en forêt. Et pourtant, crois-moi, j'ai fait tout ce que je pouvais pour lui montrer que je n'étais pas une gourde. J'aurais bien voulu...

Vanessa a des vues sur Louis ? Louis a une copine ? L'ordre de mon petit univers est dynamité. Vanessa enchaîne :

— J'ai appris une chose, Camille : ce sont les problèmes qui nous forgent et les peurs qui nous rapprochent. On fait sa vie avec ceux qui comprennent nos soucis. Moi, tout le monde pense que je n'ai pas de problème puisque, selon les critères de l'époque, je suis « au top ». Mon karma, c'est de finir avec un play-boy genre Benjamin, mais je ne veux pas. J'ai envie d'autre chose que de faire un couple de magazine avec un expert du gel dans les cheveux. Alors je me dis que je vais finir toute seule et que quand j'aurai vieilli, flétri, un mec me regardera peut-être pour autre chose que mes fesses.

— Ce que tu me dis me fait de la peine, Vanessa. Parce que je crois aussi que je vais finir toute seule et qu'au moins ça me faisait plaisir de penser que des filles comme toi pouvaient s'en sortir.

Elle m'enlace et colle son front contre le mien :

— Tu es une fille bien, Camille. Et les garçons qui valent le coup le sentent. Toi, tu ne seras jamais seule.

On tombe dans les bras l'une de l'autre. Alors que j'ai décidé de sacrifier mon seul amour à ma seule amie, ses mots me secouent. J'en ai marre d'être secouée, chamboulée, bouleversée. Je n'en peux plus. Je voudrais tout lui raconter, pleurer sur mon destin en espérant qu'elle pourra me comprendre, mais je me retiens. Elle a sa propre histoire à porter. L'essentiel, chacun sur nos chemins solitaires, est de croiser d'autres perdus de la vie et de se réchauffer quelques instants les uns contre les autres. En cinq minutes, avec Vanessa, j'en ai appris plus que pendant des années en lisant les conseils de psy dans les magazines. En attendant, je ne sais toujours pas comment faire pour convaincre Axel d'aller jusqu'au bout avec Léa.

49

Léa est au lycée aujourd'hui. En première heure, on était côte à côte mais dès la deuxième, prétextant un devoir à faire avec Marie, je me suis débrouillée pour qu'elle se retrouve avec Axel. Elle ne s'est pas fait prier.

M. Rossi semble très heureux de retrouver Léa parmi nous. Il virevolte, plaisante et fait preuve d'une énergie qu'on ne lui avait pas vue depuis longtemps.

Dorian est au dernier rang – lui à une extrémité et Laura à l'autre. Nous sommes tous fracassés de chagrin devant la fin d'une si touchante amitié. Snif. Cet immonde crapaud a tout de suite essayé de se trouver une nouvelle complice en la personne de Lana. Mais sa cote est au plus bas et elle l'a envoyé balader en lui jetant la dernière expression à la mode : « T'existes même pas dans mon monde. T'es un fractal quantique ! » Personne n'aime se faire traiter de fractal quantique, et hormis cette tentative brillamment foirée pour briser son isolement, notre cafard prend bien garde de ne pas se faire remarquer. De temps à autre, un des garçons lui adresse un petit signe « amical » avec un sourire de prédateur qui le pousse à se tasser encore plus sur lui-même. J'adore. C'est tellement beau un pignouf qui a peur.

Quelque chose a changé dans le comportement de Léa. Vis-à-vis de moi, je n'ai pas à m'en plaindre. Elle est chaleureuse et je crois que nous sommes encore plus proches. Mais vis-à-vis des autres, professeurs compris, elle n'est plus tout à fait la même. J'ai l'impression qu'elle dit ce qu'elle pense sans aucun filtre. Elle peut sortir des trucs incroyables. Elle n'est ni grossière, ni agressive, mais elle verbalise des choses que l'on se contente d'habitude de garder pour soi.

« Toi, t'as maigri et tu es rudement sexy. » Ça, c'était pour Manon. « Si vous attrapez ceux qui ont fait ça à Dorian, je leur offre mon assurance vie. Elle ne devrait pas tarder à être rentable… » Ça, c'était pour M. Tonnerieux. Elle est aussi allée voir le prof de sport, M. Taribaud, pour le remercier. Elle lui a offert une bouteille de grand vin : « Ça contient beaucoup plus que la seringue que vous m'avez injectée, mais ça ne vous sauvera pas forcément ! » Elle lui a fait une bise.

Vis-à-vis du bac et de ses cours, je la sens détachée. Elle n'apprend que ce qui l'amuse ou l'intéresse. La philo semble avoir gagné un véritable écho en elle et il lui arrive de discuter avec la prof, au point qu'on a l'impression qu'elles ne sont que toutes les deux dans la classe. Léa ne lui parle pas de textes ou de courants de pensée, mais lui pose des vraies questions sur la vie. Cela ne l'a pas empêchée de balancer ce qu'elle pensait de Freud : « un malade mental pervers et obsédé à qui des crétins désœuvrés ont offert une regrettable tribune ». Elle a aussi parlé de Ludwig Wittgenstein, dont elle a lu le *Tractatus logico-philosophicus* qu'elle a trouvé « approximatif et vain », exactement comme son auteur vingt ans après l'avoir écrit. Elle me bluffe. Elle tient des conversations qu'elle n'aurait jamais pu envisager voilà encore quelques mois. Elle est convaincue, sans compromis, et ce qui m'impressionne le plus, totalement libre. On ne s'ennuie pas. Tout semble exacerbé chez elle. Ses côtés positifs deviennent magnifiques et ses côtés négatifs se révèlent redoutables. Tout ce qui est matériel ne paraît plus l'atteindre. Elle ne fait qu'observer les gens et réagir. Seuls les sentiments, qu'ils soient sombres ou lumineux, l'intéressent. En y réfléchissant, j'ai déjà observé cela chez des personnes âgées. Ça ne me plaît pas de le dire, mais j'ai l'impression qu'elle met une distance entre ce qui se passe dans la bande et elle.

On ne la laisse jamais seule. On lui porte son sac. Malgré nos attentions, dès le milieu de la matinée, elle a le souffle court. Elle passe la récréation appuyée sur Axel, qui se fait un devoir de l'aider.

Le midi, parce qu'elle est là, le repas est une véritable fête. Dans le réfectoire, on n'entend que nous. Exceptionnellement, Axel est resté. C'est lui qui porte son plateau. Pour faire les imbéciles, les garçons déchaînés ont essayé de gober des yaourts et Tibor s'est étouffé en se fourrant six steaks hachés dans la bouche. On a pleuré de rire. Il est passé par toutes les couleurs de l'arc-en-ciel, jusqu'à ce que Léo lui retire de force ce qui lui obstruait la gorge. Un peu plus et on était bons pour appeler ses amis les pompiers, ou alors notre agent spécial pour lui faire une trachéotomie à l'aide du corps d'un stylo.

À deux rangées derrière nous, j'aperçois la petite sœur d'Eva et son séducteur accroché comme un poulpe à une palourde. Ils se tiennent la main. Il va falloir que j'en parle aux garçons. Ils devraient pouvoir lui flanquer la frousse.

À peine rétabli, Tibor s'exclame :

— Pour célébrer le retour de Léa, il faut qu'on fasse un truc dingue, une chose dont le monde se souviendra !

À ce stade, avec son regard d'allumé, il suffirait qu'il dise : « Je vais vous sauver ! » pour qu'on s'enfuie tous en hurlant dans une panique indescriptible. Ses yeux sont soudain traversés par ce petit éclair que nous connaissons bien et qui peut faire tant de dégâts. Il explique :

— J'ai lu qu'un type avait mangé un avion. Il a mis quatre ans, en le réduisant en poudre, pièce par pièce. Ça vous change une vie…

Ça doit aussi vous changer le tube digestif et le trou de balle. On sent qu'il est fasciné par son sujet. Le plus terrible, c'est que les autres garçons semblent l'être aussi. Tibor poursuit :

— Vous vous rendez compte ? Bouffer un avion ? C'est peut-être trop gros pour nous mais tous ensemble, on pourrait manger un vélo ! Trop classe. On entrerait dans l'histoire comme la bande de potes qui a clappé un VTT. Vous imaginez ?

C'est sûr, ça en jette sur une carte de visite : « Tibor Lanski, docteur en mathématiques, diplômé de Harvard, dévoreur de guidon et de patins de frein ». Ou alors « Léo Dervel, agent secret, nom de code : croque-pneus » et pourquoi pas « Axel Malet, plongeur-scaphandrier, réparateur d'ascenseurs, plus connu sous le nom de ronge-pignons ». Les garçons ont l'air vaguement fascinés et les filles les prennent pour des allumés. Léo propose :

— On pourrait aussi manger un flingue ?

Louis veut manger un ballon. C'est terrible. Comme si ce monde ne souffrait pas déjà assez de notre appétit déraisonnable. Ils vont finir par manger le bouchon de Flocon. Ils en sont à calculer ce qu'il faut ingurgiter comme poudre de ferraille par personne pour boulotter une voiture, le bureau d'un prof ou une bouche d'incendie. J'ai bien envie de leur proposer de manger la machine à laver en panne de la vieille, histoire d'inaugurer un nouveau type de recyclage. On va finir dans le livre des records, mais dans la section « gros tarés ». Après deux heures de palabres, les mecs en sont arrivés à la conclusion que, pour fêter le retour de Léa et faire quelque chose d'inoubliable, ils allaient bouffer une chaussette. C'est très impressionnant. Bien sûr, c'est moins gros qu'un avion et ça vole moins longtemps. Les garçons sont fiers comme ils savent l'être lorsqu'ils sont convaincus d'accomplir un exploit, surtout lorsque cela prend valeur de symbole aux yeux de l'univers tout entier, admiratif devant tant de noblesse. On parle quand même de bouffer une chaussette… Léa rigole jusqu'à s'étouffer, accrochée à Tibor qu'elle remercie de cette fabuleuse idée.

— Il faut que la chaussette soit neuve, commente Léo. Moi, je mange pas une chaussette déjà portée.

Relisez cette dernière phrase et vous saurez ce qui fait toute la supériorité de l'être humain.

Louis ajoute :

— Tant qu'à faire, on va prendre une chaussette taille 36, parce que si on prend une des miennes, ça fait huit pointures de plus à avaler.

Et nous voici arrivés, mesdames et messieurs, à l'exemple parfait d'un des mécanismes qui régissent notre monde : voilà comment d'une idée débile, les mecs se font un nouveau but dans la vie.

Au cours d'anglais de l'après-midi, je suis arrivée exprès dans les dernières pour voir si Léa se mettait avec Axel ou si elle m'attendait. À la porte de la salle, c'est sans doute puéril mais j'avais le cœur qui battait vite. J'ai franchi le seuil, à la fois pressée et angoissée de découvrir la réponse. Comme quand on ouvre une enveloppe avec des résultats qui comptent.

Je les ai trouvés installés tous les deux, Tibor et Léo juste derrière. Je me suis assise au fond, à côté d'Inès. J'éprouve un sentiment de détresse et de honte. De détresse parce que malgré tout ce que j'ai juré, j'aurais bien voulu que Léa m'attende. Je devrais être satisfaite, mon plan pour les rapprocher commence à fonctionner. Pourtant, bien qu'il se produise ce que j'espérais, je ne peux m'empêcher d'en souffrir. Relisez cette dernière phrase et vous saurez tout ce qui fait la fragilité de l'être humain.

En m'asseyant à côté d'Inès qui m'accueille d'un sourire sincère, j'ai honte parce que je passe mon temps à me moquer d'elle et pourtant, là, à cet instant précis, je lui suis infiniment reconnaissante de me laisser me réfugier auprès d'elle. Je pourrais en pleurer de gratitude. Le fait est quand même que lorsqu'elle écoute un cours, elle ouvre une bouche grande comme un panier de basket et que, bien que pétrie de bons sentiments à son égard, il est difficile de se retenir de ne pas jeter des choses dedans. Rien qu'un petit morceau de gomme, s'il vous plaît. À ma place, vous feriez exactement pareil.

50

— Léa est différente, tu ne trouves pas ?

C'est la première remarque de M. Rossi lors de notre point du lundi sur la classe. Marie et Antoine m'ont laissée y aller seule.

— Si on avait sa maladie, on changerait sûrement aussi. Elle dit qu'elle doit vivre chaque jour comme si c'était le dernier.

— Ce joli principe n'est pas sans risques. On peut effectivement vivre chaque jour comme si c'était le dernier, mais il faut se méfier : parfois, il y a un lendemain, et il faut alors assumer ce qu'on a fait la veille…

— Vous trouvez que Léa va trop loin ?

— Non, pas encore. Mais je ne voudrais pas que sa liberté de ton vous inspire trop. À vous, personne ne le pardonnerait.

— On dérape dans la classe ?

— Pas vraiment. Je dois même avouer que je vous trouve plus sérieux qu'avant. Même Dorian s'est calmé, mais je crois que vous savez pourquoi…

— Oui, on ne l'aime pas beaucoup… Mais honnêtement, cela ne veut pas dire qu'on approuve pour autant ce que lui ont fait ces petites racailles…

Je dois être rouge comme une tomate. Si M. Rossi me fixe encore quelques secondes comme il le fait, je vais prendre feu.

— « Honnêtement » ? répète-t-il.

— C'est vrai, ce n'est pas bien.

— Camille, est-ce que tu connais le Cluedo ? C'est un jeu de société auquel on jouait beaucoup quand j'étais jeune. Votre génération ne doit plus pratiquer ce genre d'activité, avec des pions, des cartes… Je pense qu'on aurait aussi préféré les jeux vidéo s'ils avaient existé, mais à l'époque, on s'éclairait à la bougie, on prenait un bain une fois par an dans la rivière et on ne sortait plus après la nuit tombée parce qu'on avait peur des esprits diaboliques.

Je dois faire une tête impossible parce qu'il précise :

— Je plaisante. Louis XVI avait déjà été guillotiné lorsque je suis né – deux semaines avant, je crois. Je suis même assez fier d'avoir possédé une des toutes premières télécommandes pour changer de chaîne. C'était une longue tige de bois qui me permettait d'appuyer sur les grosses touches de la télé noir et blanc depuis le fauteuil de mon père. En ce temps-là, le zapping ne prenait pas longtemps puisqu'il n'existait que deux chaînes…

Qu'est-ce qu'il raconte ? Il essaye de m'embrouiller l'esprit. Je vais me faire avoir. Il va me demander de jouer à ni « oui », ni « c'est Axel qui a déshabillé le crétin avant d'écrire dessus au marqueur ». Il va me dire bonjour, je vais répondre « bonjour » et puis il va me demander si je vais bien et là, comme une gourde de base, je vais lui répondre direct « c'est Axel qu'a écrit sur le pignouf », et on finira tous en taule.

— Pour en revenir au Cluedo, c'est un jeu où chaque joueur doit deviner qui a commis le meurtre, dans quelle pièce du manoir et avec quelle arme. Les solutions donnaient par exemple : c'est le colonel Moutarde, dans la bibliothèque, avec le chandelier.

— Je ne suis pas certaine de bien saisir…

— Tu vas vite comprendre. Pour ce qui est arrivé à Dorian, si on jouait, la réponse pourrait être : ce sont Axel, Louis et Léo, dans les toilettes, avec un marqueur et du gros scotch.

J'ai dû virer du rouge vif au blanc laiteux à la vitesse de la lumière. Ça me brûle les joues tellement c'est violent. Je suis le premier humain à passer le mur du son sous la peau. Il me regarde avec un étrange sourire :

— Est-ce que j'ai gagné ?

— Je ne sais pas. Vous avez dit qu'il fallait découvrir l'arme du crime, et vous n'avez pas parlé de la chaise…

— Au stade où nous en sommes, Camille, je ne veux plus que tu emploies le mot « honnêtement » s'il n'est pas approprié. On ne se voit pas pour se raconter des salades, ni pour jouer à la petite réunion qui donne bonne conscience à tout le monde. Marie et Antoine se débrouillent toujours pour ne pas être là et on se retrouve tous les deux. Je l'accepte sans être dupe. Tu es en première ligne vis-à-vis de Léa et tu es un bon relais pour tes camarades, donc j'en conclus que nos contacts sont utiles. Mais pour que cette démarche ait une chance d'être pleinement efficace, nous devons nous faire confiance.

— Vous allez dénoncer les garçons au proviseur ?

— Nicolas, pardon, M. Tonnerieux et moi-même sommes au courant depuis le jour où Dorian a été découvert. Et tu vas être surprise, mais nous avons aussi Internet, et figure-toi que nous savons nous en servir ! Votre génération a la fâcheuse manie de croire que nous ignorons comment utiliser ce que nous avons inventé. Et comme vous mettez tout et n'importe quoi sur les réseaux sociaux… Pour couronner le tout, Mme Serben a même aperçu Tibor courant avec ce qui s'est ensuite avéré être le caleçon de Flaneck. Quel étrange garçon…

— Alors quand le directeur nous a interrogés, on est passés pour…

— … des gamins qui couvrent leurs amis avec un scénario qui, comme votre contrôle de la semaine dernière, aurait gagné à être mieux préparé. Franchement, si on te parle de « racailles » qui écrivent un texte de plus de deux mots sans faute, tu y crois ? Et si en plus « l'attaque » survient juste après qu'un type comme Dorian a réagi de façon aussi nulle vis-à-vis de votre amie malade, quelle hypothèse envisages-tu ?

— Pourquoi ne pas nous avoir punis ?

— Officiellement, parce que nous n'avions pas de preuve malgré la demande d'expertise graphologique voulue par les parents de Dorian. Mais de toi à moi, vous n'avez pas été inquiétés parce qu'il ne l'avait pas volé.

— On est nuls.

— Vous êtes jeunes. Vous ne savez pas tout. Ça tombe bien, vous êtes à l'école pour apprendre. Rappelez-vous cet économiste indien : demandez-vous toujours quelle est votre mission.

— Merci beaucoup. Est-ce que vous pourrez nous excuser auprès de M. Tonnerieux ?

— Si vous êtes aussi grands que vous le croyez, vous pouvez le faire directement. Et s'il te plaît, désormais, ne me prends plus pour un flic. Tu n'es pas une voleuse.

51

La table à peine débarrassée après le dîner, Lucas s'est précipité dans le canapé pour se vautrer devant la télé qui diffuse une série américaine remplie de rires préenregistrés. Zoltan et Flocon sont avec lui et regardent également. Ils ont tous un drôle de sourire qui pourrait faire croire que les rires viennent d'eux alors qu'ils sont figés comme des statues. Ça fait peur. Depuis quelques semaines, Flocon passe de plus en plus de temps avec Lucas, mais je ne lui en veux pas. En me consacrant à Léa comme je le fais, j'ai moins le loisir de jouer avec lui.

— Dis-moi, Lucas, tu as toujours le laser avec lequel tu énerves Flocon ?

Il répond sans quitter l'écran des yeux :

— Un peu que je l'ai. C'est une tuerie. Ça rend ton chat hystérique et ça fait peur aux pies. C'est l'arme absolue !

— Est-ce que tu pourrais me le prêter quelques jours ?

— Pour quoi faire ? C'est pas un laser pour s'épiler, espèce de folle.

— S'il te plaît.

— D’accord, mais tu mets la table à ma place pendant une semaine.

— Trois jours.

— Cinq.

— Quatre.

— Vendu. Mais tu changeras les piles.

— C’est de l’arnaque.

— La vie, c’est de l’arnaque, ma vieille !

Maman rentre et retire sa veste dans l’entrée. Zoltan est tellement concentré sur sa série qu’il n’a même pas aboyé. Est-ce qu’il s’intéresse vraiment à ce que le héros va cuisiner pour sa petite amie ?

Maman pose son sac sur la table de la cuisine, m’embrasse et demande :

— Comment s’est passée ta journée ?

— Contrôle surprise en physique. Plutôt réussi sauf le dernier exercice, mais il n’était que sur 3 points. Le prof dit qu’on n’a pas fini le programme mais qu’il faut déjà démarrer les révisions. Et toi ?

— Même pas eu le temps de faire les courses. J’arrive de chez Élodie. Toujours rien pour la greffe, mais j’ai l’impression qu’ils s’adaptent. Christophe va lui aussi se mettre en disponibilité pour passer du temps avec Léa.

— Elle allait bien ?

— Je ne l’ai pas vue. Elle était sortie, avec un copain.

Je dois faire la tête d’une moule qui se serait fait flasher pour excès de vitesse. J’essaie de demander avec la voix la plus naturelle possible :

— Ah bon. Cool. Tu sais qui c’est ?

— Élodie me l’a dit mais j’ai oublié.

C'est tout le problème des parents : avec l'âge, ils perdent la mémoire. Maman reprend :

— Je trouve bien qu'elle mène une vie aussi normale que possible, et les garçons en font partie.

Je dois absolument me souvenir de cette phrase pour la répéter à mon psy quand je serai en thérapie de vieille fille dans trente ans. Cela expliquera beaucoup de choses sur mon état lamentable.

J'entends la porte du garage. Papa arrive à son tour. Il remonte du sous-sol. Il passe embrasser Lucas, puis maman et moi.

— Je viens de rentrer, s'excuse-t-elle. Laisse-moi trois minutes pour réchauffer un plat.

— Ne te complique pas. Je n'ai pas faim. Camille, est-ce que je peux te parler ?

Surprise, j'interroge maman du regard pour savoir si elle sait de quoi il retourne. Elle fait une mimique éloquente : pas la moindre idée. Je suis mon père jusque dans le bureau. Il me fait signe de m'asseoir sur une chaise et ferme la porte avant de s'installer à son tour. La démarche est assez inhabituelle. En général, mon père réserve ce genre de tête-à-tête pour ce qu'il appelle lui-même des « recadrages ». Pourtant, ce soir, il n'a pas l'air en colère.

— Je dois te parler de Léa.

— Du neuf ?

— J'ai discuté avec ses médecins et Christophe. Nous sommes tous conscients de l'effet bénéfique que son retour à l'école lui procure moralement.

— C'est clair.

— Mais pour sa santé, c'est un problème.

— On fait très attention à elle.

— Vous n'êtes pas en cause. J'ai passé des coups

de fil à droite et à gauche pour demander à mes anciens collègues s'ils pouvaient nous aider. De relations en connaissances, j'ai pu discuter avec un professeur qui a déjà connu ce genre de pathologie sur une patiente d'un âge similaire. Il affirme que ce qui importe le plus, c'est de préserver la capacité de résistance du cœur en le sollicitant le moins possible. C'est un enjeu vital. En d'autres termes, il faudrait que Léa reste au calme, alitée si possible, parce que ce qui lui redonne le moral risque de raccourcir son espérance de vie.

— Mais si on arrive à lui faire sa greffe ?

— Quand on gère une catastrophe, on se place toujours dans la pire configuration pour essayer d'anticiper au mieux. Si on trouve un cœur, tant mieux, mais pour le moment, ce n'est pas l'hypothèse la plus probable et, en attendant, il faut qu'elle tienne.

— Pourquoi toujours envisager le pire ?

— Parce que c'est en s'y préparant que l'on a une chance de s'en sortir. Ceux qui ne comptent que sur les miracles s'en tirent rarement. Or notre but à tous est de mettre un maximum de chances du côté de Léa. Pour t'expliquer simplement, on peut comparer Léa à un avion qui vole au-dessus de l'océan et dont le réservoir est presque vide. Il faut donc couper tout ce qui lui pompe de l'énergie inutilement pour qu'elle puisse continuer à voler en espérant atteindre la côte avant de…

— J'ai compris. J'ai pas besoin de métaphores pour enfants de 5 ans. En attendant, tout le monde pense que venir au lycée lui fait du bien. Elle-même dit que ça lui est nécessaire. Tout ce qu'elle veut, qu'elle s'en sorte ou qu'elle y reste, c'est passer du temps avec ses amis et sa famille.

— Je m'en doute, mais il faut parfois prendre des décisions qui ne font pas plaisir sur le moment pour préserver l'avenir.

— Si ses médecins disent qu'elle peut aller au lycée, pourquoi dirais-tu l'inverse ?

— Parce que je sais…

— Tu ne peux rien pour elle ! Si elle piquait dans les magasins, alors là oui, ce serait de ton ressort, mais en attendant…

— Camille, je sais que tu n'aimes pas mon métier, mais comme le précédent, il est utile. De toute façon, c'est comme ça.

— Nous y voilà, tu décides et on subit ! C'est toujours pareil. En attendant, ce n'est pas toi qui te retrouves menacé physiquement à l'école parce que ton père a encore serré un crétin qui a piqué un DVD à une multinationale millionnaire ! Ce n'est pas toi non plus qui ne trouves que des gâteaux dégueulasses à la maison parce que ton père n'est pas foutu de faire les courses en tenant compte de sa fille !

Son regard vire au noir. Tant pis si je me fais recadrer, je ne regrette pas de lui avoir dit ce que j'avais sur le cœur.

— Camille, au sujet des gâteaux, tu n'as qu'à demander à tes petits copains de voler autre chose, parce que c'est pour leur éviter des ennuis que je les paye à leur place et que je les ramène. Et quant à celui ou ceux qui t'ont menacée, tu me les montres et je m'en occupe.

Maman ouvre la porte :

— Qu'est-ce qui vous arrive ? On vous entend

hurler de la cave. Vous ne croyez pas qu'on a des soucis plus graves à gérer ? Vous êtes tous les deux sous pression. Nous sommes tous sous pression mais, par pitié, on ne va pas en plus se chamailler alors que l'on devrait faire front.

Mon père se lève et quitte la pièce. Maman gronde :

— Je sais que c'est dur, Camille, mais ça ne l'est pas que pour toi.

— Il veut empêcher Léa d'aller au lycée ! C'est la seule chose qui lui remonte le moral.

— Ton père essaie de trouver ce qui est le mieux pour elle. Il a toujours agi ainsi pour chacun de nous. Je l'ai toujours vu faire tout ce qu'il pouvait et au mieux.

— C'est sans doute pour ça qu'on l'a nommé chef de la sécurité au centre commercial.

Maman se crispe. D'un geste sec, elle claque la porte et se plante devant moi.

— Écoute, Camille, on va en finir une bonne fois pour toutes avec cette histoire. Pour la seconde fois de ma vie, je vais trahir une promesse faite à ton père, et j'espère que ça réglera le problème. Ton père s'est vu offrir la possibilité de monter en grade, avec un excellent poste qui lui plaisait. Mais nous aurions dû déménager. Il aurait ensuite fallu qu'il déménage tous les deux ans. Pour votre stabilité, pour votre confort et pour le mien, il a préféré refuser et quitter un métier qu'il adorait pour en prendre un qui préservait notre vie de famille. Il n'a jamais voulu que l'on vous en parle pour ne pas que vous vous sentiez coupables, mais ces derniers temps, tu pousses le bouchon trop loin. Et laisse-moi te dire que même dans ce métier pourri qui te fait honte, je ne l'ai vu renoncer à aucun de ses principes. Et si tu n'es pas contente des gâteaux, tu sais où est l'argent et tu as des jambes et un cœur qui fonctionne. Tu peux aller t'en chercher toi-même.

Elle a tourné les talons et elle est sortie. Je suis restée seule, sans même la force de pleurer.

52

Ce midi, je dois retrouver M. Rossi pour notre point hebdomadaire. C'est notre quatrième et j'avoue que, sans dire que je l'attends, je suis très heureuse d'y aller. J'y ai pris goût. En plus, aujourd'hui, j'ai bien besoin de me changer les idées. Marie et Antoine se sont parfaitement habitués à ce que j'y aille seule. C'est à chaque fois un drôle de rendez-vous. On se réunit dans une des petites salles attenantes à celle des profs. Ce que nous avons de sérieux à nous dire concernant la gestion et l'ambiance de la classe est souvent évident. Le point pourrait ne durer que quelques minutes. Tous les élèves se sont habitués à ne voir Léa que deux jours par semaine et le rythme est pris. Globalement, les notes remontent et la motivation vis-à-vis de l'examen aussi. Je me suis même dit que l'on pourrait presque s'éviter cette réunion avec M. Rossi, mais au fond je n'en ai pas envie. Pourquoi ? Sans doute parce qu'après les « affaires courantes », lui et moi discutons de beaucoup d'autres choses. Finalement, à notre âge, nous fréquentons très peu d'adultes avec qui nous pouvons parler simplement, vraiment. Avec lui, il n'y a pas d'enjeux. Je crois qu'il ne me juge pas. On échange. C'est un peu comme pendant ses cours, sauf que je peux choisir le sujet. Parfois, c'est lui qui oriente nos conversations. Je suis surprise de le voir, lui aussi, me poser des questions. Je n'utilise plus le mot « honnêtement » quand il n'est pas approprié. Il a parfois des mots familiers qu'un prof ne dirait certainement pas mais que n'importe quel homme utilise. La dernière fois, en parlant de la nouvelle coiffure de la documentaliste – à mi-chemin entre une bouse soufflée par un réacteur de jet et une termitière –, il m'a juste dit : « Ça craint. » Cela peut paraître étrange, mais au fil de nos rencontres, je me dis que si nous avions été du même âge, on serait devenus d'excellents amis. J'aime bien sa façon de voir la vie. Il n'hésite jamais à dire ce qu'il pense, sans langue de bois.

C'est au cours de notre seconde réunion que j'ai osé lui poser ma première question personnelle. Nous étions de bonne humeur, contents que les choses s'améliorent dans la classe. Je ne sais pas pourquoi c'est cette question qui est venue :

— Vous vous souvenez de la première fois où vous avez goûté un café ?

— Évidemment. Je devais être à peine plus jeune que toi et j'ai trouvé ça répugnant.

— Je ne suis donc pas la seule… Alors pourquoi en buvez-vous ?

— Pourquoi ? C'est une bonne question…

Il réfléchit.

— Si je dis que c'est pour le goût, je suis un menteur… Si je dis que c'est pour l'effet sur la santé ou l'haleine que ça fait, je suis un crétin…

Soudain, il semble avoir trouvé.

— Je sais pourquoi je bois du café. C'est en offrant un café à une collègue que j'ai pu la voir seul à seule la première fois. Je l'ai demandée en mariage un an plus tard. C'est autour d'un café que je retrouve mes potes. Je me gave aussi de ce breuvage au goût discutable pour avoir le droit d'être avec mes collègues devant la machine à café – haut lieu de réunion et de convivialité de nos civilisations ! En fait, je bois du café pour être avec les autres, pour ne pas être seul…

— On est obligé de boire ce truc pour ne pas être seul ?

— Il existe sûrement d'autres moyens… Maintenant que tu me poses la question, je m'aperçois que le café n'est souvent qu'un code pour créer et renforcer le lien. Cela fait partie de ces choses qui n'ont pas beaucoup de sens en elles-mêmes mais qui nous rapprochent. Et toi, qu'est-ce qui te rapproche de tes amis ?

Je réfléchis.

— Vanessa dit que ce sont les peurs qui nous rapprochent. Est-ce qu'on peut considérer ça comme un code ?

— Nous autres adultes pensons que ce sont les chansons, les jeux ou la mode. On vous voit sans doute plus superficiels que vous ne l'êtes.

— Pourtant vous avez eu notre âge…

— On oublie certaines choses, tu sais, et ce n'est parfois pas plus mal.

Je plaisante :

— Les peurs, c'est presque plus mauvais que le café pour se rapprocher…

— Je crois qu'il n'y a pas de mauvaise raison pour se rapprocher. Encore faut-il avoir le courage de se confier ce qui nous fait peur…

J'ai beaucoup aimé parler ainsi avec lui. La vie fait moins peur après, on se sent moins seul.

53

C'est un jour sans Léa. Axel ne semble pas éprouver de manque particulier. Il n'a pas de raison d'en éprouver puisqu'il la voit en dehors. L'a-t-il emmenée chez lui pendant deux épisodes de *Amies pour la vie* ? J'ai vérifié sur le Net, ça représente l'équivalent de soixante-six minutes. On peut en faire des choses pendant un temps qui rappelle le chiffre du diable…

Au début du cours de maths, Manon est venue me trouver.

— T'as une idée pour la prochaine visite d'agence ? Parce que samedi, on a un concurrent sérieux. Peut-être même deux. D'après ce que j'ai compris, ils -veulent acheter rapidement à cause d'une mutation professionnelle dans le coin. Le quartier leur plaît et j'ai entendu mon père dire au téléphone que c'était quasiment dans la poche.

— Franchement, j'ai pas trop le temps d'y penser. J'avais envisagé un truc avec des barils de produits radioactifs, mais je ne sais pas où en trouver.

— Je t'en supplie, ne me laisse pas tomber…

— Je te promets d'y réfléchir.

Pendant deux heures, Mme Serben nous aide à

rédiger des fiches de révisions, mais j'ai l'esprit ailleurs. Trop d'événements, trop de sentiments, de peurs et d'angoisses. Si mon père a raison, il y a urgence concernant Léa.

Dès la sortie du cours, je fonce sur Axel :

— Tu vas rester déjeuner ce midi ?

— Ma mère est là pour garder ma sœur, alors je crois que oui.

— Ça t'embête si on mange tous les deux ?

— Pourquoi ça m'embêterait ? On se retrouve comme d'hab.

— Cette fois, je voudrais bien que l'on soit juste tous les deux…

Axel me regarde bizarrement. Ça doit être la tête que font les garçons lorsqu'ils ne nous comprennent pas. On dirait un panda devant un distributeur de billets.

— Comme tu veux. Toi et moi ce midi. Pas de problème.

— Je suis contente, merci.

— Tant mieux si tu es contente.

Ça doit être la phrase qu'ils sortent lorsqu'ils n'ont aucune idée de ce qu'on leur veut… ou qu'ils le savent trop bien.

Comme tous les midis ou presque, Eva surveille sa petite sœur, qui déjeune encore avec son dragueur gavé d'hormones.

— Ça te bouffe la vie cette histoire-là…

— Je préfère que ça me bouffe la vie plutôt que de récupérer ma Lola le cœur en miettes avec le gros ventre.

— Tiens, je t'ai apporté quelque chose qui peut t'aider.

Eva hausse un sourcil en découvrant que je lui tends un objet qui ressemble à un stylo. J'explique :

— C'est Léo qui, sans le savoir, m'a donné l'idée. Il dit qu'aucun mec ne peut rester serein quand il voit un point de visée laser sur lui.

— Comment ça marche ?

— Tu vises, tu appuies là et ça projette un point rouge ultra lumineux.

— Comme dans les films avec les tueurs ?

— Tout pareil, et c'est justement à cause de ça que les mecs flippent. Ils se disent qu'ils vont se prendre une balle. Tu parles ! Et après on raconte que ce sont les nanas qui se font des films… On va essayer tout de suite.

Discrètement, j'ajuste la visée et j'appuie sur le petit bouton. Le Don Juan se retrouve avec un joli point rouge qui se promène sur son avant-bras. Il a un violent sursaut. Je coupe. Il cherche à voir d'où ça vient mais ne nous repère pas. Il regarde partout avant de se concentrer à nouveau sur Lola. Je recommence. Même réaction, mais cette fois l'inquiétude s'ajoute à la surprise. Ce n'était donc pas un hasard la première fois. Il est visé ! Il pétoche carrément. Il n'a plus rien du play-boy en parade nuptiale, on dirait juste un petit morveux qui a les chocottes.

Eva rigole :

— C'est génial ton truc, je vais lui pourrir la vie !

— Fais-y gaffe, c'est à mon petit frère. Et ne vise pas les yeux, ça peut cramer la rétine.

Eva me le prend des mains et, avec un plaisir non dissimulé, tente à son tour. Elle vise, appuie un bref instant et relâche.

— C'est top ! Je l'ai en ligne de mire, le crapaud !

Contente de voir Eva aussi heureuse, je rejoins l'entrée de la cantine pile à l'heure pour mon rendez-vous avec Axel.

Il est 12 h 45 pétantes mais il n'est pas là. J'attends. Je ne vous raconte pas dans quel état je suis. C'est mon premier vrai rendez-vous avec lui et ce n'est même pas pour moi que j'y viens. Quelle folle… L'espace d'un instant, je me dis que si Léa s'en tire, j'aurai vraiment été la reine des pommes. Je les aurai poussés dans les bras l'un de l'autre sans même me laisser une chance. C'est monstrueux de penser ainsi. J'ai envie de me gifler.

Axel arrive avec quatre minutes de retard. J'ai eu le temps de m'imaginer qu'il était mort, qu'il m'avait oubliée, que Dorian l'avait kidnappé avec l'aide de la brute qui m'a menacée. J'ai eu le temps de me dire qu'il ne m'adresserait plus jamais la parole parce qu'il ne supporte pas qu'on lui demande de manger seul avec lui, qu'il était à la maternité pour l'accouchement du bébé qu'il a eu en secret avec Léa ou qu'il était en ménage avec Louis.

À la seconde où je l'aperçois, tout ça ne compte plus. Toutes ces supputations idiotes s'envolent instantanément. Quand on y pense, quel gâchis d'énergie…

À quelques mètres derrière lui, Léo et Louis, fidèles lieutenants, suivent en prenant soin de se tenir à bonne distance. Axel a dû leur préciser que, pour ce midi, c'était un tête-à-tête entre lui et moi.

On fait la queue en discutant des choses les plus banales possibles. Je ne veux rien lui dire de sérieux avant que l'on soit assis, face à face. C'est étrange. Je connais Axel depuis longtemps et je n'ai jamais eu le moindre problème à lui parler, à me confier. Et là, tout à coup, je me retrouve à faire des circonvolutions, des périphrases, le cerveau à moitié occupé à éviter tout double sens qu'il pourrait percevoir dans mes propos. Pourquoi est-ce différent cette fois-ci ? Parce qu'il y a de l'enjeu ? Parce que ce que j'ai à lui dire touche mes deux plus proches amis ? Parce que cela me concerne aussi, même si ça ne me profitera pas ? C'est étrange. Tout se déroule comme si, lorsqu'il est question d'affaires de cœur, tout devenait plus aigu et beaucoup plus risqué. Chaque mot compte. Chaque silence aussi. Chaque respiration. Chaque intonation. Chaque regard. Chaque geste, du plus infime frémissement au plus ample. Les mains parlent, le corps parle, chaque partie de nous-même se mêle de la conversation. J'aimerais bien que toutes se taisent et n'avoir que mes mots à gérer. Et c'est pareil pour l'autre. On l'épie, on l'ausculte. Tous nos capteurs sont mobilisés, comme s'il n'existait pas de sujet plus important. En attendant, j'ai du mal à contrôler tout ce qui réagit en moi et je suis comme une tarte.

Enfin arrivés devant le rail du self, Axel ne me propose pas de porter mon plateau. Mais pourquoi le ferait-il ? Après tout, je vais bien. Devant les entrées, il soulève une assiette d'œufs mayonnaise coupés en deux et l'agite. Trop heureuse d'avoir un vrai sujet de conversation qui n'engage à rien, je demande :

— Qu'est-ce que tu fais ?

— J'ai besoin de secouer les œufs pour savoir s'ils ne sont pas trop mous.

Qu'est-ce qu'il a dit ? C'est une contrepèterie. C'est un message. Je crois qu'il est aussi rouge que je suis mal à l'aise. On devient complètement idiots ou quoi ?

On ne va plus rien pouvoir se dire sans y traquer de sous-entendus ?

Devant la sorcière qui nous tend les pommes, bien que m'ayant quand même proposé d'en prendre une pour moi, il ne m'a pas parlé de la croquer.

On s'installe enfin. Léo et Louis sont à quatre rangées de nous mais je vois bien que notre agent secret nous espionne. Ils doivent se demander pourquoi j'ai voulu ce déjeuner et je suis certaine que, dès la fin du repas, Axel ira tout leur raconter. Mais restons concentrée. Quelle est ma mission ?

Je me lance :

— J'ai essayé de te joindre hier soir, mais tu n'as pas répondu.

— J'étais sorti. Qu'est-ce que tu voulais ?

— Oh rien, je me suis débrouillée. Une question sur le cours de SVT. Ta sœur va bien ?

— Elle est en forme, merci. Tu as un frère, je crois.

— Oui, plus jeune, Lucas. Très sympa. Vous avez pas mal de points communs…

Quelle nouille. Le jeune homme que j'ai devant moi ne va sûrement pas apprécier d'être comparé à un gamin. Je vais me griller… Il faudrait que je change de sujet sans que ça ait l'air d'être fait exprès…

— Comment trouves-tu Léa en ce moment ?

C'est exactement la question que je voulais poser, mais c'est lui qui a dégainé le premier.

— Fatiguée mais heureuse.

Il sourit :

— Oui, je trouve aussi. Particulièrement depuis quelques jours.

Pourquoi sourit-il en disant cela ? Je n'aime pas ça. Enfin je veux dire que c'est bien pour eux deux que ça marche, mais j'aimerais quand même qu'ils ne se sautent pas dessus avant que j'aie donné le signal.

— Je crois que tu es le seul garçon avec qui Léa parle autant.

— Vous êtes très proches aussi.

Bravo pour l'esquive, mais je ne vais pas lâcher pour autant.

— Elle mérite vraiment d'être heureuse.

Il semble soudain plus grave.

— Crois-tu qu'elle en aura le temps ?

— Ce n'est pas le temps qui compte. L'important, c'est ce que l'on en fait.

— C'est de qui ?

Je m'étonne. Il insiste :

— Ta citation, elle est de qui ?

— Je ne sais pas. C'est juste une vérité. Et elle est d'autant plus vraie dans le cas de Léa. Elle n'a plus de temps à perdre. Et je sais qu'elle tient particulièrement à toi.

Il me fixe :

— C'est elle qui te l'a dit ?

— Plusieurs fois.

Il se met à manger, mais j'ai l'impression que c'est surtout pour gagner du temps. Pendant qu'il a la bouche pleine et qu'il regarde son assiette, il peut réfléchir. Une pause dans la partie.

Je ne lui laisse pas de répit :

— Dans sa situation, il faut vraiment avoir confiance dans l'autre pour dire et faire tout ce dont on a envie. Et je crois que c'est ce qu'elle ressent pour toi.

— Sérieux ?

— Il faut lui tendre la main si elle n'ose pas.

Axel fronce les sourcils et recommence à manger.

Il y met tellement d'application que ça en devient suspect. Son sauté de veau n'est qu'un prétexte.

Je lui glisse :

— Nous avons tous notre rôle à jouer auprès de Léa dans ce qu'elle traverse, et tu as une place encore plus importante à tenir.

— Compte sur moi pour faire le maximum…

Nous n'avons rien dit d'autre qui soit essentiel. Lui devait aller bosser ses maths avec Antoine, et moi je devais retrouver Marie pour une idée au sujet de la maison de Manon. Lorsque nous nous sommes séparés dans le hall, Axel semblait perturbé. Peut-être avais-je réussi à lui faire comprendre qu'il devait passer à une relation plus profonde, plus intime avec Léa. Il m'a dit : « À tout à l'heure ! » et il est parti.

Je suis restée à le regarder s'éloigner. J'ai espéré qu'il se retourne, qu'il cherche à m'apercevoir ne serait-ce qu'une seule fois. J'ai souhaité ce signe. Je lui ai prêté plusieurs significations possibles. S'il me regarde, c'est qu'il a apprécié ma compagnie. S'il me cherche des yeux, c'est qu'il se dit que je suis vraiment quelqu'un de bien et que nous resterons amis toute notre vie, quoi qu'il advienne. Ce sera déjà beaucoup. Je pourrai continuer à le voir, à lui parler, à le savoir dans ma vie. Je suis convaincue que lorsque deux personnes se quittent, c'est celui qui regarde l'autre le dernier qui aime le plus. Je ne l'ai pas quitté des yeux. Il ne s'est pas retourné une seule fois.

54

Il m'a presque fallu prendre rendez-vous pour réussir à voir Léa. Depuis quelque temps, elle a un agenda de star et je ne gère plus son planning… La diva prend ses distances avec sa secrétaire particulière.

Dans la journée, pendant que l'on est tous en cours, elle s'installe dans le jardin d'hiver de sa maison et elle bouquine en attendant ses visites de la fin d'après-midi. D'après mes recoupements, elle sort presque tous les jours, mais pas avec moi. En attendant, elle passe beaucoup de temps dans son nouveau boudoir. Le grand fauteuil du salon a été transporté sous la verrière. Sur la table basse posée tout près, les livres de grands philosophes mais aussi des mémoires d'hommes et de femmes illustres s'empilent, avec plusieurs marque-pages dans chaque et des notes sur un bloc.

Aujourd'hui, les stores de la véranda ont été à demi tirés pour lui éviter le soleil direct. De sa place, au calme, entourée de vitres dans l'élégante structure, Léa ne voit que la verdure de son jardin, les massifs qui commencent à fleurir et les oiseaux dont l'incessant ballet anime arbres et arbustes.

Malgré ses traits creusés, elle semble plutôt bien. Elle m'enlace lorsque je l'embrasse.

— Excuse-moi, je suis claquée, dit-elle. L'infirmière vient de repartir. D'après elle, les résultats sont corrects, sans plus. Toujours le verre à moitié plein ou à moitié vide… À propos de verre, tu veux boire quelque chose ?

— Non, merci.

Je m'installe sur un fauteuil plus petit qui tourne le dos à la vue. Je lui dépose les copies des derniers cours sur sa table. Elle me remercie machinalement, sans même y jeter un œil.

— Alors, ce DST de physique ?

— Pas évident. Personne n'en est sorti triomphant.

— Axel m'a dit qu'il y avait un gros problème sur l'électricité.

— Sur 6 points. On verra bien. Si on applique mes résultats, il y a de fortes chances pour que ça mette le feu au labo…

Elle se renverse contre son dossier et ferme les yeux. Je pense à ce que m'a dit mon père au sujet de la gestion de son énergie.

— Tu surveilles ton pouls ?

— Moyenne de 46 sur les quatre derniers jours. Pas brillant.

— Il faut éviter de te fatiguer.

— Je ne fais que ça. Je passe de mon lit à ce fauteuil. Une vraie mémé. Regarde tout ce que je lis pour m'occuper.

Elle me désigne les livres. Je les soulève pour me faire une idée de sa collection.

— Dis donc, tout ça n'est pas franchement hilarant. Pourquoi tu ne lis pas des choses plus légères ?

— Pas envie. J'ai besoin de vérités, pas d'histoires. En fait, je cherche à me gaver de choses essentielles.

— Et tu en trouves dans ces livres ?

— Tous ces auteurs ont réfléchi à la vie, au monde, à notre condition, aux possibles. Certains ne sont que des provocateurs, d'autres s'écoutent penser. Quelques-uns n'ont songé qu'à Dieu, ce qui ne les a d'ailleurs pas sauvés. Une poignée d'entre eux ont été visionnaires, mais leurs propos ont fini par être dépassés par l'histoire. La plupart se posent des questions auxquelles je ne suis pas certaine que l'on trouve une réponse un jour.

— Alors pourquoi perds-tu ton temps à les lire ?

— Parce qu'au milieu de tous, j'ai découvert une autre catégorie qui, elle, est passionnante. À mon sens, les plus grands penseurs sont ceux qui ont subi un vrai choc dans leur vie et qui, devant cette remise en cause, ont commencé à réfléchir. *Les Essais* de Montaigne prennent une force incroyable lorsque l'on sait à quel point La Boétie lui manquait. Il y a aussi ceux qui se savaient perdus et qui ont écrit ce qu'ils pensaient vraiment. Ceux-là sont extraordinaires. Des condamnés à mort, criminels ou monarques ; des malades, des survivants, des gens dont la vie a été brisée. Ceux-là laissent des témoignages d'une force incomparable. Ils ne parlent plus de Dieu, ils parlent de la vie. Ils n'ont plus rien à perdre, ils ne se -mentent plus, ils peuvent se permettre le luxe de la vérité. Il faut que tu lises la dernière lettre de Marie Stuart, juste avant son exécution. Pour leurs enfants, pour leur conjoint, ils laissent quelques pages ou des chapitres entiers. L'héritage sans fard d'une vie, le regard sans concession sur une expérience qui ne pourra plus leur servir mais qu'ils cherchent à transmettre quand même. Elle est peut-être là, notre noblesse. Chercher à être utile aux autres même si on n'en tirera aucun bénéfice.

Sa main effleure les livres comme si elle caressait un trésor.

— En les lisant, je vois la vie sous un angle différent. Je comprends mes parents, mon frère, mes chances, ce que tu représentes pour moi et ce qui m'arrive.

— Tu raisonnes comme un vieux sage, Léa, mais tu n'es pas encore à la fin de ta vie. Tu vas t'en sortir. Tu ne dois pas baisser les bras.

— Ce n'est plus moi qui décide. Je le sens. Et si j'en réchappe, j'aurai au moins appris à ne plus perdre de temps, à voir la réalité en face et à placer ce qui fait de nous des humains au centre de tout. Il ne me sera plus possible de prendre au sérieux toutes les futilités dont on nous abreuve. Plus question de me tromper sur ce qui compte. Alors finalement, je me dis que cette maladie est une chance. Elle me permet de penser et de ressentir comme je ne l'ai jamais fait. Si je dois y rester, elle m'aura au moins poussée à vivre en quelques mois plus que je n'aurai jamais vécu.

Je lui souris. Je la trouve tellement plus forte, tellement plus profonde que je ne le suis.

— Tu m'apprendras ?

— Que veux-tu que je t'apprenne ?

— Ces vérités que tu trouves dans ces pages et dans ta vie.

— Elles sont déjà en toi, Camille, sinon, nous ne serions pas aussi liées.

Elle fait un effort pour se redresser et se penche vers moi :

— Je dois te parler d'une chose qui compte énormément et que je suis en train de vivre. Je suis amoureuse, Camille. Il n'y a qu'à toi que je puisse le raconter. C'est en train de me transformer.

Ses propos au sujet de ce qui compte avaient ouvert un chemin jusqu'au plus profond de mon cœur, ses derniers mots viennent d'y déposer une bombe. Elle poursuit :

— Jamais je n'avais ressenti cela. Il est merveilleux et je sais que tu l'apprécies aussi.

La bombe est amorcée. Je ne vais pas pouvoir entendre la suite. Il ne le faut pas. J'ai voulu ce qui arrive, et j'aime à croire que je l'ai presque décidé, mais je n'ai pas la force d'en assumer le résultat. Je l'interromps :

— Léa, s'il te plaît, ne me dis rien.

— Tu ne veux pas savoir ? Je croyais que nous partagions tout…

Je la coupe mais je ne veux pas courir le risque d'en entendre davantage.

— Je te vois heureuse et cela me suffit. De tout mon cœur, je te souhaite le plus grand des bonheurs, pour toujours. Tu es mon amie…

J'ai brisé l'élan de sa confidence. Je lui refuse sa confiance et le magnifique cadeau qu'elle voulait me faire, mais je n'ai pas le choix.

Je voudrais pouvoir changer de conversation. Je jure que je donnerais n'importe quoi pour avoir ce pouvoir. Mais je sais que cela ne sera pas possible. Pas aujourd'hui, pas maintenant. Je me lève et je l'embrasse sur le front en lui tenant la tête entre mes mains.

J'ai quitté sa maison sans même dire au revoir à Élodie. À peine la grille de son jardin refermée derrière moi, les larmes sont venues. Toute seule dans la rue, je pleure. J'ai une raison pour chaque lettre de l'alphabet.

55

Je suis trop mal et je me sens coincée. Si j'explique à Léa pourquoi je n'ai pas envie de l'entendre raconter son histoire avec Axel, au mieux, elle sera triste et ça lui gâchera son bonheur. Je ne le veux pas. Au pire, ça nous éloignera l'une de l'autre. Je le veux encore moins.

Depuis mon retour à la maison, je ne suis pas capable de penser à autre chose. Après le dîner, je lui ai envoyé un SMS que j'ai mis des heures à mettre au point. J'accepte très mal l'idée d'être obligée de mentir à Léa, mais je ne vois pas d'autre solution.

« Pardon pour ma réaction tout à l'heure mais je vis une histoire en ce moment et ça ne se passe pas bien du tout :(((C'est pour ça que t'es pas au courant. »

J'ai guetté sa réponse chaque minute, chaque seconde, interprétant le moindre bruit comme le signal de mon vibreur de téléphone. Même le ronronnement de Flocon m'a fait me précipiter.

Incapable d'autre chose que d'attendre. On verra les maths plus tard, pour l'éco on improvisera, et c'est d'une main mécanique que je grattouille le cou de mon chat.

Avec ma faculté à partir en vrille, je n'ai pas tardé à envisager ce que serait ma vie si j'étais privée de tout ce que je partage avec Léa. Comment serait mon existence ? La première réponse qui s'impose est : beaucoup moins belle. Léa est de presque tous mes plus beaux souvenirs. Me couper d'elle, m'éloigner d'elle, jetterait un voile sombre sur la partie la plus sacrée de ce que j'ai vécu jusqu'ici. C'est terrible, mais je réalise qu'une part de ce que je suis lui appartient. M. Rossi dirait qu'elle est actionnaire de ma personne ! Tout à coup, je me vois différemment. Je suis une Société Anonyme dont mes proches pos-sèdent des parts. Anonyme, ça me va bien. J'aimerais bien être à Responsabilité Limitée en plus ! Mes parents sont actionnaires eux aussi, et tous mes amis se partagent un peu de ma pauvre valeur. Tante Margot possède quelques parts également et – horreur ! – je viens de m'apercevoir que j'ai un dingo au conseil d'administration en la personne de Lucas ! Si on ajoute à ça un chaton, c'est sûr, je ne vais pas être homologuée pour le marché boursier ! J'aimerais bien que quelqu'un comme Axel lance une OPA…

Appartenir à ceux que j'aime ne me fait pas peur. Pas du tout. Mais le fait que l'un de mes actionnaires, même minoritaire, puisse quitter le conseil d'administration me terrifie. Je ne veux pas finir aux mains d'un fonds de pension qui va me dépecer ! Quelle entreprise peut fonctionner correctement si elle est brouillée avec ceux qui la contrôlent ?

Deux heures et dix-sept minutes plus tard très exactement, Léa m'a renvoyé un message :

« Aucun problème. On se raconte tout quand tu

veux. Bon courage. Bizz ! PS : C'est qui ton mec ? Vilaine cachottière ! ;) »

Je trouve sa réponse bien légère par rapport à mon ressenti de la situation. Peut-être que je m'inquiète trop, que je donne trop d'importance aux choses. Tant mieux si elle le prend ainsi. Heureusement qu'elle a répondu, sinon je n'aurais jamais pu dormir. Ses quelques mots m'ont allégée d'un poids énorme. Moins de pression dans la poitrine. Mais un autre étau se resserre déjà : mon problème n'est pas résolu pour autant. Qu'est-ce que je vais bien pouvoir lui raconter une fois que j'aurai fini de gagner du temps avec mon mensonge au rabais ? Tante Margot dit que mentir, c'est construire un mur autour de soi et que plus il est épais et haut, plus il devient difficile d'en sortir sans se blesser… Félicitations, Camille, tu viens de poser la première pierre de ton cachot.

56

Avec M. Rossi, on a parlé des disques en vinyle, des fêtes de son époque et de ce que ses parents lui interdisaient ou non. C'était marrant de comparer. Lui dit qu'il est surpris de constater que, sur le fond, les choses ne changent pas. Malgré l'évolution des rythmes et du matériel que l'époque met à notre disposition, les comportements restent finalement semblables. Ça interpelle.

Sur un autre plan, j'ai été contente de découvrir qu'il trouve les œuvres de Mlle Mauretta aussi immondes que nous. On a bien rigolé. La pauvre a dû avoir les oreilles qui sifflaient. À un moment, j'ai failli lui raconter notre joyeux cambriolage chez elle, mais je me suis arrêtée à temps. Même s'il est sympa, ça reste un prof, et un adulte.

Notre conversation risque à présent d'être moins légère parce que j'ai découvert quelque chose qui me chiffonne. J'ai hésité jusqu'au dernier moment à lui en parler, mais je veux en avoir le cœur net.

— Monsieur Rossi, puis-je vous poser une question ? C'est au sujet de vos cours.

— Tu ne veux pas attendre que l'on soit en classe pour cela ?

— Je préfère d'abord en discuter entre nous parce que je crois que quelque chose cloche…

Il paraît étonné.

— Dis-moi.

— Vous vous souvenez d'Akshan Palany, l'économiste indien dont vous nous avez parlé au trimestre dernier ?

— Bien sûr.

— Sa théorie sur la mission de chacun a changé ma façon de voir certaines choses, et je sais que je ne suis pas la seule dans ce cas.

— Tant mieux, parce que ses travaux sont réellement passionnants.

— Justement. J'ai voulu en apprendre plus sur lui et j'ai fait des recherches. À ma grande surprise, je n'ai rien trouvé. Sur le Net, en creusant, on tombe seulement sur un joueur de cithare qui porte le même nom. Rien d'autre. Comment se fait-il qu'un expert avec une théorie aussi bonne, dont vous avez vous-même dit que les travaux intéressaient de plus en plus de monde, ne soit répertorié ou chroniqué nulle part ? Pas un seul livre référencé, pas une seule page, pas un article, rien…

Il frotte ses mains l'une contre l'autre, bien à plat, et souffle entre ses paumes.

— Je ne sais pas si tu as remarqué, mais je termine chacun de mes cours par la même phrase…

— « Si vous avez des questions, je suis là. »

— J'enseigne depuis vingt-trois ans, Camille. Cela représente plus de cent soixante classes comme la tienne. Près de cinq mille élèves. Eh bien crois-le ou non, mais personne n'est jamais venu me poser la moindre question. Pas une fois. À te dégoûter du métier. Est-ce dû à un manque d'intérêt pour la matière ? Peur du prof ? Rejet de l'adulte ? Je l'ignore. Pourtant, j'ai des choses à vous faire passer. J'ai fait sept ans d'études et je consacre un temps fou à écouter ou à lire pour me tenir au courant de tout ce qui concerne mon sujet.

— Pardon, mais quel est le rapport avec Palany ?

— Je vais y venir, laisse-moi finir, s'il te plaît. Je devais enseigner depuis un peu plus d'un an lorsque j'ai pris conscience d'une réalité essentielle : les gens écoutent mieux lorsque c'est quelqu'un de connu qui leur parle. On peut dire à tout le monde qu'il faut générer moins de déchets pour préserver la planète, chacun garde ses petites habitudes, à part ceux qui en sont déjà convaincus. Si par contre une actrice ou un sportif le dit, alors beaucoup de gens commencent à changer. Les gens, dans leur grande majorité, ne font pas « parce que », ils font « comme ». La plupart des individus n'entendent pas les idées. Par contre, ils écoutent des personnes en qui ils se reconnaissent, ou avec lesquelles ils se sentent des liens. Sans doute parce que nous sommes des bestioles affectives, on suit plus facilement des gens que des idées. La pub l'a bien compris, on y parle de leaders d'opinion…

— Je ne vous demandais pas un cours…

— Je ne suis pas en train de t'enseigner, Camille, je cherche à te transmettre. J'en arrive à la réponse que tu attends. Parce que je voulais que vous écoutiez, parce que je voulais vous convaincre, j'ai cherché qui, parmi les experts reconnus, partageait mes convictions. Aucun ne représentait la synthèse dont j'avais besoin, et je ne pouvais pas mettre de grandes théories d'économie dans la bouche d'un footeux ou d'un comédien… Alors j'ai créé une sorte d'économiste idéal dont je peaufine les théories d'année en année. Akshan Palany est effectivement un joueur de cithare dont j'ai emprunté le nom. Il joue d'ailleurs très bien.

Je suis effondrée. Je me sens trahie, dupée.

— Tu es déçue ? J'assume le fait que tu m'en veuilles. Mais tu m'as dit toi-même que la théorie de Palany avait changé ta façon de voir les choses, n'est-ce pas ?

— C'est vrai, mais…

— Auriez-vous accordé la même attention à ses propos, toi et tes camarades, si je vous avais simplement dit qu'il s'agissait de mes idées ? M'auriez-vous entendu si je vous avais confié que moi, minuscule prof d'éco, j'avais cette vision ? Mon expérience me prouve que non. J'ai menti pour être efficace. Je le referais sans hésiter, rien que parce que tu m'as dit que les théories de Palany t'avaient fait réfléchir. Je rêve que les gens puissent enfin entendre et juger les idées, mais la plupart ont besoin de la caution de quelqu'un doté d'une crédibilité pour seulement écouter…

Ma tête est en ébullition. Je pense aux réflexions que je me suis moi-même faites sur les citations que l'on nous inflige partout. Ce qu'il dit va dans le même sens que ce que je crois. Il a raison. C'est épouvantable, mais il a raison. Le propos est souvent moins pris au sérieux que le nom de celui qui l'a dit.

— Tu es la première à me poser des questions, Camille. Et j'espère que ma réponse honnête t'aidera à surmonter ta déception. Sur ce coup-là, je suis le voleur et tu es la police.

Je le regarde droit dans les yeux. Il ne me fait plus peur. Je le comprends. Sauf sur un point.

— Pourquoi faites-vous tout ça, monsieur Rossi ?

— Pourquoi j'ai inventé un expert ?

— Non. Pourquoi prenez-vous autant de risques ? Pourquoi avez-vous eu l'idée d'inventer Akshan Palany ? Pourquoi allez-vous rendre visite à Léa ? Pourquoi aidez-vous notre classe en sacrifiant votre vie privée ? Pourquoi donnez-vous autant à des élèves qui ne vous le rendent jamais ?

57

Cette fois, on n'a pas lésiné sur les moyens. C'est même certainement notre plus belle opération. Une vraie superproduction. Puisque les acheteurs potentiels sont emballés par la situation du quartier, il va falloir les dégoûter de l'ambiance qui y règne. Ça commence dès le carrefour avec Tibor, habillé en guenilles, qui fait la manche avec un de ses chiens qu'il n'a pas brossé depuis trois jours. On lui a sali la figure avec de la cendre. Il est décoiffé, assis au pied d'un arbre du coin de la rue, un talkie-walkie caché dans le revers de son manteau sale, trop grand et déchiré. Comme la rue de Manon est en sens unique, il sera le premier à repérer les voitures et nous alertera. Léo dit qu'il est notre poste avancé. Au début, fort de son imagination débordante et un poil déjantée, Tibor avait prévu de « stocker » des nouilles dans sa bouche pour faire semblant de vomir quand les acheteurs passeraient devant lui, mais on lui a demandé de s'abstenir.

Plus loin sur le trajet, on a placé Antoine et Louis, sapés comme des racailles, avec la casquette à l'envers et les baggys au ras des fesses. Ils se sont entraînés à faire de grands gestes en parlant. Même pas besoin du son, le spectacle est éloquent. Antoine s'est mis des tonnes de chaînes dorées autour du cou. On dirait un rappeur. Avec ces mises en bouche avant d'arriver devant la maison à vendre, nos valeureux concurrents devraient déjà avoir une drôle d'image du quartier et moins d'appétit. Les pneus et les sacs d'ordures éventrés sur la pelouse des parents de Léa n'arrangeront sans doute pas l'affaire. Mais le clou du spectacle, c'est la maison elle-même. Sur l'applique électrique extérieure, on a mis un joli cache rouge. Et à l'intérieur, Madame Manon attend ses clients… Eva, Pauline et moi sommes prêtes à les accueillir, sous la surveillance de notre redoutable – mais néanmoins séduisant – souteneur, Léo. Le scénario est de moi. On a beaucoup travaillé les costumes. Et pour les maquillages, dans le genre « pouffiasse », on est au-delà de tout ce qui s'est fait jusque-là sur Terre. On ressemble au nuancier d'un magasin de peinture ou à une ultime tentative désespérée de stimulation sur des daltoniens. Côté tenue, c'est le grand soir : en bustier de dentelle pigeonnant et guêpière, Eva a l'air d'une dragueuse de saloon. Elle est drôlement bien foutue. Pauline porte une robe en satin rouge fendue sur le côté dont elle a coupé une bretelle. On se demande toutes où elle a trouvé ça et comment ça peut tenir sur son corps sans clous de tapissier. Manon est en maillot de bain sexy avec un paréo. Et moi, en minijupe plissée façon pom-pom girl avec un petit haut nombril à l'air qui met mes formes bien en valeur. Il est clair que ce n'est pas le numéro de mon t-shirt que l'on regarde…

Léo est en débardeur, tous muscles dehors, avec

une barbe de deux jours et un mégot de cigare au coin des lèvres.

Pendant les essayages, on a pleuré de rire. On jouait, se préparant comme des enfants pour un bal costumé, sauf qu'aucun petit ne va à une fête habillé comme on l'est. C'est un truc à faire tomber les parents dans les pommes !

Manon s'amuse à parler avec un accent de mère maquerelle et frappe dans ses mains :

— Mesdemoiselles, on arrête de rire ! On se concentre sur son personnage !

— Du calme, poulette, plaisante Léo. Y a qu'un patron ici, et c'est moi.

— Si tu fais du grabuge, j'appelle mes copains rastas et le clodo et on te retrouvera, toi et ta jolie petite gueule, voguant sous le pont du fleuve…

Pour un peu, on en oublierait pourquoi on est là. Le plus surprenant, c'est qu'Eva ne s'est pas fait prier pour s'habiller ainsi. Je pense même qu'elle a trouvé là l'occasion qu'elle attendait depuis longtemps.

Léo me frôle :

— Tu sais que t'es mignonne, toi ?

— J'embrasse pas les fumeurs…

Le talkie-walkie posé sur le buffet de l'entrée crépite :

— Voiture en approche, voiture en approche !

Tout de suite derrière, on entend un bruit répugnant. Léo attrape le combiné :

— Tibor, on t'avait dit de ne pas vomir !

Le bruit recommence et le clochard répond la bouche à moitié pleine :

— Fausse alerte. Le véhicule s'est garé devant une autre maison. C'est ça, le chien, nettoie-moi la figure…

Devant le miroir, Pauline s'entraîne à marcher avec ses talons.

— Je n'ai pas l'habitude d'en avoir d'aussi hauts, commente-t-elle. Vous avez vu la chute de reins que ça me dessine ? Il ne faudrait pas que je m'étale devant nos visiteurs, ça ne ferait pas sérieux.

Manon essaie de ramener un semblant d'ordre.

— Tout le monde a bien compris ? Quand ils arrivent, on les traite comme des clients. Léo, tu restes en retrait, les mains bien sur les hanches. Eva, tu seras en haut de l'escalier et tu ne dis pas un mot. Tes jambes parleront pour toi. Pauline et Camille, vous m'encadrez et vous êtes super aguicheuses.

Super aguicheuse. C'est tout moi, ça. C'est un nouveau genre de super-héroïne qui combat le crime à coups de string. C'est pas plus idiot qu'un mec qui se déguise en chauve-souris… Toute la ville dormirait tranquille parce que Super Aguicheuse veillerait du haut d'un immeuble, en se caillant les miches. Pour l'appeler, il suffirait de composer le 95 C sur n'importe quel téléphone…

Léo sort un appareil photo. On prend la pause, seules ou en groupe. Il se photographie dans le miroir au milieu de nous toutes. On a l'air de véritables pouffiasses, mais lui, je le trouve sexy.

— Je vais faire des photos des potes ! lance-t-il en sortant.

— Magne-toi, stresse Manon. Il est presque l'heure !

Lorsqu'elle passe près de moi, je lui souffle :

— Décompresse, tout va bien se passer.

— Je préfère ne pas penser à ce qu'on est en train de faire. J'aurais eu moins peur si mon frère avait pu être là. C'est n'importe quoi mais en tout cas, c'est une super idée. Ça m'étonnerait qu'ils achètent…

— Sait-on jamais. Ils veulent peut-être habiter dans un bordel sordide au milieu d'un quartier mal famé.

— Merci, Camille. Merci de tes idées. Et je ne sais pas où tu as déniché ton petit top, mais tu devrais le remettre. Tu as l'air d'une vraie bombe là-dedans.

— Je l'ai piqué à mon petit frère. Ça rend différemment sur lui…

On éclate de rire. Il ne m'aura fallu qu'une seule occasion de jouer une prostituée pour révéler ma vraie nature. Elle est pas belle, la vie ?

Léo revient en courant :

— Antoine et Louis ont vraiment une dégaine incroyable. Il ne faudrait pas que tes visiteurs traînent parce que je crois que les voisins les regardent bizarrement. Quant à ce taré de Tibor, vous savez ce qu'il est en train de faire ? Il se « recharge » la bouche – selon sa propre expression – avec une poignée de nouilles en sauce qu'il pioche dans un sac. Je ne sais pas ce qu'il a mis là-dedans, mais c'est super crade. Il partage avec son chien en plus…

Le talkie-walkie crépite à nouveau :

— Deux voitures en approche, je répète, deux voitures en approche ! Logo de l'agence immobilière repéré. Ce sont eux, alerte rouge !

Le bruit de Tibor qui vomit achève la phrase. Même à travers la mauvaise radio et sans l'image, ça me soulève le cœur.

— En place tout le monde ! s'affole Manon. Eva, file en haut et montre bien tes jambes.

— Pas de problème.

— Léo, devant le buffet. Non, s'il te plaît, repose cette bouteille d'apéritif, ce n'est pas dans le scénar.

— Ça fera plus vrai.

Et le voilà en plus qui s'enfile une rasade.

— Comme ça, si je m'approche d'eux, je vais puer l'alcool à trois mètres et je peux tituber.

Pauline et moi nous plaçons de chaque côté de Manon, qui se tient prête derrière la porte. À travers les rideaux, on distingue effectivement deux voitures qui se garent devant. Bruits de portières, silhouettes qui approchent. Cible en vue. Manon est au taquet. Dès qu'ils poseront les pieds sur les dalles du porche, ils auront droit au grand show !

Tout le monde retient son souffle. On entend des voix, puis des pas. Manon ouvre en grand et commence :

— Welcome ! Bienvenue au palais des plaisirs ! Nos hôtesses…

Elle s'arrête net.

— Manon ? demande une dame en jogging.

— Papa ? Maman ? Qu'est-ce que vous faites là ?

Avec Pauline, on ne sourit plus, mais on est toujours habillées comme des pétasses. C'est bien plus que de la honte qui s'abat violemment sur nous. À ce niveau, il faudrait inventer un autre mot et revoir tous les standards. Je donnerais cher pour être à la place d'Eva en haut des escaliers. Si j'étais elle, je m'enfuirais me terrer dans le placard qu'on commence à bien connaître.

Celui que sa tenue de golf désigne comme étant le père de Manon embrasse la pelouse d'un large geste et demande :

— C'est quoi, ces pneus, ces ordures… ?

Sur le rebord de la fenêtre, il remarque la seringue que Léo a déposée « pour faire plus réaliste ».

Sa mère fait un pas dans l'entrée. Elle tombe en arrêt devant Léo, la bouteille à la main et la braguette à moitié ouverte. Quel sens du détail, ce Léo…

— Manon, est-ce que tu peux nous expliquer ? demande-t-elle en détachant chaque syllabe.

Je ne connais pas la mère de Manon, mais je suis certaine que d'habitude elle n'a pas cette voix-là. Sinon elle n'aurait jamais pu lui chanter de berceuse, elle n'aurait jamais pu lui lire *Coucou Lapinou !*, et les gens s'enfuiraient dans la rue en l'entendant seulement dire « bonjour ». Là, tout de suite, la mère de Manon a une voix de bête.

Les visiteurs qui les accompagnent sont très gênés. Ils essayent de regarder ailleurs, mais ça ne change rien. Je crois que la femme vient juste de remarquer les capotes délicatement accrochées dans les rhododendrons…

Le père s'énerve :

— Sortez de chez nous. Dehors, tous !

C'est dans ce genre de situation que l'on se rend compte que bien que l'on se considère comme des grands, on est encore des gamins. Tout le monde obéit, en redoutant de s'en prendre une. Au passage, le père retire sa bouteille des mains de Léo.

On se retrouve au milieu de la pelouse. Antoine et Louis ont bien vu que le plan ne se déroulait pas comme prévu. Ils s'approchent à leur tour.

Pareille à un animal sauvage, la mère de Manon décrit des cercles autour de notre petit groupe. Elle va certainement déchiqueter l'un de nous ; elle est train de choisir lequel. Elle s'arrête devant sa fille :

— Qu'est-ce qui t'est passé par la tête ? C'est comme ça que tu t'amuses ? Tu utilises la maison pour faire ces choses… répugnantes ?

— Ce n'est pas du tout ça, maman.

— Et qu'est-ce que c'est alors ?

Je crois que la bête sauvage va éclater en sanglots. Elle se plante devant Léo :

— Et d'où il sort, celui-là ? Et puis après tout, je m'en fous. Mais si je découvre que vous avez fait de ma fille une droguée, je vous tue !

Manon s'interpose :

— Maman, c'est Léo. Le garçon qui s'était cassé le bras à mon anniversaire en CM2, celui que tu as emmené à l'aéroport avec moi pour mon voyage en Angleterre l'année dernière.

La mère recule d'un pas, épouvantée.

— Mon Dieu ! Quelle déchéance ! Vos parents doivent être catastrophés. En plus vous sentez la vieille vinasse…

Le père rectifie :

— C'est pas de la vieille vinasse, c'est mon whisky trente ans d'âge.

Cette fois, la mère craque et se met à pleurer en marmonnant quelque chose du genre « Ma petite fille n'existe plus » et en se triturant le jogging.

Le père passe à l'attaque :

— Ça fait combien de temps que ça dure, ce petit manège ?

— Depuis que vous voulez vendre la maison.

— Qu'est-ce que tu racontes ? Bientôt ça va être de notre faute !

Je connais bien Manon et elle est en train de monter en pression. Son père aussi.

— On t'offre la meilleure éducation, on te laisse toute la liberté que tu veux, et voilà ce que tu en fais !

Manon pousse un cri. Je devrais plutôt dire un hurlement. Si certains voisins ne s'étaient pas encore rendu compte de ce qui se passait, cette fois, ils sont prévenus.

— Mais vous êtes cons ou quoi ! explose-t-elle. Vous pensez vraiment que je fais la pute avec mes copines ? Et puis vous croyez vraiment que vos vêtements sont moins vulgaires que les nôtres ?

Son père regarde son joli pantalon années trente et sa mère son sweat violet.

Manon est lancée et je crains le pire.

— Je ne veux pas que vous vendiez cette maison. Je ne veux pas que vous divorciez ! Je ne veux pas que ces têtes de nœud l'achètent ! ajoute-t-elle en désignant les visiteurs. Vous ne savez même pas pourquoi vous allez divorcer ! Il n'y a pas que vous qui ayez un avis sur nous. J'ai moi aussi un avis sur vous ! Vous nous prenez toujours pour des bébés, mais on a grandi. Si je vous voyais malheureux ensemble ou vous taper, je comprendrais mais là, il n'y a rien qui justifie votre comportement à part votre immaturité ! Il y a des gens comme vous plein la cour du collège. La seule différence, c'est la carte de crédit et les rides ! Vous vous chamaillez pour les programmes télé, toi tu veux bouffer de la viande et toi tu le gonfles avec tes légumes. Et après on nous bassine pour être responsables ! Des mômes ! Ce n'est pas l'autre que vous n'aimez plus, c'est vous-même et votre petite vie que vous détestez. Alors changez et ne foutez pas en l'air notre vie pour autant. Qu'est-ce que vous allez devenir ? Toi avec ton bon salaire et tes « grands vins », tu vas te lever des petites jeunes ? Ça marchera combien de temps ? Tu y as réfléchi ? Il faudra que je supporte toutes tes conquêtes quand on se verra ? Et toi, tu t'es remise au sport pour draguer des jeunes mecs comme Léo ? Non mais franchement, vous avez perdu l'esprit. C'est pas parce que votre vie se résume à la Coupe d'Europe et aux soldes qu'il faut tout envoyer valser. Réagissez ! Pour vous empêcher de faire des conneries, j'ai déjà été jusqu'à me couper les cheveux, mais ça ne vous a même pas calmés deux jours. Alors aujourd'hui, avec ceux qui m'aident à tenir le coup, j'en suis réduite à faire n'importe quoi pour empêcher vos conneries ! Et mes potes s'occupent mieux de moi que vous !

Elle a sorti les derniers mots comme on expulse un bouchon. Elle a vidé son sac. C'est elle la bête sauvage, maintenant. Au moins, elle ne nous bouffera pas puisqu'on est dans son camp.

Son père demande :

— Ton frère est au courant ?

Manon lui désigne un bel érable juste à l'angle de leur jardin.

— Il devait faire un junkie, là. Mais il a eu un rattrapage de partiel au dernier moment.

Manon se met à pleurer. J'ai envie de la prendre dans mes bras et, cette fois, je ne vais laisser personne le faire avant moi. C'est bien connu, les filles de joie se consolent entre elles des malheurs de la vie.

Léo referme sa braguette. Le père se retourne vers les acheteurs et déclare :

— Je suis navré. Notre maison n'est plus à vendre. Je vais vous demander de nous laisser.

La mère s'approche de sa fille.

— Pourquoi tu ne nous en as pas parlé avant ?

— La seule fois où j'ai essayé, tu m'as envoyée balader. Vous n'écoutez rien.

Le talkie-walkie grésille à l'intérieur. Nous sommes à quelques mètres mais nous entendons tous clairement la voix de Tibor :

— Il faut se barrer, les flics débarquent ! Vite, sauvez-vous ! Et vous, ne touchez pas à mon chien !

La voix à la radio s'estompe mais c'est le vacarme dans la rue qui prend le relais. Bruit de course, cris, aboiements. Tibor passe à fond de train devant la haie du jardin. En fait, on ne le savait pas, mais il court super vite ! Trois flics le poursuivent. Il beugle :

— Je suis pas un vrai clodo ! C'est pas du vrai vomi ! Vous avez qu'à goûter !

— Arrêtez-vous ! Police !

— Foutez-moi la paix !

58

Le drame est arrivé au moment où l'on s'y attendait le moins. Jeudi matin, nous étions en classe à préparer le calendrier des révisions de maths avec Mme Serben, prenant soudain conscience qu'il ne restait plus que quelques semaines avant les épreuves. Depuis qu'on est petits, on nous parle du bac. Cette fois, on y est. La panique était en train de nous gagner. J'étais installée à côté de mon binôme de révision, Marie. Léa était assise quelques rangs devant, à côté d'Axel, mais je n'y étais pour rien. Ce n'est pas moi qui ai choisi Marie pour faire équipe. Bien sûr, si cela avait été possible, j'aurais pris ma meilleure amie, mais croire qu'elle allait réviser aussi dur que nous était illusoire, alors les profs ont tranché pour moi. J'ai eu beaucoup de mal à l'accepter, mais c'est effectivement plus raisonnable de faire équipe avec quelqu'un qui ne redoublera pas. Marie s'est presque excusée de prendre la place de Léa. On en était là quand ça s'est produit.

Le plafond s'est ouvert et un déluge de nourriture s'est abattu sur la prof dans un vacarme de fin du monde. Yaourts, portions de fromage, pain, fruits en sachet, de quoi nourrir la moitié du lycée.

Quelques yaourts ont explosé. Inès a crié. Par chance, Mme Serben n'a rien reçu de salissant, mais elle avait quand même un carré de fromage frais accroché dans les cheveux et des portions d'emmental dans le décolleté. Stupéfaction générale. Puis est venu le temps des questions. Si mes camarades avaient été des chiens, ils auraient légèrement incliné la tête sur le côté comme le fait Zoltan quand il ne pige pas. Vous imaginez ? Trente jeunes avec la tête inclinée face à un tas de fromage tombé du ciel…

Le temps s'est suspendu. Je me tourne vers Tibor, qui se lève aussitôt. Je sais ce qu'il va faire : il va se dénoncer. Je dois l'en empêcher. D'instinct, je me précipite vers lui, le saisis par son col et je lui souffle à l'oreille :

— Tais-toi. Ne dis rien. N'avoue rien.

Je l'assois de force. Il se laisse faire. Je reviens à ma place sous le regard incrédule de la classe qui se demande à quoi on joue.

— Qu'est-ce que c'est encore que ça ? commence Mme Serben en constatant la nature et la quantité de ce qui est tombé du plafond.

Aucune réponse. Léa me consulte du regard, puis fait de même avec Tibor.

Ne pas broncher. Se calquer sur les réactions des autres. Nier en bloc. Tibor semble décidé à m'obéir et reste figé dans une expression qui peut très bien passer pour de la surprise. Je crois cependant que la seule chose qui l'a étonné, c'est que je me jette sur lui. De toute façon, si personne ne relève les empreintes sur les emballages, il n'y a aucune chance pour que l'on découvre que c'est lui le coupable.

La sonnerie retentit. Mme Serben promène sur nous un regard soupçonneux et conclut :

— Il se passe quand même de drôles de choses par ici. Ces pauvres femmes de ménage vont encore avoir du travail…

Spontanément, je me propose pour nettoyer. Tibor lève aussi la main. Axel nous rejoint et Léa l'imite.

— Non, Léa, tu restes avec nous si tu veux mais tu ne fais pas d'effort.

Elle obéit à Axel, et Marie lui prend son sac pour l'emmener vers la salle de cours suivante. Axel la rassure :

— T'inquiète, on n'en a pas pour longtemps.

Puis, à notre intention, il ajoute :

— Je vais chercher des sacs-poubelle.

Une fois seuls, ramassant la nourriture pour en faire un tas, je glisse à Tibor :

— T'as pas évacué tes réserves au fur et à mesure ?

— J'ai la tête ailleurs en ce moment. Quel abruti…

— Te bile pas. On s'en sort bien. Pas de blessé. Pas de coupable. Il suffira de remettre les plaques en place. Avec un peu de chance, on doit même pouvoir récupérer la bouffe.

— Heureusement que tu m'as fait taire. Merci, Camille.

Axel revient en courant :

— Il faudra bien trois sacs.

— Minimum.

Quand tout est presque remis en ordre, Tibor demande :

— Ça vous ennuie si je vous laisse finir sans moi ? Je dois aller voir quelqu'un.

Pour Axel, cela ne pose aucun problème. Après tout,

Tibor est déjà bien gentil de nettoyer une ânerie dont il n'est pas responsable… Moi, par contre, connaissant son sens du devoir, je me demande ce qui peut le pousser à nous lâcher. Je me retrouve seule avec Axel.

— On va laisser les sacs ici, lui dis-je. Tibor a eu une idée pour les emporter.

— Comme tu veux.

Il me regarde en souriant et constate :

— On se retrouve encore tous les deux à finir le boulot.

Je croise son regard. Avant de me laisser gagner par le trouble, je me dépêche de répondre :

— C'est normal, on est amis.

— Tu sais, j'ai réfléchi à ce que tu m'as dit sur Léa, et je crois que tu as raison.

— Tant mieux.

Il semble attendre autre chose comme réponse, mais je n'ai rien à dire sur le sujet. En fait, ce n'est pas que je n'ai rien à dire mais si je réponds, il va se croire obligé de me raconter et ça, je n'en ai pas du tout envie.

On est sur le point de sortir lorsque Axel fait volte-face, me barrant presque le chemin. Il me dit :

— Tu es bizarre en ce moment. Si tu avais un problème, tu m'en parlerais, hein ?

— Évidemment…

— Tu sors avec quelqu'un ?

Je détourne le regard. Je n'avais pas prévu que Léa lui raconte tout. Le premier mur d'enceinte de mon cachot est en train de finir de s'assembler autour de moi. Et il est infranchissable.

59

Depuis quelques jours, même si ça me rend très malheureuse, j'essaye d'éviter Léa et Axel. C'est mieux pour eux comme pour moi. Je me place volontairement en retrait afin de ne pas les gêner. Accessoirement, cela m'épargne aussi quelques souffrances. Ils ne semblent remarquer ni mon détachement, ni mon petit moral. Moi, si l'un de mes proches était moins présent ou moins impliqué, je le noterais aussitôt. Ils doivent mettre mon absence sur le compte des révisions. Il est vrai que je passe beaucoup de temps avec Marie. Je vois aussi Léo, qui se montre vraiment gentil avec moi.

Axel n'était pas là ce midi, et Léa n'a même pas répondu à mes derniers messages. J'imagine qu'ils ont autre chose à faire que de s'occuper de leur bonne copine, et je peux les comprendre. Si mon histoire d'amour avec Axel avait été possible, plus rien d'autre n'aurait compté, assurément.

Je suis bien contente de rentrer à la maison. Je suis aussi pressée d'y être qu'un explorateur fourbu qui regagnerait son refuge. Là au moins, pas de grand chambardement. J'ai besoin de me sentir en sécurité, loin des sables mouvants de la vie. Pour cette fin d'après-midi, je me suis organisé mon programme : je rédige deux nouvelles fiches de synthèse de chimie – une par chapitre – et il ne m'en restera plus que quinze à faire. Ensuite, je joue avec Flocon en écoutant de la musique. J'aimerais bien parler à mon père, mais il rentre tard et chaque fois que l'on se croise, nous ne sommes jamais seuls. Pour être franche, je ne cherche pas beaucoup à provoquer l'occasion parce que je manque encore de courage pour m'excuser. Il doit être furieux après moi et je ne peux pas lui en vouloir. Quand je pense à tout ce que j'ai pu lui balancer... Si je ne m'en sors pas, je songe à appeler tante Margot à la rescousse.

Je pose mon sac dans l'entrée et je souffle. Lucas dévale l'escalier. Il porte le t-shirt que je lui avais emprunté...

— Maman ! Qu'est-ce que t'as fait en lavant mon maillot ! Regarde, il est tout en biais. C'est nul !

Il se plante à l'entrée de la cuisine et désigne les deux déformations que ses pectoraux sont encore loin de remplir... Maman répond :

— Écoute, Lucas, si tu trouves que la machine abîme tes vêtements, tu n'as qu'à les laver toi-même. Tu es assez grand.

Je suis étonnée par le ton inhabituellement sec de ma mère. J'entre dans la cuisine pour l'embrasser et, à ma grande surprise, je la trouve assise face à papa. D'habitude, il rentre trois heures plus tard.

— Bonjour. Tu es là super tôt...

Je les embrasse. Léger malaise avec papa. Ils ont l'air tendus.

— Un problème ?

Maman ne répond rien et regarde mon père. Je les

ai déjà vus fonctionner ainsi. Elle le laisse prendre la direction des opérations. Il se tourne vers moi :

— Assieds-toi. Ça ne va pas être facile…

— Qu'est-ce qui se passe ?

— Léa a fait un malaise chez elle, ce midi. Elle a été hospitalisée d'urgence et elle est en soins intensifs. Pour le moment, son état est stable.

Mes mains tremblent.

— Comment c'est arrivé ?

— Léa était dans le jardin. À l'heure de son contrôle de tension, Élodie s'est inquiétée de ne pas la trouver. Elle l'a découverte, inconsciente, près de leur petit chalet d'été. Elle a tout de suite appelé les secours.

— Son injection d'urgence ?

— Quand Élodie la lui a faite, son état était déjà trop grave. Il a fallu placer Léa sous assistance respiratoire. Les médecins aident son cœur par tous les moyens possibles.

— Tu l'as vue ?

— Christophe m'a appelé au travail. J'ai foncé à l'hôpital, mais à part les parents, ils ne laissent personne l'approcher pour le moment.

— Elle a parlé ?

— Elle n'a pas repris connaissance.

Je regarde papa, puis maman. Mon père me prend les mains :

— Camille, cette fois c'est sérieux. On va avoir besoin de toi.

— Qu'est-ce que je peux faire ?

— Être prête. Être prête si Léa se réveille. Être prête si Léa ne se réveille pas. Aucune des deux solutions ne sera simple.

Maman me pose la main sur l'épaule. Je me lève.

— Excusez-moi…

Je sors de la cuisine en marchant mais, à peine dans le couloir, je me précipite vers les escaliers pour m'enfuir dans ma chambre. Des larmes plein les yeux, je ne vois rien. Je me jette sur mon lit. Quels sont les derniers mots que Léa m'a dits ? L'image d'elle me faisant des signes sur le trottoir dans la lueur du réverbère me revient. J'entends aussi son rire et ses vannes sur mon « histoire d'amour compliquée ». Je vois ses yeux. Je suis capable de décrire le mouvement de ses cheveux. Je me redresse et j'attrape une photo de nous deux déguisées en dresseuses de cirque, avec Axel et Léo qui jouent les tigres.

Soudain, je sens une présence près de moi. Papa serait du genre à venir, mais je parie sur maman. Je me retourne. Lucas est là. Il tient maladroitement Flocon dans ses bras.

— Tiens, je me suis dit que ça te ferait plaisir de l'avoir avec toi.

Il pose le chat sur le lit, mais le petit fauve se carapate en miaulant pour aller fouiner derrière mon bureau. Lucas s'assoit à côté de moi, sur mon lit. Normalement, dans le cadre de nos relations habituelles, cette incursion en territoire intime serait considérée comme une provocation, comme un acte de guerre et – conformément aux accords internationaux qui régissent nos rapports – je devrais lui jeter tout ce qui me passe sous la main en vociférant. Mais là, je ne dis rien. Pire, il pose maintenant sa tête sur mon épaule. C'est l'alerte rouge, tous les voyants clignotent, mais aucune troupe d'élite ne débarque. Hormis la bise au réveillon du 31 décembre parce que les parents y tiennent, notre dernier contact physique doit remonter à plus de deux ans, et c'était parce qu'il avait glissé du bord de la piscine en me tombant dessus. Il marmonne :

— Tu te rappelles quand Fulgurator est mort ?

— Fulgurator était un hamster, pas Léa.

— Léa n'est pas morte, ma vieille. Et ce que je veux te dire, c'est que ce soir-là, quand j'étais dans mon lit à pleurer, tu t'es permis d'entrer pour me dire un truc qui m'a fait beaucoup de bien.

— Qu'est-ce que j'avais bien pu te dire ?

— Que si tu en avais le pouvoir, tu te transformerais en hamster pour remplacer Fulgu parce que tu savais qu'il comptait beaucoup pour moi.

— Tu jouais plus avec lui qu'avec moi.

— Il était plus doux.

— Il mordait et il faisait des crottes partout.

— C'est vrai, mais c'était mon Fulgu. N'empêche, quand tu m'as dit ça, j'ai compris quelque chose : celui qui meurt emporte un bout de ceux qui l'aiment avec lui, et c'est à ceux qui restent d'empêcher que tout ne parte avec.

— Léa n'est pas encore morte.

— Alors fais pas cette tronche-là.

J'ai passé mon bras autour de ses épaules et je lui ai frictionné la tête. Il a souri. C'est de la science-fiction. Il n'y a eu aucun cri, rien n'a volé dans la pièce, il ne m'a pas traitée de sorcière et je n'ai pas essayé de le jeter dans le vide-linge comme lorsqu'il avait 3 ans. Les miracles sont possibles même les jours de grand malheur.

60

Papa m'a mise en garde : je risque d'être impressionnée. Je m'en fiche. J'attends de voir Léa depuis trop longtemps. Elle a repris conscience hier, mais elle est toujours dans le service des soins intensifs. Mon père, Christophe et Élodie sont avec le professeur Nguyen. Pendant ce temps-là, j'ai le droit d'aller lui dire bonjour.

Ce matin, Léa et moi aurions dû être en cours toutes les deux, mais je me retrouve à remonter ce couloir lavasse avec des couvre-chaussures qui me font glisser, escortée par une infirmière qui considère ostensiblement que je lui fais perdre son temps. On débouche dans un vestibule qui donne sur trois salles équipées de baies vitrées. Dans chacune, on aperçoit un corps étendu, mais il y a tellement de matériel autour que je ne peux pas voir lequel est celui de mon amie.

L'infirmière s'arrête à l'entrée de la salle de droite.

— Dix minutes. Vous avez dix minutes. Après, il faut que j'y retourne.

J'entre dans la pièce. Il fait chaud. Le ronronnement des appareils de mesure est omniprésent. Léa est étendue, les yeux fermés, immobile, reliée par des tubes et des fils à toutes sortes de machines. Elle porte un masque à oxygène. Je la reconnais à peine. Ses beaux cheveux sont mal coiffés et collés à son front. Si le « bip » de l'électrocardiogramme ne tintait pas régulièrement, je pourrais croire qu'elle est morte.

Je l'observe. Seulement dix petites minutes pour tout lui dire, et pour le moment, elle dort. Je dois pourtant lui parler. C'est essentiel. J'espère lui transmettre tout ce que je peux comme énergie et comme espoir. Je l'aime, il faut qu'elle le sache. Jamais je n'aurai d'autre sœur qu'elle sur cette Terre. Je veux bien être témoin de son mariage avec Axel, je veux être la marraine de leurs six enfants, je veux tout ce qu'elle voudra, mais à une seule condition : qu'elle s'accroche de toutes ses forces pour survivre.

Il n'y a toujours aucun cœur de disponible pour une transplantation, mais l'aggravation de son état l'a fait remonter d'une place dans la liste d'attente. C'est horrible.

Déjà deux minutes d'écoulées. Je vois bien que derrière la vitre l'infirmière m'observe et compte les secondes. On se croirait au parloir d'Alcatraz.

Je me penche et je murmure :

— Léa, c'est Camille. Tu m'entends ?

Elle ouvre les yeux. Elle sourit. Je lui demande :

— Comment ça va ?

— Heureuse de te voir.

Je ne sais pas par quel bout commencer.

— Tu nous as flanqué une belle frousse…

— Je ne me suis rendu compte de rien.

— Il faut que je te parle, c'est important.

Mon père, Christophe et un docteur en blouse blanche ont rejoint l'infirmière de l'autre côté de la baie. Tellement de choses à dire en si peu de temps…

— Léa, je veux que tu saches…

Elle me saisit la main et me coupe :

— J'ai besoin de toi, Camille. Il n'y a qu'à toi que je puisse le demander. Ne fais pas cette tête-là, ce n'est pas une dernière volonté…

— Tout ce que tu veux.

— Il faut que tu parles à Tibor. Tu dois lui dire que ce n'est pas sa faute si j'ai fait ce malaise.

— Tibor ?

— C'est avec lui que j'avais rendez-vous dans le jardin, en douce.

— Pourquoi avais-tu rendez-vous avec Tibor en douce ?

Léa me regarde, interloquée. Elle semble amusée.

— C'est le garçon le plus gentil et le plus tendre que je connaisse. Il va s'inquiéter et se sentir coupable. Je ne le veux pas.

— Et Axel ?

— Quoi, Axel ?

— Vous n'êtes pas ensemble ?

— Ben non. Je te parle de Tibor, je te parle pas d'Axel.

Soudain, elle ouvre de grands yeux et retient une exclamation. Elle vient de comprendre ma méprise.

— C'est pas vrai ! Tu as cru que…

J'approuve d'un mouvement de tête.

— Ma pauvre Camille, tu te fais toujours des films…

Elle rit. Tout l'intérieur de mon corps est en train d'exploser, mon cerveau est en feu, et elle rit.

Je suis un bloc de l'étrange matière qui n'existe pas et elle vient de me verser dessus un réactif puissant. Je fonds, je brûle, j'étincelle… Quelques mots, et soudain tout change.

— Mais je croyais…

— Et moi je croyais que ton « histoire compliquée » c'était avec Axel, justement !

Je suis abasourdie.

— Tu sors avec Tibor ?

— On en est même un peu plus loin que ça…

— Cochonne ! Et tu ne m'as rien dit !

— J'ai voulu t'en parler, mais…

Le docteur Nguyen est entré, nous interrompant.

— Désolé de vous déranger, mais le temps est compté. Les mesures doivent être effectuées à des heures très précises. Nous allons tout faire pour que vous puissiez vous revoir vite et avoir tout le temps de vous traiter de cochonnes…

Je me sens littéralement fracturée en deux comme une poupée brisée dans sa hauteur. Une grande fissure me traverse et me divise : d'un côté, la douleur de voir mon amie en danger dans cet environnement et, de l'autre, un sentiment que je suis incapable de définir pour le moment mais qui me propulse vers Axel. La peur et l'envie. La volonté de me battre pour la sauver et le désir d'abdiquer pour me perdre contre lui. Les deux versants n'ont qu'un seul point commun : la puissance de l'amour que je porte à chacun d'eux.

Le docteur consulte un appareil. Léa me souffle :

— N'oublie pas. Fonce parler à Tibor.

— Tu veux le voir ?

— Dès que ce sera possible, oui, s'il te plaît.

— Compte sur moi.

Je l'embrasse et je sors.

Akshan Palany serait fier de moi : je sais quelles sont mes missions et je vais les assumer de toutes mes forces. Ensuite, je me mettrai à la cithare.

61

Sur le parking des profs, en plein soleil, il fait chaud. Un vent léger emporte les pétales des cerisiers qui constellent le ciel bleu.

J'attends près de la voiture de M. Rossi. Lorsqu'il arrive enfin, je remonte l'allée vers lui.

— Pardon de vous harceler…

— Je t'en prie. Que puis-je pour toi ?

— J'ai cherché à vous apercevoir en salle des profs mais vous n'y étiez pas et ce midi vous n'êtes pas venu à notre rendez-vous…

Il sourit :

— Je pensais que l'hospitalisation de Léa avait changé la donne. Ses parents ont téléphoné pour dire qu'elle ne pourra pas revenir en cours avant la fin de l'année. Je suppose que tu es déjà au courant.

— Oui, mais je pensais…

Il ouvre son coffre et y dépose sa sacoche.

— Dois-je comprendre que tu voudrais que nous poursuivions nos rencontres ?

— On peut le faire dans un cadre moins formel, autour d'un café par exemple…

— Toi et moi n'avons plus besoin de code pour

nous parler. Et je vais prendre un risque de plus en te confiant mon numéro de portable. Mais en échange, tu devras me signer un document de cinq cents pages stipulant que je n'ai jamais eu le moindre sous-entendu ambigu vis-à-vis de toi, ni aucun attouchement.

Sans doute à cause de la tête que je dois faire, il précise :

— Je plaisante, Camille. Tout va bien.

Il écrit son numéro sur un vieux ticket de caisse et me le tend.

— Tu as vu Léa ? Comment va-t-elle ?

— Mieux, mais ils hésitent encore à la sortir des soins intensifs.

— Je vais certainement passer la saluer. Il faut que je lui parle.

— Ça lui fera plaisir. Elle vous aime beaucoup.

Il ne répond pas et contourne sa voiture pour rejoindre le côté conducteur.

— Je dois te laisser, dit-il en ouvrant la portière. Essaie de te détendre. Consacre-toi aussi à tes révisions. Cette histoire prend une très grande place en toi. Tu te poses beaucoup de questions…

— Vous ne vous en posez pas ?

— Si, sans doute autant que toi, mais j'essaie de les affronter les unes après les autres. Alors que toi…

Je n'avais pas imaginé lui parler de ça, debout, dehors, avec une voiture entre nous.

— Tout le monde se pose autant de questions ?

— Je ne crois pas. Mais je n'ai aucune certitude.

Le vent souffle. Il neige des pétales.

— Y a-t-il un âge auquel on arrête de s'en poser ?

— Si cet âge existe, je ne l'ai pas encore atteint, parce que je peux t'assurer que ça ne se calme pas.

— Et vous trouvez les réponses ?

Il regarde vers le ciel et soupire. Puis lentement il revient vers moi. Je crois que nous n'avons jamais été aussi proches.

— Tu sais, Camille, trouver les réponses n'est pas le plus difficile. La vie te les apporte, tôt ou tard. Le plus dur, c'est de continuer à vivre en les connaissant.

62

Mme Serben nous rend les résultats de la dernière évaluation de l'année. Après, nous ne ferons que réviser. En y réfléchissant, c'est même la dernière note de notre scolarité au lycée. Ça fait drôle. Une page se tourne. Là, tout de suite, je crois que je ne réalise pas bien parce que je suis avec mes amis, dans notre classe. Mais je parie que dans trente ans, quand je vais retomber sur ma copie, quelle que soit ma note, j'aurai les larmes aux yeux.

On s'est pris ce contrôle pile le lendemain matin du jour où Léa a été admise en soins intensifs. On était plusieurs à avoir la tête ailleurs, et c'est peu de le dire. Axel a quand même eu 14. Marie a décroché un 12. La prof nous distribue les copies selon son grand jeu : « Plus t'as la note tôt, plus gros est le râteau, plus t'as la note tard, plus c'est grave flambard ! ».

Pour moi, le suspense n'a pas duré longtemps. Mme Serben m'a rendu ma copie dans les premières. Je me tape un 5. Ma pire note depuis trois ans. Pour Tibor, l'attente n'a pas été beaucoup plus longue : il a hérité d'un 6. Sa pire note depuis huit vies. Il ne s'est pas jeté dans le vide, il n'a rien fait exploser. Il n'a même pas pleuré. Tout le monde sait pourquoi il a écopé de cette note, même la prof. Contre tous les usages, elle lui a frictionné la tête affectueusement, comme s'il était un tout petit garçon. Mais je crois qu'il n'en est plus un. On est d'ailleurs pas mal à avoir grandi ces derniers temps. Le terme « mûri » serait sans doute plus approprié. Quand je repense à notre groupe au début de l'année et à ce qu'il est maintenant, je me dis qu'on a déjà traversé pas mal de choses. Il faudrait que le dieu facétieux nous lâche un peu... Qu'il s'occupe des chats, par exemple. Ils font n'importe quoi en ce moment, surtout la nuit.

Tibor et moi sommes assis côte à côte. Selon le principe que j'ai découvert l'autre soir, nous sommes tous les deux actionnaires de Léa. À nous deux, je pense même que nous avons la majorité des voix à son conseil d'administration. Comme tous les grands investisseurs, nous réunir nous rassure. Humainement, cela nous rapproche d'elle et nous permet de mieux supporter le vide qu'elle laisse dans la classe. Les autres ont accepté son absence. Ils se sont adaptés. Moins ils sont proches d'elle, plus vite ils l'ont fait. Comme les ronds dans l'eau qui sont moins marqués à mesure que l'on s'éloigne du point d'impact.

Aujourd'hui, Tibor porte une chemise. Elle est légèrement trop grande pour lui mais ça lui va bien. Plus surprenant encore, il s'est coiffé – certainement avec une brosse à chien étant donné le résultat. Après le cours de maths, nous avons deux heures d'étude et il compte aller voir Léa.

— Camille, est-ce que tu peux venir avec moi à l'hôpital ?

— Vous ne préférez pas être tranquilles, tous les deux ?

— Je voudrais lui apporter des fleurs et je ne sais pas trop quoi prendre. Manque d'habitude. Si tu pouvais m'aider…

Je le trouve touchant. Lui, si fou, si instinctif, essayant d'épouser l'un des plus vieux codes qui soit pour témoigner de l'affection à une jeune femme.

— Pas de problème. Je t'accompagne.

Chez la fleuriste, il a demandé si les fleurs ne souffrent pas trop quand on les coupe, lesquelles symbolisent le mieux l'amour fou, et si on peut manger les pétales une fois qu'elles sont fanées. Il a essayé d'en goûter une pendant que la dame préparait son bouquet. Vu la grimace qu'il a faite, je crois qu'il a compris pourquoi on ne les mange pas. Il est ressorti avec tout le stock de roses rouges.

En marchant dans la rue, il se tient bien droit, sa brassée de fleurs serrée contre lui comme un bébé.

— Je préfère te prévenir : les machines autour de Léa sont un peu effrayantes. Mais tu verras, elle va bien.

— Merci de m'avertir. Tu sais ce qui m'étonne le plus ?

— Non.

— Les autres ne se sont pas moqués de moi lorsqu'ils ont appris que Léa et moi sortions ensemble.

— En général, personne ne se moque de ce genre de choses. M. Rossi dit qu'on est à l'âge des essais et que personne ne peut donner de leçon aux autres sous peine de s'en prendre en retour ensuite. Mais je te comprends, ce n'est jamais facile d'exposer ses sentiments.

Si un jour on m'avait dit que je rassurerais quelqu'un à ce sujet...

— Léa n'est pas un essai pour moi. Je suis vraiment bien avec elle. J'étais très bien sans copine, surtout depuis que j'ai mes chiens. En fait, elle a même contrarié mes plans. Ce n'est pas pour moi que j'avais peur des ragots, mais pour elle. Je ne veux pas lui faire honte.

— Tibor, tu ne fais honte à personne. Au pire, tu fais peur à quelques-uns !

Il rit avec moi.

À l'hôpital, en arrivant dans sa chambre, j'ai ménagé mon effet.

— Surprise ! Je t'amène un visiteur qui brûlait de te voir. Je vous laisse. On se verra toutes les deux en fin d'après-midi, comme prévu.

Léa s'est aussitôt redressée pour tenter de voir qui était l'invité mystère. Je sais qu'elle espérait que ce soit Tibor. Elle a littéralement bondi de son lit en le voyant entrer. Si elle n'avait pas eu ses fils et ses drains, elle aurait couru vers lui. Elle l'a enlacé, mais pas comme Axel ou moi. Je suis sortie et je me suis installée au bout du vestibule pour attendre Tibor.

Je n'ai pas pu m'empêcher de jeter de temps en temps un œil à travers la baie vitrée. Ce que j'entrevoyais n'avait rien à voir avec mon cauchemar de Léa et Axel se mariant pendant que je les épiais en larmes. Moi qui me targue de connaître Léa mieux que personne, comment ai-je pu à ce point ne rien remarquer entre eux deux ? J'étais sans doute aveuglée par ma peur de perdre Axel. Quand je pense à tous ces hasards que j'ai pris pour des preuves, tous ces silences que j'ai perçus comme des aveux… Quelle folle je fais !

En les observant, je me dis qu'ils vont bien ensemble. Avec de grands gestes, Tibor est en train de mimer je ne sais quoi au pied du lit de Léa qui le contemple, fascinée et rayonnante de bonheur. À en juger par les mouvements qu'il accomplit avec frénésie, Tibor lui raconte certainement un nouveau tour qu'il aura appris à ses chiens, ou alors il lui rejoue toute la bataille d'Antioche ou le naufrage du *Titanic*. Je les trouve beaux. Elle l'humanise dans sa folie, elle réveille la tendresse qu'il cachait. Il la rend moins sage, il révèle tout ce qu'elle est capable de donner quand elle aime.

C'est peut-être le secret d'un vrai couple : chacun doit révéler ou réveiller quelque chose chez l'autre. Je me demande ce qu'Axel réveillera chez moi. Que puis-je révéler chez lui ?

Par pudeur, je les laisse et je redescends attendre dans le hall d'entrée de l'hôpital. Je sens que Tibor peut m'aider à sauver Léa. Je sais qu'avec lui, elle aura encore plus d'énergie. À nous deux, on va soigner son cœur.

Assise sur une des banquettes, je regarde le flot des gens qui passent. Toujours le même décor, les mêmes scènes, mais avec d'autres acteurs. Espoir, urgence, joie ou souffrance. Chacun jouera chaque rôle à son tour. La dernière fois que j'étais ici même, je jouais « urgence » ; aujourd'hui je joue « espoir ». Je préfère nettement. Soudain, je crois reconnaître quelqu'un. Je me lève d'un bond et je fonce vers lui.

— Excusez-moi…

Il me dévisage, incrédule. La lumière n'est pas la même et il ne porte pas sa casquette, mais c'est bien lui.

— Vous habitiez près de la gare, dans un immeuble qui a été démoli…

Son visage s'anime.

— Bon sang ! Tu es la petite qui s'est arrêtée le jour où j'allais si mal !

Il me serre chaleureusement la main et demande :

— Mais que fais-tu là ? Tu n'es pas malade au moins ?

Il est plein d'énergie. Il n'a plus rien de l'homme abattu croisé un petit matin d'hiver.

— Je vais bien. Je suis contente de vous revoir. Vous avez l'air en forme.

— Ma foi…

— Et votre femme ?

— Elle devrait sortir le mois prochain. Je lui ai parlé de notre rencontre. Si tu as le temps, je te la présente, elle est au deuxième…

— Aujourd'hui, c'est compliqué. Je regrette. J'attends quelqu'un d'une minute à l'autre.

— Je pense souvent à toi, petite. Tu as été providentielle ce matin-là. J'étais au plus bas. Après ton départ, j'ai suivi ton conseil et je suis allé directement rejoindre ma Claudine. L'après-midi même, je lui ai tout dit. Elle a réagi avec beaucoup plus de courage que moi ! C'est elle qui a eu l'idée d'aller voir l'assistante sociale, et c'est comme ça que nous avons appris que dans les immeubles neufs des logements sociaux étaient prévus. Du coup, dans quelques semaines, nous allons ré-emménager à la même adresse. Nous ne serons pas au même étage et il n'y aura pas de cheminée, mais on aura un ascenseur. C'est mieux pour nos vieilles jambes !

— Je suis tellement contente pour vous.

— Il faudra passer nous voir. Vraiment, j'y tiens. Fader, Jean et Claudine Fader. Il y aura un interphone électronique avec notre nom. Je ne sais pas comment ils font ça mais ils me l'ont promis.

Il me prend les mains.

— Quelle joie de te retrouver ! Je vais aller le raconter à Claudine !

— Promis, je viendrai. Et j'ai un petit souvenir pour vous.

Je suis vraiment heureuse pour eux. J'ai eu tellement peur pour lui. Moi qui me sens bêtement responsable de tout le monde, je viens encore d'apprendre quelque chose : parfois les choses s'arrangent sans que cela dépende de vous.

Mais pas toujours.

63

Entre les révisions, la vie au lycée et les visites à Léa, la vie a pris un autre rythme. Tibor et moi sommes les seuls à venir la voir chaque jour. Mardi dernier, Tibor s'est fait hurler dessus par une infirmière parce qu'il avait amené un de ses chiens en cachette. Léa pleurait de rire en me le racontant. Il s'était aménagé une poche de kangourou sous son manteau de clodo et il a remonté le couloir avec son gros ventre qui gigotait. Le chien – un jeune border collie – a fait le fou dans la chambre et ils se sont tout de suite fait repérer. Sans le docteur Nguyen, l'affaire aurait tourné au drame, mais il a calmé le jeu.

Je n'apporte plus les fiches de révisions à Léa. Elle ne veut pas passer les épreuves. Plus personne ne parle de la renvoyer chez elle et je n'ose pas poser la question. En venant la voir, je croise souvent son frère, Julien, qui passe aussi beaucoup de temps avec elle.

Ce matin, je profite d'une matinée libérée pour avancer notre rendez-vous. Comme ça, ce soir, je pourrai sortir avec Axel qui m'a invitée au cinéma. Juste nous deux…

— Salut ma vieille ! Comment te sens-tu aujourd'hui ?

— Camille ? Il est déjà 18 heures ?

Elle a l'air dans les vapes.

— Non, tout juste 10 h 15. Ça va ?

— Pas trop. J'ai passé une nuit horrible.

Elle tente de se redresser. Je l'aide.

— Tu as vu les docteurs ?

Je remets son oreiller en place dans son dos.

— Je crois. Je ne sais plus. J'en vois tellement…

Elle se force à me sourire.

— C'est bien que tu sois là.

Tout à coup, elle s'agrippe à moi et se met à sangloter. Je la serre contre ma poitrine en essayant de la réconforter.

— Calme-toi. Tu nous fais encore une de tes crises.

Elle murmure :

— Non, Camille. Pas cette fois.

— Qu'est-ce que tu racontes ?

Je me mets à sa hauteur en prenant son visage entre mes mains. Je vois ses yeux. J'y lis quelque chose que je n'avais jamais vu : la peur.

Elle souffle :

— Camille, je vais mourir. Je n'en ai plus pour longtemps. Il n'y aura pas de greffe…

— C'est vraiment la grosse déprime. Tu veux que j'appelle le toubib ?

Elle m'agrippe le bras :

— Non. Ils ne peuvent plus rien. Aide-moi à vivre encore une fois, aide-moi à sortir d'ici.

— Mais je ne peux pas, comment veux-tu que je fasse ? Ce ne serait pas raisonnable…

— Je ne sais pas l'expliquer, mais je sens que tout est en train de lâcher. Quelque chose me dit que je vais vite partir. Je t'en supplie. Si tu m'aimes un peu, ne me laisse pas crever ici…

64

J'ai appelé mon père. En sanglotant, je lui ai répété mot pour mot ce que Léa m'avait dit. Il a répondu :

— J'ai déjà entendu des gens déclarer cela. En général, ils ne se trompent pas…

Je pleure de plus belle :

— C'est pas possible !

— Camille, s'il te plaît, écoute-moi. Tu dois aider Léa. Si tu ne le fais pas, tu le regretteras toujours, pour elle et pour toi. Je sais que c'est douloureux, ma puce, mais tu dois tenir. Je vais t'aider.

— Comment veux-tu que je fasse ? Ils ne vont même pas accepter qu'elle sorte…

— Si tu devais réunir Léa et tous vos amis, où le ferais-tu ?

J'essaie de me calmer, je renifle et je réfléchis.

— À la clairière des Cerfs. Oui, c'est là-bas le mieux.

— Est-ce que tu te sens capable d'organiser ça dans l'urgence avec tes copains ?

— On a déjà fait pire. Mais comment on la sort de l'hosto ?

— Aucune idée. Il faut d'abord que je prévienne

Chris et Élodie. On n'aura pas le temps de faire les choses dans les règles. Il se peut que le professeur Nguyen joue le jeu, mais je n'en suis pas certain…

— Papa, j'ai peut-être une idée.

— Pour la faire sortir ?

— Oui. Mais on risque des problèmes après…

— Tu es certaine de ton coup ?

— En se préparant un minimum, ça doit pouvoir marcher.

— Alors vas-y. Occupe-toi de Léa et de tes potes, et je me charge des « problèmes ». On se tient au courant.

— Je t'aime, papa.

— Moi aussi, ma grande. Fonce.

65

Mon coup de fil suivant a été pour Axel. En parlant avec lui, l'organisation s'est mise en place très rapidement. Il n'a pas essayé de me raisonner ou de m'en empêcher. Il m'a simplement aidée à trouver les moyens d'être le plus efficace possible. Il s'est chargé de prévenir les autres et de répartir les fonctions. Pendant qu'une partie de l'équipe rassemble le nécessaire pour se réunir à la clairière, les autres peaufinent le plan d'évasion pour Léa. Elle ne pourra pas courir ou se fatiguer. Nous devons la considérer comme un colis qu'il faut sortir de l'hôpital ou, selon Marie, comme une œuvre d'art que l'on doit dérober à un musée. La logistique est complexe, mais on est prêts à tout et Léo est un excellent stratège. Avec lui, on a vérifié point par point toutes les étapes de ce qu'il appelle « l'exfiltration ».

Louis et Axel sont ceux qui paraissent les plus âgés. Ils seront les brancardiers qui viendront chercher Léa dans sa chambre. Malik, Marie et Pauline les guideront vers la sortie par des couloirs secondaires et des monte-charges. À tous les endroits où notre « colis » pourrait se faire repérer, ils sécuriseront la zone en veillant à ce que tout soit calme au moment du passage. Tous porteront leur blouse blanche de labo de chimie avec, accroché au revers, le badge de cantine qui, de loin, peut ressembler à une carte d'accès.

Julien, qui a emprunté la camionnette d'un de ses copains électricien, attendra « la Joconde » à la porte réservée aux livraisons et aux fournisseurs de l'établissement. Il embarquera Léa et son escorte vers la colline.

J'ai été surprise de la facilité avec laquelle le frère de Léa a accepté de nous prêter main-forte. Je ne lui ai pourtant rien dit des inquiétants propos de sa sœur. Cela se confirme : quand ils sentent que c'est sérieux, les garçons savent se tenir.

Dans cet hôpital banal, personne ne s'attend à une opération de ce type. Nous avons pour nous l'avantage de la surprise, c'est notre chance. Il va quand même falloir tromper la vigilance des infirmières, omniprésentes dans ce service. Cela nous amène à l'épineux problème de la diversion. Tibor s'est spontanément proposé, mais nous savons tous de quoi il est capable et la seule option sensée serait de refuser. Nous savons aussi qu'il vivrait très mal d'être écarté de l'opération étant donné ses liens avec Léa. Devant son insistance et son air de chiot malheureux, la réponse raisonnable a donc été écartée et il est désormais investi de la délicate mission de distraire toutes les aides-soignantes… Je l'accompagnerai, avec l'espoir de l'empêcher d'en faire trop. Qui se retrouve toujours à la place la plus pourrie ? C'est Super Aguicheuse !

Tout va beaucoup trop vite pour nous laisser le temps de réfléchir, et c'est peut-être mieux ainsi. Moins d'une heure plus tard, après que Léo nous a obligés à synchroniser nos montres et fait répéter tous en chœur les étapes clés, je retourne donc à l'hôpital en compagnie de Tibor.

— Comment comptes-tu t'y prendre pour la diversion ?

— Fais-moi confiance.

— Tibor, on va déjà se retrouver accusés d'enlèvement et de mise en danger de la vie d'autrui, on ne peut pas se permettre un incendie de bâtiment public en plus.

— T'inquiète pas. Il vaut mieux que tu ne saches pas. S'ils te capturent, qu'ils te torturent et te font parler, ça risque de compromettre toute l'opération.

Comme si on n'avait déjà pas assez de Léo dans le genre commando…

Dans l'ascenseur, Tibor souffle par séries de petits coups brefs, comme un sportif qui va s'élancer pour un marathon. Moi, ça ne m'effraie pas plus que ça mais, par contre, la petite dame qui est avec nous n'a pas l'air tranquille. Je lui souris pour essayer de la rassurer, mais je dois avoir l'air d'une parfaite débile.

Une fois à l'étage, Tibor s'étire dans tous les sens et fait pivoter sa tête pour assouplir ses vertèbres. Quand il bouge ainsi, on dirait un croisement entre un pigeon ivre mort et un cobra dansant devant un charmeur de serpents qui jouerait du disco au pipeau.

On fonce directement à la chambre de Léa. Je ne sais pas pourquoi mais, avec Tibor, on marche au pas.

Léa m'accueille, pleine d'espoir.

— Tu es venu avec mon chéri ? Vous avez eu la permission de me faire sortir ?

Je m'approche et je lui murmure :

— Pas exactement, mais dans moins de trois

minutes, Louis et Antoine vont venir te chercher sur une civière.

— Donc je sors ?

— C'est le but.

Clin d'œil. Elle comprend aussitôt et commence à ramasser ses affaires sur sa table de nuit. Je la calme :

— Ne t'agite pas. On pourrait se faire remarquer.

— Il faudra qu'on emporte ma bouteille d'oxygène.

— Pas de problème. Dis-leur.

— Tu restes avec moi ?

— Je dois surveiller Tibor : il est chargé de distraire les infirmières…

Elle le regarde, vaguement inquiète. Il lui adresse un adorable sourire.

— Ne va pas faire de bêtises, mon Tibor.

Il répond :

— Je vais te sauver…

Il a dit *la* phrase. Si on avait eu le temps, Léa et moi aurions échangé un regard mêlant le fou rire et la panique. Mais Tibor ne nous a laissé le temps de rien, et le voilà qui sort de la chambre d'un pas volontaire.

— Va avec lui, m'ordonne Léa. Ne le laisse pas seul, il est si fragile…

— Toi, tiens-toi prête. Les garçons vont arriver dans à peine deux minutes.

Tibor fonce en direction du bureau des infirmières. Il regarde sa montre pour vérifier qu'il est dans les temps.

— Tibor, attends-moi !

Trop tard, il est déjà entré.

— Mesdemoiselles, pardon de vous déranger, mais j'ai besoin de vous. Je crois que j'ai attrapé un truc pas net et j'aimerais votre avis de spécialistes parce que ça m'inquiète. J'ai un gros bouton et je ne sais pas ce que c'est. Je vais vous montrer…

Direct, il se retourne et il baisse à la fois son pantalon et son slip. Cul nu sans sommation.

Exclamations dans le bureau. Je ne peux plus rien faire pour corriger le tir. La situation échappe à tout contrôle. Attirées par les éclats de voix de leurs collègues, les deux aides-soignantes qui n'étaient pas dans le bureau rappliquent.

« Il est si fragile… » Pourtant, les fesses à l'air, il semble plutôt à l'aise. Les femmes protestent :

— Mais rhabillez-vous !

— On n'est pas un service de consultation ! Non mais qu'est-ce que ça veut dire !

— Allez montrer vos fesses ailleurs !

Tibor ne se démonte pas et ajoute :

— Mais ce n'est pas le plus inquiétant ! Regardez, j'en ai aussi sur mon petit pingouin.

Il se retourne et leur exhibe ce qu'Inès prend pour un paratonnerre. Je rêve ou il s'est dessiné des gros boutons multicolores avec des marqueurs ? C'est pour ça qu'il a voulu s'isoler tout à l'heure ! Il y a eu préméditation ! Je suis curieuse d'entendre l'énoncé des faits par le procureur…

Pour que les infirmières voient bien, il tire sur son « petit pingouin ». Cette fois, il y a des cris. Il va falloir fuir. Je me retourne, Léa n'est plus dans sa chambre. Je n'ai même pas vu Louis et Antoine passer.

— Tibor, c'est bon, viens !

Je l'attrape par son pantalon baissé et je le sors du bureau. Je lui souffle :

— On va avoir des problèmes, cours !

Il remonte ses vêtements et se met à cavaler. Je lance :

— Évite les ascenseurs, prends l'escalier !

On dévale les marches quatre à quatre.

— Alors, j'ai été comment ?

— Toi et ton pingouin, vous avez été parfaits.

— J'aurais pu trouver plus raffiné, mais il m'aurait fallu plus de temps !

— Ils sont à qui, les marqueurs que tu as utilisés ?

Les vrais commandos ne doivent pas rire autant que nous.

66

Je n'ai répété à personne ce que m'a confié Léa. Tout le monde est convaincu qu'on lui organise une fête surprise. Quand, dans la clairière, les promeneurs ont vu débarquer presque vingt jeunes surexcités portant du matériel, ils n'ont pas tardé à nous abandonner la place. Romain a récupéré trois tentes – au cas où l'on resterait pour la nuit –, Malik forme un rond avec des pierres pour préparer un feu, et chacun remonte les provisions sac après sac.

Lorsque Léa nous rejoint enfin, tout est prêt pour l'accueillir. Sur son brancard, portée par quatre garçons telle une impératrice, elle découvre son trône installé tout près de notre banc en béton. On l'aide à y prendre place, au milieu d'un parterre de pissenlits et de pâquerettes éclatantes. Confortablement calée sur son matelas pneumatique et ses coussins, elle peut à son choix contempler la vue sur la ville ou notre campement de fortune. Certains de notre bande ne sont pas revenus ici depuis des années. Ils courent partout, sautent sur le banc, éprouvant une joie sincère à revisiter ce lieu de leur enfance avec les mêmes amis.

Tibor est aux petits soins pour Léa. Il s'assure que

sa bouteille d'oxygène est bien calée avant de lui poser délicatement son masque.

— Ici, avec nous, il ne peut rien t'arriver.

Elle lui caresse la main. Antoine appelle :

— Eh Tibor ! Tu nous aides pour les boissons ?

— J'arrive.

Je reste seule avec Léa.

— Tu ne leur as rien dit ? me demande-t-elle.

— Seulement que tu voulais les voir et que l'hôpital t'en empêchait. J'ai eu tort ?

— Non. C'est mieux ainsi.

Elle s'étire et semble se détendre enfin.

— C'est une super idée que tu as eue de nous réunir ici. C'est géant.

— Heureuse que ça te plaise. Ton évasion ne t'a pas trop épuisée ?

— Non, c'était plutôt drôle. Vous allez avoir des ennuis…

— Peu importe. C'est pour la bonne cause.

— Tu as prévenu papa et maman ?

— Mon père s'en est chargé. Ils vont venir. Papa reste dans les parages avec des potes à lui pour parer à toute éventualité.

— Toute éventualité ?

— Il s'assure que personne ne viendra nous déranger et qu'il ne t'arrivera rien.

— Tu le remercieras. C'est vraiment quelqu'un que j'aime.

— Tu pourras le lui dire. Il passera tout à l'heure.

Léa regarde autour d'elle. Ses meilleurs amis sont là et s'amusent.

— C'est une vraie fête, il ne manque personne…

Un petit craquement de brindille attire notre attention. Julien approche et s'agenouille devant sa sœur.

— Il faut vérifier ton pouls.

— Laisse, il va très bien. À vous tous, vous faites battre mon cœur bien plus vite qu'il ne l'a jamais fait.

Le soleil commence à décliner et les ombres s'allongent. Tout le monde s'amuse et on en a presque oublié pourquoi nous sommes là. C'est un peu une kermesse, un peu un anniversaire. Quelque chose des vacances et de l'été flotte dans l'air. Pauline a apporté des enceintes pour MP3 et la musique résonne dans le soir qui tombe.

On mange des chips, on boit des jus de fruits, les garçons se préparent des sandwichs remplis de bonbons et de charcuterie tellement gros qu'ils peuvent à peine mordre dedans. Le plaisir de cette soirée impromptue se conjugue à la joie d'être réunis. Léa n'est jamais seule. Chacun va la voir, repart, s'amuse et revient à son chevet. Si elle ne mange rien de ce qu'on lui propose, elle parle volontiers avec chacun. Je la vois sourire, prendre des mains, enlacer. Tibor n'est jamais loin et, dès qu'elle est seule un instant, il se précipite.

Julien est descendu apporter de quoi manger à mon père et ses complices, postés au pied de la colline. Léo et Louis jouent au foot avec les autres garçons. Pauline et Vanessa discutent avec Léa. Eva, Manon et les autres préparent la nourriture sur des assiettes en carton. Légèrement à l'écart, je suis appuyée contre un arbre, à la limite de la clairière, et j'observe. C'est un beau moment. Quand je les vois vivre ensemble, quand je songe à la vitesse à laquelle tous se sont engagés dans ce plan foireux, j'ai du mal à croire que les humains soient aussi mauvais que ce que certains veulent nous faire croire.

Je sursaute quand une voix toute proche s'adresse à moi.

— Et si je t'avais invitée à danser, aurais-tu accepté ?

Axel est arrivé par-derrière. Je ne l'ai pas entendu approcher. Il s'appuie contre mon arbre, juste à côté de moi. Vais-je encore éluder la question ou trouver le courage de lui répondre « honnêtement » ?

— Je ne sais pas danser. J'ai la trouille d'être ridicule. Au bal, j'aurais pu te dire non, parce que j'ai toujours peur que tu me prennes pour une moins-que-rien. Mais j'aurais adoré que tu m'invites…

— Je n'ai pas osé, mais j'y ai pensé tout le temps.

Il se penche et pose son menton sur mon épaule. Il plisse les yeux pour regarder au loin devant nous. Sa joue est contre la mienne. Je sens sa chaleur, son léger parfum.

— Alors voilà ce que tu vois de ta hauteur…

— Porte-moi, et je découvrirai ce que tu vois de la tienne.

Il ne s'est pas fait prier.

67

Le soleil embrase l'horizon de ses derniers feux. D'ici, on jurerait que tout le sud de la ville est ravagé par un incendie. Les oiseaux passent dans le couchant en criant. Les rues scintillent déjà. Les pâquerettes se sont fermées et attendent la rosée de l'aube pour s'épanouir à nouveau.

Les parents de Léa et les miens nous ont rejoints. En arrivant, Christophe a fait le tour de la clairière et serré la main de tout le monde. Élodie a fait la bise à ceux de nos copains qu'elle connaît. Maman a trouvé sa place près du buffet improvisé et discute avec Marie, Vanessa et Manon.

Papa m'a rejointe aux boissons.

— Ça rappelle des souvenirs…, me dit-il.

— Tu as déjà fait du camping ici ?

— Pas moi. Par contre, je me souviens lorsque toi – et une bonne partie de cette petite bande d'ailleurs – en aviez fait.

— Mais tu n'étais pas là…

Il se retourne et me désigne la forêt qui se perd dans l'obscurité.

— J'étais quelque part dans ce secteur, planqué, avec Pierre, mon ancien collègue.

— Vous nous espionniez ?

— On veillait sur vous. Tu n'imagines pas qu'on allait vous abandonner seuls, au milieu de nulle part, alors que vous n'aviez même pas 9 ans ?

L'idée de ces anges gardiens m'amuse.

— Tu avais vu les garçons nous faire peur avec les branches et les lampes ?

— Et celui qui s'était mis du ketchup partout… J'ai l'impression que c'était hier.

Il me passe le bras autour des épaules et m'embrasse sur le front.

Christophe et Élodie nous font signe : Léa souhaite me parler…

— Alors ma vieille, heureuse de ta soirée ?

Elle me regarde. Ses yeux brillent. C'est sans doute la fatigue, mais je préfère croire que c'est le bonheur. Je m'assois près d'elle.

— Tu te sens comment ? Tu m'as l'air regonflée et ça fait plaisir à voir.

— Je profite du présent. Tu sais, Camille, cela peut paraître surprenant étant donné mon état, mais je n'ai jamais été aussi heureuse. Il m'aura fallu endurer tout ça pour vivre ces instants. Je crois que ça en valait la peine. Vous êtes tous là, et de toutes les façons possibles, j'aime chacun de vous de tout mon cœur.

Tibor passe en courant, pourchassé par Antoine et Quentin qui veulent lui faire goûter de force une de leurs recettes miracles. Léa le regarde comme je ne l'ai jamais vue regarder personne. Elle sourit.

— Il est gentil, tu ne trouves pas ?

— Il l'est. Et il a aussi de jolies fesses. Toutes les infirmières pourront te le confirmer.

Elle rit.

— S'il m'arrive quelque chose, il faudra que tu prennes soin de lui…

— Parce qu'il est « si fragile », je sais !

— Je suis sérieuse.

— Ne t'en fais pas. Vous avez encore beaucoup de choses à vivre tous les deux, et c'est lui qui veillera sur toi.

Son regard se perd dans le paysage.

— On aurait dû inviter M. Rossi.

— C'est vrai qu'il est sympa.

— Il est bien plus que ça. C'est un homme remarquable. L'autre soir, il est venu à l'hôpital. Il voulait me parler. J'ai cru qu'on allait discuter de mes études ou de mon redoublement, mais non. J'ai l'impression qu'il avait envie de se – comment dire ? – confesser. Ce n'est pas le mot juste, mais c'est celui qui me vient spontanément.

— Se confesser ?

— Tu savais qu'il avait eu un fils qui est décédé à notre âge ?

Ma surprise vaut toutes les réponses.

— Il ne t'en a jamais parlé ?

— Non. Une fois, il a laissé entendre qu'il était marié.

— Il ne l'est plus. Son couple n'a pas résisté à la disparition de son garçon. Tu te rends compte ? Je comprends mieux pourquoi il s'est toujours défoncé pour nous.

Beaucoup des paroles de M. Rossi me reviennent en mémoire et prennent tout à coup un autre sens.

Léa glisse doucement ses doigts sous les miens. Si j'avais les yeux fermés, je pourrais croire que c'est une enfant qui me prend la main.

— Axel et toi, c'est une affaire qui roule ?

— On est au tout début mais oui, ça roule.

— Il est fait pour toi et tu es faite pour lui. Je vous vois bien passer le reste de votre vie ensemble. Vous ne ressemblez pas à ces couples qui s'embrassent pour s'embrasser parce que les hormones les travaillent.

— Tu crois ?

— Il est temps pour toi d'apprendre à te faire confiance, Camille. Tu as toujours hésité. Tu m'as toujours regardée comme un modèle sans jamais te rendre compte que, bien souvent, c'est moi qui te copiais. On se connaît depuis longtemps. On a découvert ce monde ensemble…

— Et ce n'est pas fini !

Tibor arrive, hors d'haleine, pour nous prévenir qu'étant donné l'heure tardive, certains ne vont pas tarder à rentrer chez eux. Ma mère propose de les raccompagner en voiture. Tous sont venus saluer Léa. Les uns après les autres, ils lui ont promis de passer la voir à l'hôpital dans les jours qui viennent. Tous étaient encore dans l'énergie de cette soirée un peu dingue. J'ai regardé Léa embrasser chacun. « Les jours qui viennent » : quelle expression banale quand on est convaincu qu'un futur existe. Quel concept terrible lorsque chaque heure est un sursis.

Nous ne sommes plus restés qu'à sept, avec plus loin les parents installés près du feu, remettant régulièrement du bois mort sur les braises. Les flammes éclairent nos visages de lueurs douces. Baigné de cette lumière, tout le monde a bonne mine, même Léa. On ne se raconte plus d'histoires pour se faire peur. On parle du bac, du permis, de l'été qui arrive et de ce qui nous attend l'année prochaine. Léa écoute plus qu'elle ne parle. Je suis assise entre les jambes d'Axel, le dos appuyé contre son torse, ses bras autour de moi. Tibor est près de Léa et lui caresse maladroitement le bras. Je crois qu'il s'y prend comme avec ses chiens. Julien, assis sur notre banc, ne lâche pas sa sœur des yeux. Louis et Antoine sont devant, au bord de la pente, avec la ville endormie en toile de fond, en train de convaincre Léo qu'il peut réussir à passer par-dessus nous tous en se servant d'une grande branche pour sauter à la perche.

— Vas-y ! Ose ! s'écrie Antoine. Si tu renonces une fois, tu renonces toute ta vie !

Ils sont fous et Léa rit de leurs bêtises. Par une combinaison de surenchères et d'autopersuasion dont seuls les mecs sont capables, Léo finit par s'élancer. Évidemment, ce que nous avions tous prévu – et espéré – se produit : la branche se brise net dans un grand craquement sec et notre espion se prend un gadin de première. Après un atterrissage sans aucune dignité, il roule sur lui-même en hurlant de douleur.

Mon père ne bouge même pas. En bon sauveteur, je sais ce qu'il pense : « Lorsqu'un enfant tombe et pleure, ce n'est pas grave. C'est quand il ne pleure pas que ça devient sérieux. »

Nous sommes tous écroulés de rire, pliés en deux, avec les larmes aux yeux.

Léa, elle, n'a même pas souri. Pendant que Léo planait dans les airs, elle s'est envolée. Pour de bon.

68

À force de regarder des films américains, on finit par se convaincre que les obsèques de ceux que l'on aime se dérouleront dans des cimetières magnifiques, remplis de pierres tombales immaculées, alignées sur des pelouses bien vertes à l'ombre d'arbres centenaires. On voit déjà le cortège des limousines noires remontant les allées au pas, et même le peloton de beaux militaires en uniforme qui tirent des salves d'honneur vers le ciel. Les oiseaux s'envolent. Si possible, des colombes blanches. Pour que le décor soit parfait, soit il fait un temps sublime, soit il pleut à verse. Mais dans la vraie vie, ça ne se passe jamais ainsi.

Léa est morte. Malgré ce qu'elle avait souhaité, ses parents ont refusé de la faire incinérer. Ils n'ont pas eu la force d'effacer toute existence matérielle de l'enfant qu'ils viennent de perdre. Je les comprends. Qu'y a-t-il de plus douloureux que de perdre ceux à qui vous donnez tout et qui devraient vous survivre ?

Le cimetière est petit, quadrillé d'allées de gravier qui se confondent avec le gris des caveaux de toutes tailles et de toutes formes. Le temps est incertain mais la cérémonie est quand même très belle. Il y a énormément de monde et tous les espaces sont envahis, jusque entre les tombes. Beaucoup du lycée sont venus, presque tous ceux de la classe, mais aussi nos profs : M. Rossi, Mme Serben, Mme Gerfion, M. Taribaud – c'est la première fois que je le vois habillé autrement qu'en survêtement –, Mme Holm avec son mari, M. Tonnerieux et même une dame de la cantine. Le professeur Nguyen est présent, au milieu de gens que je ne connais pas, réunis en mémoire de Léa ou pour soutenir ses proches. La foule est encore plus dense autour de la fosse au-dessus de laquelle le cercueil de bois sombre attend.

Tante Margot est venue avec nous. Une fois, je l'avais entendue expliquer que vivre se résumait « à passer d'un trou à un autre, souvent en rampant entre les deux ». Il doit sans doute se produire quelque chose de très fort entre ces deux étapes parce que sinon, pourquoi serait-elle aussi bouleversée ?

J'observe ce qui se déroule avec une acuité rare, mais je suis incapable de ressentir quoi que ce soit. Je détecte les plus infimes mouvements, je remarque chaque détail. Un geste de réconfort là-bas sur la droite, une mèche de cheveux que le vent déplace, une fleur plus rouge que les autres dans l'océan de bouquets et de couronnes qui entoure le cercueil. Je vois tout, mais je n'éprouve rien. Je suis comme en apesanteur, tellement liée à ce qui se produit mais sans le moindre recul. Mon cerveau chasse toutes les idées avec lesquelles il aime tellement jongler d'habitude. Aujourd'hui, pas de question. Pas de doute. Je n'en veux pas. Je peux les assumer uniquement lorsqu'ils ne me touchent pas d'aussi près. Il est tellement plus facile de penser la vie quand on n'y est pas concrètement confronté… Aucun des principes auxquels je crois si fort ne parvient à se frayer un chemin jusqu'à mon cœur dévasté. C'est la première fois que je perds quelqu'un avec qui j'espérais vieillir. Léa va me manquer, souvent, chaque jour, jusqu'à la fin de ma vie.

En arrivant, Julien m'a embrassée et m'a dit : « Nous avons tous les deux perdu une sœur. » Je n'ai pas pleuré. Peut-être parce que je l'ai trop fait les jours précédents, peut-être parce que la peine a pris sa place dans chaque fibre de mon être et que je sais que je vais devoir apprendre à vivre avec. En tout cas, aujourd'hui, je suis incapable d'extérioriser une émotion. Fermée pour travaux.

Axel se tient derrière moi, proche. Toute notre bande est dans les premiers rangs, autour de la famille. Beaucoup se tiennent la main. Cette fois, personne ne peut oublier pourquoi nous sommes là. Lucas ne se plaint pas que sa chemise et sa cravate le grattent. Tibor est venu avec son border collie à qui il a mis un nœud papillon. Même le chien se tient tranquille. Il fait comme moi, il regarde partout.

Il n'y a pas eu de discours pompeux, aucune phrase creuse toute faite, nulle promesse de paradis illusoire. J'ai vu Élodie pleurer lorsque le cercueil est arrivé. M. Rossi aussi.

J'avais rêvé qu'un jour ceux qui sont ici puissent être réunis en d'autres circonstances pour entendre mon amie chanter. Des dizaines de fois, j'ai imaginé ce concert idéal où, d'un coup, chacun aurait découvert son talent. Elle, rayonnante dans la lumière, et moi dans les coulisses, orchestrant son triomphe. Elle aurait achevé son concert par « You're Nobody… » et quelques-uns des chanteurs les plus connus au monde l'auraient rejointe sur scène pour un final historique. Je l'ai tellement voulu que j'ai parfois l'impression que je l'ai vécu. Mais ça n'aura pas lieu. C'est désormais impossible. « Impossible » : quel mot détestable. Malgré cela, nous avons quand même vécu un moment encore plus fort que celui que j'avais imaginé : la minute de silence.

Autour de la boîte qui emprisonne mon amie, il n'y a plus eu le moindre bruit. Il s'est alors produit quelque chose de paradoxal et de magnifique : cette foule, si nombreuse, dont l'énergie irradie, s'est faite silencieuse au point de n'entendre que le souffle léger du vent. Un film au ralenti dont on aurait coupé le son.

Quand les hommes ont descendu le cercueil, Marie, Pauline, Vanessa ont pleuré les premières. Beaucoup d'autres ont suivi. Je crois que Léo aussi, même s'il a essayé de le cacher derrière des lunettes de soleil.

Une éclaircie se glisse entre deux nuages. C'est fou comme le soleil peut paraître indécent lorsque l'on est brisé de chagrin.

Alors que le cercueil vient de toucher le fond, un homme prend la parole mais personne ne l'écoute. Chacun de nous est perdu dans les souvenirs qu'il partage avec Léa. Lucas a raison : en partant, elle a emporté quelque chose de nous. Mais elle nous a aussi laissé beaucoup.

À la fin de la cérémonie, la foule s'est peu à peu dispersée. De nombreuses personnes sont venues présenter leurs condoléances à la famille. À présent, ils repartent. La vie continue. Quel souvenir vais-je garder de ce jour lorsque j'aurai 80 ans ?

Je ne savais pas que les fossoyeurs attendent que l'on soit partis pour refermer la tombe. Je suis surprise que l'on puisse quitter l'endroit, laissant Léa seule et la fosse ouverte à tous les vents.

Une petite fille tient la main de sa maman. « J'ai faim ! » s'exclame-t-elle.

Je m'approche de ma mère, et même si je ne suis plus une petite fille, je lui prends la main.

— « On vit, on meurt, les gens pleurent, et après ils se demandent ce qu'ils vont manger. »

Elle me regarde, surprise.

— D'où connais-tu cette citation ?

— Je t'ai entendue en parler à papa. Vous aussi, quand vous étiez jeunes, vous avez perdu un ami de votre âge.

— Oui.

— L'histoire se répète.

— L'histoire se répète toujours, Camille. On a tous la même vie. C'est ce que tu décides de voir ou d'ignorer qui la rend unique.

— Le vieil homme qui t'avait appris la citation ne t'a pas dit de qui elle était ?

— Non, mais j'ai cherché. Il m'a fallu plus de quinze ans pour trouver et, sans Internet, je n'y serais sans doute jamais parvenue. C'est extrait d'un bouquin de Jack Higgins, un roman d'aventures, tout simple.

— Ça mériterait pourtant d'avoir été dit par quelqu'un de génial.

— Ce qui nous touche peut surgir de n'importe où. Pas besoin de génie. C'est la magie de la vie.

Les allées du cimetière sont vides. Je suis restée la dernière près de la fosse béante, près de Léa. Axel est avec moi. Élodie et Christophe ont décidé de réunir les proches chez eux, pour une sorte de buffet. Ils ont eu la gentillesse d'inviter notre bande, et même M. Rossi. Pour le moment, il marche seul dans une des allées parallèles. J'abandonne Axel quelques instants pour le rejoindre.

— Vous restez ce midi, n'est-ce pas ?
— Je ne veux pas déranger.
— Votre place est avec nous.
— C'est gentil.
J'ose lui avouer :
— Léa m'a raconté ce qui vous était arrivé…
Il s'arrête.
— Elle t'en a parlé ?
— Oui, elle m'a dit pour votre fils. Je suis désolée.
Il me désigne une allée sur l'aile droite.
— Thomas est là-bas. Tout le monde l'appelait Tom.
— C'est arrivé il y a longtemps ?
— Douze ans. J'y pense chaque jour, chaque fois que je vois l'un d'entre vous. Pour m'épargner cette douleur, j'aurais mieux fait d'être garagiste…
— C'est en mémoire de lui que vous donnez autant à vos élèves. Vous revoyez votre fils ?
— Non, Camille, je fais bien la différence. Mais son absence m'a appris le prix de la vie et celui du temps. Je te l'ai dit, trouver les réponses n'est pas le plus dur, c'est de vivre après les avoir découvertes qui est difficile.
— Vous n'avez jamais pensé à refaire votre vie ?
— Il n'y a rien à refaire. On ne peut rien effacer, il faut juste essayer de continuer.
— Ce qui est arrivé à Léa a dû vous faire beaucoup de mal…
— Léa, toi et votre joyeuse bande ne m'avez pas fait de mal. Le plus grand malheur, la pire des solitudes, c'est de n'être utile à personne. Et vous m'avez modestement permis de me mettre au service des seules choses qui valent la peine dans cette vie. Akshan Palany dirait que c'était ma mission. Traverser ces épreuves avec vous m'a sauvé.

69

— Mais où m'emmènes-tu comme ça ?

— Tu verras. Dépêche-toi, nous avons rendez-vous !

Axel pédale comme une brute et j'ai du mal à suivre. Nous roulons à vélo depuis le centre-ville. Ça faisait longtemps que je n'en avais pas fait. Demain, je ne serai même pas capable de tenir debout. Il devra me porter. L'idée de passer la journée dans ses bras me plaît bien. Cette séance de torture n'est peut-être pas une catastrophe, finalement.

Il fait un temps estival. Nous avons déjà dépassé le parc qui surplombe la ville et Axel m'entraîne sur l'autre versant de la colline. Je n'ai dû m'aventurer aussi loin qu'une fois ou deux dans toute ma vie. Il fonce sur les chemins qui serpentent entre les taillis et les étendues d'herbes hautes, et ça n'arrête pas de monter.

— Axel, je n'en peux plus…

— S'il te plaît, encore un effort, on est presque arrivés.

Il n'a rien voulu me dire du but de notre escapade. Je suis aussi décidée à ne pas le décevoir que curieuse de découvrir où il m'embarque. Je donne tout ce que j'ai et nous finissons par arriver sur un petit promontoire orienté au nord. De là, on domine la zone industrielle qui n'en finit pas de s'étendre, mais aussi la part de plaine agricole qui subsiste encore, et les vergers qui servent d'alibi « nature » à notre municipalité.

Sans même freiner, Axel saute de son vélo. L'engin termine sa course dans les herbes. Il se précipite vers moi, me soulève de ma selle et me serre contre lui. Il me fait peur et me fascine. Il a le même sourire que pendant le match de rugby dans la boue. Qu'est-ce qu'il est beau… Qu'est-ce qu'il mijote ?

— Viens, on ne peut pas être en retard.

C'est en me tenant la main qu'il m'entraîne au bord de la pente.

— Ici, c'est parfait.

— Mais qu'est-ce que tu fabriques ?

De son sac à dos, il sort un paquet-cadeau et annonce :

— Ce n'est ni ta fête, ni ton anniversaire, et ça ne fait même pas six mois que l'on est ensemble, mais ce cadeau-là, je ne voulais l'offrir à personne d'autre qu'à toi. Ouvre, grouille-toi.

Bonjour le romantisme. À la vitesse où il va, on sera fiancés dans six minutes, mariés dans dix, je serai enceinte dans la foulée. Nos enfants vont faire leur première rentrée scolaire dans une heure. Quelle vie magnifique.

Je ne l'ai jamais vu excité comme ça. Qu'est-ce qu'il y a dans son paquet ? C'est trop gros pour une bague, mais trop petit pour le chapeau que l'on a vu tous les deux l'autre jour.

Je déballe… et je tombe sur une paire de jumelles. Même pas neuves.

« Interloquée » est le mot qui me décrit sans doute le mieux.

— Merci beaucoup, Axel, c'est très gentil… C'est un souvenir ? Un héritage ?

— Regarde là-bas, au pied des vergers.

— On a fait quinze kilomètres pour que je mate les vergers à la jumelle ?

— C'est ça. Vite.

Je me colle l'instrument sur les yeux. Je me dis que si ça se trouve, il a mis du cirage sur les œilletons et que je vais avoir la tronche d'un panda lorsque je vais les retirer. Tant pis, c'est pas grave. Je sais qu'il faut parfois laisser les hommes s'amuser. Je l'ai encore constaté avec Lucas hier soir, lorsqu'il s'est coincé le pied dans la bouche d'égout devant la maison parce qu'il avait parié avec un copain qu'il pouvait passer dedans en entier. Même Flocon le regardait, incrédule, et pourtant c'est un mâle lui aussi.

Je fais le point pour voir net, j'aperçois les arbres fruitiers. Toutes ces feuilles, ces branches… C'est tout simplement passionnant.

— Qu'est-ce que je suis censée voir ?

— Une voiture bleue.

Je balaye la zone.

— Je l'ai. Bravo, elle est superbe.

Je pose les jumelles et je plaisante :

— Merci, Axel, je suis tellement touchée de pouvoir partager ça avec toi. Je te jure, jamais je n'oublierai. Cette voiture, ces arbres… C'est un spectacle bouleversant. Ça valait la peine de me péter les jambes et de pédaler comme une fuyarde sous un bombardement pour voir ça…

— N'arrête pas de regarder !

Je m'exécute. Il demande :
— Qu'est-ce que tu vois ?
— Des arbres verts. Une voiture bleue. C'est trop beau. Je vais pleurer. Il y a aussi un cycliste qui passe sur le chemin.
Axel a littéralement bondi quand j'ai mentionné le cycliste. Je m'y intéresse de plus près.
— C'est bizarre, le mec en vélo ressemble à Léo.
— Ne lâche pas la voiture, fixe la voiture.
Soudain, j'ai un flash.
— Je connais cette bagnole ! C'est celle du nazi qui habite dans ta résidence. C'est celle que tu lui as payée, pas vrai ?
— Ne la lâche pas des yeux.
— Qu'est-ce qu'elle fait là ? Et Léo, pourquoi est-il ici ?
J'ai sursauté au moment de l'explosion. Il n'y avait pas besoin des jumelles pour la voir étant donné sa puissance. Dans une gerbe de feu, la voiture s'est soulevée du sol par l'arrière. Le tonnerre de la déflagration a résonné dans tous les environs. Le véhicule est retombé sur ses roues, mais toutes les vitres et les portières arrière ont été soufflées. Le feu dévaste l'habitacle avec virulence et une épaisse colonne de fumée noire s'élève dans le ciel bleu.
— Axel, vous avez fait péter sa voiture ?
— C'était cool, hein, tu ne trouves pas ? Ce con va être obligé de rentrer à pied.
— Vous êtes des malades !
Axel ne se rend même pas compte que je suis en colère. Je n'arrive pas à y croire. Je regarde dans les jumelles pour vérifier que je n'ai pas rêvé. La voiture n'est qu'un énorme brasier, et j'aperçois maintenant

une silhouette qui s'agite devant le sinistre en se tenant à bonne distance. Le type lève les bras au ciel, trépigne, saute, essaie de faire le tour en se protégeant le visage du rayonnement brûlant. On dirait un vieux film burlesque muet.

Axel jubile. Il se tient bien droit et s'adresse aux hautes herbes comme s'il haranguait une foule réunie au pied de la pente :

— Je dédie cette victoire aux petits Blacks traumatisés par les vieux enfoirés, et aussi à Monsieur Castor !

Ça y est, mon mec a fondu les plombs. J'en avais trouvé un qui paraissait bien et je me rends compte aujourd'hui qu'il est tout moisi dans sa tête. Ma vie est foutue. Autant me marier avec Zoltan.

Axel s'aperçoit que je le prends pour un cinglé. Il tente de se justifier :

— On a découvert que ce fumier faisait chanter une famille de l'immeuble voisin parce qu'ils hébergent une sans-papiers. Et pour couronner le tout, il est là pour piquer des fruits qu'il revend à une voisine en lui faisant croire qu'il les achète pour elle. Une vraie crevure.

— Mais s'il avait été dans sa bagnole ? Tu imagines ?

— C'est pour ça que Léo est passé. Aucun risque. Tout est sous contrôle.

— Tu trouves que c'est sérieux ?

Axel lève un sourcil et rétorque d'un air amusé :

— Tu me demandes si c'est sérieux ? Toi ?

Qu'est-ce qu'il sait de moi que je ne veux pas qu'il sache ? Tous mes scanners mémoire tournent à plein régime. Est-ce qu'il m'a vue me mettre du citron dans les yeux pour les faire briller juste avant notre premier dîner ? Ça m'avait fait des yeux de hamster myxomatosé. Est-ce qu'il m'a aperçue me coincer mes premiers talons hauts dans la grille de chauffage que ces vicelards du cinéma ont placée à l'entrée de la salle ? Oh mon Dieu ! J'espère qu'il ne m'a pas vue rafistoler mon collant avec du scotch en tenant ma jupe relevée avec les dents !

Je dois être courageuse et affronter mon destin : je vais faire celle qui ne comprend pas.

— Je ne vois pas de quoi tu parles. Et je maintiens que faire exploser une voiture n'est pas très malin. On n'est pas dans un jeu vidéo !

— Et écrire une carte postale comme celle que tu as envoyée hier, c'est malin ?

Merde, il m'a vue. Comment a-t-il fait ? Il a des superpouvoirs. C'est Super Aguicheuse qui va être contente. Je ne vais pas lui faciliter la tâche pour autant.

— Quelle carte postale ?

— Tu le sais très bien. Au début, j'ai cru que tu m'envoyais un petit mot alors j'ai été ému, et puis quand je t'ai vue écrire « wouf wouf, ouaf ouaf, wouf wouf » partout sur la carte, je me suis dit que c'était un code inspiré par les chiens de Tibor. Mais tu n'as même pas signé ! Et tu l'as postée comme ça ! Et après, c'est moi que tu traites de frappé !

Il rigole à moitié. Surtout ne pas perdre la face.

— Si tu m'avais espionnée jusqu'au bout, vilain félon, tu aurais lu l'adresse – 13, impasse Auguste-Renoir – et même ton pauvre cerveau de garçon aurait compris.

Axel se fige.

— C’est pas possible ! Ne me dis pas que tu as envoyé une carte postale au chien de Mlle Mauretta ?

— Eh bien si, figure-toi. Il a son nom sur la boîte aux lettres et je suis sûre qu’il ne reçoit jamais rien.

Axel explose de rire. Il fait beau, la voiture brûle toujours, l’autre pourri sautille encore plus haut devant ce qu’il reste de son bien mal acquis et Axel m’attire à lui. Et soudain tout change.

Cinq jours plus tard, nous passions tous le bac. Léa m’a beaucoup manqué. Depuis longtemps, elle et moi nous préparions à vivre cet examen ensemble. J’ai pensé à elle tout le temps. Je suis même allée la voir deux fois. Allée 16, emplacement 28. C’est sa nouvelle adresse, mais je sais que lui envoyer une carte postale est inutile. J’ai encore tous ses messages dans mon téléphone et son numéro est toujours mon favori. Mais le soir, quand, seule dans ma chambre, je lui parle, elle ne répond pas. M. Rossi a raison : savoir est bien plus lourd que de se demander.

Je n’aurais pas tenu sans Axel. Dans la bande, la perte de Léa nous a tous profondément affectés, mais cela nous a aussi soudés. Nous avons affronté les examens en nous serrant les coudes. C’est affreux à dire, mais la peine nous a évité la peur. Nous sommes passés par trop de choses – belles ou terribles – pour nous affoler. Cette tragédie nous a appris à relativiser. Il n’y a pas d’âge pour le faire. Il faut juste les circonstances.

Le jour des résultats, il n’y a eu que Tibor et moi pour avoir le réflexe d’envoyer un message à Léa. On a échangé un regard que je n’oublierai jamais et on s’est compris. C’est à deux que nous avons porté le sentiment qui nous a submergés. On se voit souvent.

Il a eu 20 sur 20 en maths, avec les félicitations du jury. Nous avons tous décroché le diplôme, même Inès – qui a d'ailleurs obtenu une mention. Tout est donc possible.

On va faire une fête. On s'est posé la même question que mes parents. Sans être au courant de leur histoire, Axel a déclaré : « Cette fête n'est pas une trahison vis-à-vis de Léa. Elle l'aurait voulue. La vie doit résister face à la mort. » Je peux vous dire que ça m'a fait drôle de l'entendre dire cela. J'y vois un signe. Ma mère a entendu l'homme de sa vie prononcer presque les mêmes mots et ils vivent toujours ensemble. Je croise les doigts.

Pour la fête, on a décidé de venir costumés. Inès n'a pas voulu nous croire. Pour la venger, Mélissa a convaincu Antoine, avec qui elle sort, que le thème retenu était celui des uniformes. Elle l'a persuadé de s'habiller en « flic disco à paillettes sexy » et elle lui a donné l'adresse du commissariat à la place de celle de la salle des fêtes…

Je crois que cette fois je vais danser. C'est Léa qui m'en a convaincue. Puisque j'ai la chance d'être vivante, je vais essayer d'en être digne. On m'attend. Je vous laisse. « Que la vie vous soit clémente et que l'amour inonde vos jours. » C'est soi-disant de Geneviève Flobelu. Pas besoin d'elle pour souhaiter cela à ceux que l'on aime. En plus, avec un nom pareil, elle peut finir au paradis des machines à laver.

FIN

ET POUR FINIR…

Je vous remercie de m'avoir accompagné jusqu'à ces pages. Si cela vous tente, j'aimerais partager avec vous quelques bribes du peu que je suis. Vous confier ma modeste histoire personnelle n'a pas d'autre but que de vous donner – c'est un espoir sincère – la force et l'envie de mieux vivre la vôtre.

La vie m'a enseigné de nombreuses leçons, et la première de toutes est venue très tôt. J'étais né depuis trois heures, à poil, roulé dans un drap, et ce premier enseignement pourrait se résumer ainsi : « On peut te laisser tomber. » J'ai été abandonné à l'entrée d'une chapelle, rue d'Assas, à Paris. Les violons et la pitié sont complètement inutiles, parce que ce qui peut sonner comme un drame larmoyant dans un décor de roman du XIXe siècle m'apparaît aujourd'hui comme ma première grande chance. Six mois plus tard, ceux qui m'ont tout donné sans me connaître – mes seuls vrais parents – m'ont accueilli chez eux et, avec la vie, ils m'ont offert une seconde leçon qui pourrait se résumer ainsi : « De parfaits inconnus peuvent te sauver les fesses. »

Depuis, pétri de ces deux leçons fondatrices, j'observe ce que font les gens et j'espère – comme chacun d'entre nous, je crois – être choisi pour ne jamais être seul. C'est à l'école que l'on se retrouve pour la première fois à choisir et à être choisi. C'est au cours de ces années essentielles que l'on expérimente les premières vraies alliances et les authentiques trahisons. J'y suis arrivé avec un sens aigu de la valeur des rapprochements et, à la lumière des deux premières leçons que la vie m'a données, j'ai pleinement profité de tout – avec une préférence pour le bonheur et la loyauté. Cette période ne m'a jamais quitté.

Deux souvenirs me reviennent : le premier me ramène vers un petit matin brumeux de novembre, sur le stade de Taverny où ma classe et deux autres étaient réunies pour un cours de gym. Le prof a demandé aux deux meilleurs du groupe de constituer leurs équipes pour un foot. Chacun des deux athlètes a choisi à tour de rôle, se jetant sur les éléments les plus valeureux. Inutile de vous dire que je suis parti au moment des soldes ! Je courais vite, mais tout le monde savait que j'étais plus doué pour faire des blagues stupides que pour dribler avec une sphère entièrement fabriquée en peau de vache – ils appellent ça un ballon – que l'on doit absolument envoyer dans une « cage » en corde dont votre pote, qui se comporte soudain comme un chien au bout d'une chaîne, garde jalousement l'accès... Quand les joueurs arrivent à placer cette « sphère » dans cette « cage », ils se mettent dans des états pas possibles, en criant, en s'empilant les uns sur les autres et en oubliant tous les vrais problèmes. J'envie leur insouciance.

À la fin de la constitution des équipes, nous n'étions plus que trois à attendre d'être « adoptés ». Plutôt que de me désoler d'une réalité stratégique qui me reléguait logiquement en fond de classement, j'observais les regards inquiets de mes deux collègues qui, eux non plus, n'avaient pas encore été sélectionnés. J'y lisais de la détresse et une vraie remise en cause. Quand Benoît, notre grand balèze, m'a choisi, je savais qu'il le faisait d'abord par amitié, et je lui ai discrètement fait signe de prendre à ma place Vincent qui, lui, souffrait. Je crois qu'il était important pour lui de ne pas être choisi en dernier. Au final, je suis resté tout seul, sous les regards des filles qui m'aimaient bien mais ne m'admiraient pas. On apprend bien plus tard à faire la différence, et je sais aujourd'hui qu'il vaut mieux être aimé qu'admiré.

Pendant le match, j'ai marqué un but parce que personne ne se méfiait du remplaçant que j'étais. Même moi j'ai été surpris. C'est vous dire à quel point mon plan de jeu était secret ! Du coup, la fois d'après, j'ai été choisi dans les premiers, mais dès les premières minutes du jeu, galvanisé par ma soudaine crédibilité sportive, j'ai shooté dans la sphère en peau de vache tellement fort que je l'ai expédiée dans le jardin du proviseur. Honteux, sous le regard de tous, j'ai voulu aller la récupérer en sautant le grillage avec classe. Je me suis vautré comme un pantin à qui on coupe les fils et me suis cassé le bras. Je vous jure que tout est vrai. J'ai passé des années à chercher un sens à tout ce foutoir.

L'autre souvenir que je souhaite vous raconter s'est déroulé alors que j'étais en première S. De l'avis de nos professeurs, nous étions une classe « joyeuse mais peu courageuse ». Ils avaient raison sur les deux aspects. La rentrée était loin derrière nous et nous formions désormais une assez bonne bande. Un matin, j'ai eu la surprise de voir une des filles les plus gentilles de la classe s'énerver pour une injustice qui ne la concernait même pas. On avait l'habitude de la voir rire, toujours légère, et puis tout à coup, un truc révoltant qui accablait une de ses amies l'a fait sortir de ses gonds. Elle aurait pu affronter la terre entière. J'ai été fasciné par son énergie, son intégrité, son idéalisme, sa puissance. On s'entendait déjà très bien mais, dès ce moment, je l'ai regardée différemment. Nous avons souvent été voisins en cours. Il m'arrivait même de copier sur elle (je m'en fous, il y a prescription !). Plus grave, en me servant de ce qu'elle savait, j'arrivais à avoir de meilleures notes qu'elle (ça la rendait dingue ! Si je vous dis que j'avais honte, vous n'allez pas me croire et vous aurez raison. Pour ce crime-là, il n'y aura jamais prescription...) On est devenus très amis, mais j'ai rapidement espéré davantage. Elle était différente, loin des codes. Elle a eu son bac. On est restés proches. C'était sympa mais franchement, je m'en foutais complètement car j'avais envie de partager bien plus. J'ai l'habitude de voir loin, mais la vie s'acharne à me contrecarrer ! Pascale m'a refusé en mariage au moins deux fois. La première devant un plat de nouilles que j'avais raté et, six mois plus tard, en voiture sous une pluie battante. Deux humiliations complètes, deux râteaux stratosphériques, des traumas à finir sa vie avec un bichon (femelle). Pourtant, je savais que si je la laissais aimer quelqu'un d'autre ou si j'autorisais un autre crétin que moi à s'approcher d'elle, ma vie serait forcément moins bien. Alors je ne lui ai plus laissé le choix. Je prenais un vrai risque parce que Pascale a un sacré caractère et que, quand elle s'énerve, ses yeux tirent des missiles que même l'armée américaine n'a pas les moyens de se payer… À tous mes frères et sœurs humains qui doutent d'eux, je dédie cette pauvre victoire à l'usure. Si j'ai réussi à ne pas finir seul, alors n'importe qui – je dis bien n'importe qui – a sa chance. Nous sommes aujourd'hui mariés depuis vingt-cinq ans, et j'avais bien raison de me dire qu'elle était ma chance. Durant ces années de bonheur, elle m'a appris deux choses fondamentales : il ne faut pas mettre de chaussettes blanches avec un pantalon sombre, et l'amour existe. Il y en a une que j'oublie parfois.

Comme sans doute pour vous, mes années de collège et de lycée ont été déterminantes. On y va pour chercher le savoir, on en repart plus riche de vie. C'est là que j'ai pris conscience de l'importance de choisir et d'être choisi, ou pas. Je n'ai tiré que deux leçons de ces années fabuleuses : « Ne cherche pas à être quelqu'un d'autre que toi-même. Et n'attends pas que l'on décide pour toi. Donne ton avis, toujours sincèrement. » Servez-vous de ces leçons, le plus tôt possible. Vous vous en sortirez mieux que moi.

J'ai eu la chance de traverser ces années en compagnie de vrais amis que, par bonheur, je n'ai pas perdus, voire que je retrouve. Nous avons beaucoup ri, nous avons énormément ressenti et partagé. Il nous est quand même aussi arrivé de travailler ! Je n'ai pas un caractère facile, j'ai des idées débiles à revendre, et vous avez eu la patience de me supporter et de me tendre la main, du bac à sable au bac sans le sable. Je veux ici remercier affectueusement Patrick Basuyau, Christophe Bastian, Céline Escafre-Bellegarde, Sylvie Deschamp-Braut, Marc Devogel, Isabelle Desseroit,

Sophie Cheron-Dupuis, François Camus, David Guillemet, Bruno Laurent, Philippe Lavaud, Véronique Lavoisière-Klimczak, Marie Leclève, Bruno Mitton, Marc Monmirel, Philippe Ohanian, Nadine Pozzo-Caramelle, Benoît Schäfer, Carole Cerbelaud-Dubois, Christine Tchimakadze, Catherine Tchimakadze-Fontaine, Élodie Oberlis, Emmanuel Romeu, Sandrine Tallec et Sylvain Vincent. C'est une chance pour moi d'avoir grandi avec vous, et même si le temps nous bouffe tous, l'idée de continuer me réchauffe. Embrassez chaleureusement vos familles pour moi.

Je veux aussi remercier les enseignants qui nous ont autant appris grâce à leur personnalité qu'à travers leurs cours. Je ne sais pas si vous faites le plus beau métier du monde, mais je suis convaincu que vous faites l'un des plus difficiles… Je veux particulièrement saluer Madame Lesec, Monsieur Carmona, Madame Carmona, et Jean-Pierre Chrétien, remarquable enseignant de mathématiques et aujourd'hui ami (comme quoi on peut triompher de ses peurs primaires !). Ceux qui font leur métier comme vous sont une chance inestimable sur la route des nouveaux locataires de ce monde.

Merci à Philippe Duval, chef d'établissement, de m'avoir accueilli trente ans plus tard dans mon lycée – Jacques Prévert à Taverny – dont seuls le carrelage du sol et les états d'âme des élèves n'ont pas changé. C'était la première fois que je passais autant de temps dans le bureau du proviseur et que ça se déroulait aussi bien pour moi ! Un immense merci à Dominique Bourdin, mon prof d'anglais, qui trente ans plus tard fut un remarquable guide là où il nous enseignait sa

GILLES LEGARDINIER

ÇA PEUT PAS RATER !

1

Il fait nuit, un peu froid. Je frissonne dans l'air humide. C'est sans doute la proximité du canal le long duquel je marche sans savoir où je vais. Pourtant, la météo hivernale n'est pas la seule à m'inciter à rentrer la tête dans les épaules et les mains dans les poches. En réalité, c'est surtout en moi que j'ai froid. J'ai beau fouiller au plus profond de mon être, je n'y détecte plus la moindre étincelle de chaleur. Je suis un surgelé errant. C'est le début d'une ère glaciaire et je connais au moins une espèce qui risque d'en faire les frais.

Qu'est-ce que je fais là ? À cette heure-ci, je ne suis jamais dehors. Voilà des années que je ne suis pas sortie le soir, surtout sur un coup de tête. D'habitude, je suis chez moi, comme tous ces gens que j'aperçois furtivement par les fenêtres éclairées dans les immeubles. D'habitude, je n'ai pas la tête en vrac à ce point. D'habitude, je ne suis pas seule.

Je fréquente ce quartier depuis longtemps, et pourtant ce soir, je n'en reconnais rien. Ce n'est pas le lieu qui a changé, c'est moi. Il n'aura fallu qu'une heure, une seule discussion, quelques phrases qui transpercent comme autant de flèches, pour que ma vie bascule et que mon cœur se disloque. Tout n'était pas rose avec Hugues, mais de là à imaginer que ça pouvait déraper si vite pour finir dans le ravin…

Le quai est désert, hormis un couple de jeunes amoureux et un clochard assis sur des cartons. Ils sont sans doute un message que la vie m'envoie, un condensé de mon parcours. Ils incarnent le début et la fin. J'ai été comme cette jeune fille éperdue qui se blottit contre l'homme qu'elle aime, et je vais terminer comme ce pauvre SDF. Ma vie est un gouffre sans fond dans lequel je n'en finis pas de tomber. Sur quelques mètres, j'en aperçois le résumé, de l'amour à l'extrême solitude, au bord d'un monde indifférent qui suit son cours comme le flot du canal.

Je passe près du petit couple. Il resserre ses bras autour d'elle en lui murmurant quelques mots à l'oreille. De la vapeur sort de sa bouche. De la chaleur. Cela existe donc encore ailleurs que dans mes souvenirs… Elle se réfugie au creux de son épaule en étouffant un rire. Peut-être se moquent-ils de moi. Ils doivent se demander pourquoi je traîne ainsi, seule, sans même un chien à promener. Si j'étais un homme, ils me prendraient pour un pervers, mais puisque je suis une femme, ils doivent me cataloguer comme une vieille folle en perdition. Ils sont deux et se tiennent l'un à l'autre. Cela leur donne la force de juger l'univers tout entier avec condescendance. Ils sont invincibles puisqu'ils s'aiment. À mon sens, il serait plus juste de dire qu'ils croient *encore* qu'ils s'aiment. L'amour ne se mesure qu'à la fin. J'ai payé pour l'apprendre. Pour le moment, leur bonheur fleurit sur le mince terreau de l'innocence, mais quand ses petites racines voudront puiser plus profondément, il ne trouvera rien pour se nourrir et crèvera. C'est ce qui vient de m'arriver. Je sais exactement ce qui se passe dans leur tête : ils ont l'arrogance des débutants, la confiance aveugle de ceux qui ne savent pas. Elle est pleine d'espoir, lui plein de désir. Ils l'ignorent encore, mais un monde les sépare déjà. Si seulement j'avais su quand j'avais son âge…

Dois-je la prévenir ? Faut-il l'alerter du grand danger qu'elle court ? Non, ce serait stupide. Qui suis-je pour gâcher le bonheur, même illusoire, qu'elle éprouve ce soir ? Et qui sait, peut-être s'en sortira-t-elle mieux que moi ? Je suis bien une folle en perdition.

Je ne sais pas pourquoi mais tout à coup, l'envie me prend de marcher à la limite du quai, sur les longues pierres taillées qui bordent le canal. D'habitude, ce sont les enfants qui se comportent ainsi, la poitrine offerte au vent et les bras tendus comme des funambules sur un fil imaginaire. Convaincus de vivre une grande aventure, ils se persuadent qu'ils risquent leur vie au-dessus du plus profond précipice du monde. Mes neveux faisaient cela. Je n'ai plus l'âge. Peu importe. Je suis d'ailleurs moi aussi au bord du plus vertigineux des précipices au fond duquel ma vie va s'écraser.

Avec le recul, je dois admettre que, dès le départ, mon histoire avec Hugues a été compliquée. Pourtant, au début, la promesse était belle. Nous avons vécu les premières pages d'un conte de fées : la rencontre, l'étincelle, les deux êtres qui sautillent au milieu des fleurs et chantent en se tenant par la main comme des niais devant des lapins qui reprennent le refrain en chœur. C'était avant que l'on s'aventure dans la sombre forêt…

Au début, il était gentil, on riait. Il y avait de la passion, beaucoup d'envies, une complicité aussi.

J'avais droit aux fleurs, aux regards de braise, à son impatience de me retrouver… Quand il m'embrassait, il ne pensait qu'à moi. Dieu que j'aimais ça.

On s'organisait plein de petits week-ends, au ski, à la mer, à l'étranger, parfois avec des copains – toujours les siens. Peu m'importait le décor, j'avais juste envie de passer du temps avec lui. Que ce soit à demi nus autour d'un feu sur la plage ou déguisés en pingouins lors d'un concert de musique contemporaine, je me sentais à ma place tant qu'il était là, près de moi. J'aimais l'attendre lorsqu'il rentrait tard, j'aimais aussi ranger ses vêtements et lui cuisiner ses plats préférés. Je n'étais pas soumise pour autant. J'aimais simplement accomplir pour lui. À coups de jours, de semaines, de mois, le temps est passé. On a vu tous nos amis se marier. On a dansé, on a ri, on a applaudi, mais nous n'avons pas fait pareil. On a fini par oublier qu'il y avait des heures dans les jours et des mois dans les années. Nous fonctionnions comme un diesel, sans beaucoup d'accélérations ni de coups de frein. Seul le kilométrage augmentait. Le temps filait et rien ne semblait changer. On nous surnommait les éternels fiancés. Tu parles ! Je crevais d'envie d'être officiellement unie à lui, mais Hugues trouvait toujours un bon motif pour différer, pour attendre, pour ne pas avancer. Une nouvelle situation professionnelle à laquelle il fallait « se donner corps et âme », l'argent qu'allait coûter la cérémonie, le côté inutile de ce genre de formalité « pour des gens qui s'aiment autant que nous ». Ben voyons. On tournait en rond. Mon ventre restait désespérément plat, pas le sien. Les autres ont eu des bébés, et nous on vivait encore comme des étudiants. Rien n'évoluait et, au fond, je crois que c'était ça le pire. Aucun projet, une vision de la vie limitée au week-end d'après. Chaque fois que je parlais d'avenir – un vague concept – ou d'engagement – un gros mot –, il trouvait une excellente raison pour écourter la discussion. Au final, on ne se parlait plus que du quotidien : les courses, les clefs, les yaourts aux fruits, les films, ce qui reste dans le congélateur, la voiture à réparer. Tout sauf l'essentiel de ce qui fait une vie.

Et puis Tanya est apparue comme un succube échappé d'une dimension parallèle. Je n'ai rien vu venir. C'est Émilie qui m'a mis la puce à l'oreille. Un soir, après un dîner entre potes, elle m'a glissé : « Moi, si mon mec éclatait de rire comme ça avec une autre, je me méfierais. » C'est ce que j'ai fait, mais trop tard. Le crime était déjà perpétré, et avec de nombreuses récidives, souvent le mardi soir. Quelle gourde j'ai été… Une bonne poire roulée dans la farine. C'est une nouvelle recette, mais elle est un peu lourde à digérer.

Quand j'en ai parlé à Hugues, il m'a assuré que je me faisais des idées. Il m'a prise dans ses bras, il m'a parlé de nous. Il a osé me regarder dans les yeux pour me mentir. Quand j'y pense… Et là, devinez quoi ? La crétine que je suis a tout gobé ! Je crois plutôt que j'ai désespérément voulu le croire. Nous les femmes, on a toujours tendance à faire passer les sentiments avant les faits. Les hommes le savent parfaitement et en jouent. Ils disent que cela fait notre force ; en l'occurrence, ce fut ma faiblesse. On a encore tenu quelques mois ainsi, l'un à côté de l'autre mais déjà plus ensemble.

Tous les soirs, en revenant du travail, j'avais la boule au ventre et les larmes aux yeux. Quand je suis tombée par hasard sur un texto de Tanya que je n'aurais jamais dû voir, j'ai instantanément été malade. Écœurée, trahie et meurtrie. Le tout en moins de cent dix caractères. Trois secondes pour le lire, une vie pour s'en remettre. Plus qu'une preuve, c'était un affront. Je n'ai même pas osé en parler à Émilie, encore moins à ma mère ou à ma sœur. Ces quelques mots indécents m'ont fait l'effet d'un coup de revolver en pleine poitrine. La balle est entrée mais n'est pas ressortie. Et à chaque mouvement que je faisais, elle progressait entre mes organes pour s'approcher du cœur. Elle a fini par le toucher lundi dernier.

En rentrant à l'appart après ma journée, j'ai tout de suite voulu crever l'abcès et régler le problème avec Hugues. Je n'avais plus la force de faire semblant. Je lui ai avoué que je savais, je lui ai expliqué que je souffrais, que j'étais prête à pardonner mais que je souhaitais qu'il clarifie la situation pour que nous puissions prendre un nouveau départ. Je lui ai sorti un truc définitif du genre : « L'amour n'est possible qu'au prix de la vérité. » Bonjour les dialogues ! Une vraie tragédie shakespearienne, mais dans un F3 sans balcon. Le fait d'être pris en flagrant délit n'a même pas eu l'air de le déstabiliser. Il s'est tranquillement laissé tomber dans le canapé. Il a renversé la tête en arrière en soupirant. J'étais debout dans le coin cuisine, tremblante de la tête aux pieds, suspendue à ses lèvres. Il a pris son temps pour me répondre.

— Écoute, Marie, c'est une bonne chose que tu soulèves le problème. Je crois qu'on est arrivés au bout de notre chemin. Je ne veux plus continuer comme ça. Je n'aime pas l'existence que je mène. Toi et moi, ça ne colle plus. Il vaut mieux nous arrêter là. Mais soyons positifs, ce n'est pas si grave. C'est la vie ! Essayons de réagir comme des adultes.

Pire qu'un coup de poing en pleine figure. Et avant que j'aie eu le temps de reprendre mon souffle, il a ajouté :

— Je ne te mets pas le couteau sous la gorge, mais j'aimerais bien que tu sois partie d'ici une petite semaine. Puisque tu parles de Tanya, j'ai des projets avec elle. C'est mon appartement, après tout…

« Il n'aime pas l'existence qu'il mène. » C'est pourtant lui qui décide de tout, sans jamais me demander mon avis et en me coupant de mes proches depuis des années. Pour le nouveau départ, je suis servie, il est immédiat mais sans moi. « Les personnes accompagnant des voyageurs sont priées de descendre du train. Départ imminent, attention à la fermeture des portes. » Je n'ai plus de ticket.

Vous savez ce que j'ai ressenti ? Pour vous, j'espère sincèrement que non. Je ne souhaite à personne d'éprouver cette fracture du cœur. On parle souvent de séisme ou de cataclysme, mais là, c'était carrément le Big Bang. Chaque molécule de mon être s'est retrouvée pulvérisée aux quatre coins de l'univers. Mon cœur est un trou noir et d'autres parties de mon corps peuvent faire de belles planètes.

À partir de là, Hugues ne s'est plus adressé à moi que comme à une réfugiée qui ne connaîtrait pas la langue du pays d'accueil, le tout agrémenté de sourires aussi creux qu'hypocrites et de phrases pleines de grands principes pour se donner bonne conscience. « C'est la faute à pas de chance », « On a eu de beaux moments, essayons de tourner la page sans l'arracher », « Dans quelques années, nous en rigolerons ensemble »… Non mais il se fout de qui ? Il m'a aussi sorti : « Faisons preuve de maturité. » Comment peut-il se permettre, lui qui n'a d'adulte que l'apparence ! Quel salaud… Toutes ces années à promettre, à me demander d'attendre, à me faire croire que le minimum dont bénéficiaient toutes les autres était pour moi un luxe inaccessible. Il a eu de la chance, j'étais trop abattue pour avoir envie de le tuer. Mais ça va mieux : je commence à y songer…

Chaque fois qu'il me parlait, chaque fois que je le voyais, je subissais une attaque de plus contre mon camp déjà vaincu et piétiné. Ses mots comme des obus, ses regards comme des lance-flammes cachés dans des fleurs, et ses gestes comme des mines sournoises pouvant me faucher n'importe où… Je suis détruite. Un champ de ruines trop bombardé. Plus une seule pierre debout, plus un trou de souris où les lambeaux de mon âme pourraient trouver refuge. Peu à peu, je suis devenue la proie de deux sentiments qui, comme des vautours, se disputent mon cadavre : la douleur et la colère.

Notre « explication » a eu lieu voilà trois jours. Depuis, je suis comme une centrale nucléaire qui échappe à tout contrôle. Les voyants du tableau de sécurité clignotent rouge vif, la pression monte, les aiguilles s'affolent dans les zones hachurées des cadrans, les ingénieurs courent dans tous les sens, mais impossible de faire redescendre la température du réacteur. Il faut évacuer la région, ça va péter grave.

Il me reste quatre jours pour faire mes cartons et quitter ce qui fut notre domicile. En faisant le compte, je n'ai pas grand-chose. Si ! Il y a le canapé. Quand j'y pense, ce fumier était confortablement assis sur

MON canapé pour m'annoncer qu'il tirait un trait sur notre histoire et me virait ! Une véritable métaphore de notre relation : j'ai payé ce meuble avec mon premier salaire, et c'est quand même lui qui l'a choisi ! Synthèse parfaite : je lui ai offert toutes mes premières fois et il s'est assis dessus.

En attendant, je ne sais pas où aller. Je n'ai pas le courage de retourner chez maman. Elle va me répéter toutes les deux minutes qu'elle m'avait prévenue et qu'elle lui trouvait un air louche. Je n'ai pas besoin de ça. Quand je pense à sa propre histoire avec mon géniteur, je ne vois pas quelle leçon elle pourrait me donner. Quant à ma sœur, elle a déjà assez à faire avec sa petite famille, et je ne m'imagine pas débarquer dans ses jambes avec mes cinquante boîtes de mouchoirs pour pleurer. Plus que quatre jours pour éviter l'hôtel et le garde-meuble. Quel monstre ! Émilie m'a déjà proposé de camper chez elle, mais ça ne pourra pas durer longtemps. Je refuse d'errer d'adresse en adresse, comme une naufragée, seule, témoin des bonheurs et des espoirs de chacun alors que je n'ai plus ni l'un ni l'autre.

Les réverbères de la berge opposée se reflètent sur les flots réguliers du canal. Il fut un temps où je trouvais ce genre d'image jolie. Ce soir, je n'en ai plus rien à faire. Je suis anéantie. J'ai toujours été gentille, j'ai toujours attendu mon tour, on m'a élevée avec l'idée de ne jamais faire de vagues. Il fallait penser aux autres plus qu'à soi. Pour quel résultat ? Je me suis souvent fait avoir. Hugues s'est bien payé ma tête. J'ai gâché des années qui ne reviendront pas. Et je me retrouve là, ce soir, envahie par un sentiment de solitude que je ne croyais possible que dans des films d'auteur suédois.

Je lève la tête pour apercevoir les étoiles. Présenté ainsi, le mouvement pourrait paraître poétique mais en fait, je pense que si j'incline mon visage en arrière, c'est surtout pour ne pas que les larmes coulent trop vite. J'en suis remplie et si je me penche en avant, même un peu, elles vont se déverser comme une cascade et faire déborder le canal. Alors je regarde les astres, dont je me fiche éperdument.

Et c'est alors que je reçois un second message que la vie m'envoie : il n'est jamais bon de mépriser les astres. Tandis que j'ai les yeux levés vers le ciel nocturne, je ne sais pas comment je m'y prends mais je m'emmêle les pinceaux. Je perds l'équilibre ! Je vous avais bien dit que j'étais au bord du gouffre : eh bien ça y est, c'est le grand saut, l'ultime déripette. Et mon vol plané s'achève dans un gros plouf pendant que je pousse un cri ridicule ! Toute ma chienne de vie résumée en deux bruits. Comme une quiche, je viens de tomber dans le canal. Je dédie ce pathétique gadin à toutes celles qui ont été larguées, bafouées, trahies, et qui comme moi n'y croient plus.

Fin janvier, je ne pouvais pas m'attendre à trouver l'eau tiède, et cela se confirme vite : elle est glacée. Deux degrés de moins et il y aurait eu en plus de la glace à la surface. Je me serais pété les dents en prime ! Je hoquette. Je bois la tasse. On dirait un peu le potage de mémé Valentine. D'habitude, je nage plutôt bien mais là, avec le manteau qui m'entrave et l'effet de surprise, je me débrouille comme un lévrier afghan dans les grandes marées. Dans la panique, j'ai lâché mon sac. Quelle abrutie ! Soudain, j'entends un deuxième plouf. Quelle horreur ! Malgré moi, j'ai déclenché une vague de suicides collectifs sans précédent. Une autre femme trahie ? Mais dans quel monde vivons-nous ? À ce rythme, le canal va vite être rempli de malheureuses à qui la vie a joué de sales tours. Mais non, suis-je bête ! C'est certainement le jeune homme qui, pour impressionner sa petite amie, a sauté pour me porter secours. Génial ! On est quand même une chouette espèce ! Ce genre d'élan me bouleverse, c'est trop beau. En attendant, mon manteau gorgé d'eau pèse deux tonnes et j'ai du mal à bouger les bras. Je me tourne pour accueillir mon sauveur… Mais quoi ? Je ne comprends pas : je le vois sur la berge, avec sa copine. Je crois qu'ils rigolent. Espèce pourrie ! Alors, c'était quoi ce bruit d'éclaboussures ? Un mec qui profite de la nuit pour se débarrasser de sa vieille machine à laver ? Des mafieux qui balancent un cadavre ? Une météorite ? Je cherche à voir, mais je ne distingue rien. Ça y est, je sais : c'est mon ami imaginaire qui a sauté avec moi dans un touchant témoignage de solidarité ! Mais étant imaginaire, il ne devrait pas faire plouf… Je débloque vraiment.

Tout à coup, entre deux brasses désordonnées, j'aperçois un autre nageur dans l'eau. Mais pourquoi regagne-t-il déjà la berge alors qu'il ne m'a pas sauvée ? Et qu'est-ce qu'il tient dans ses mains ? Bon sang, c'est le clodo qui se tire avec mon sac ! Une puissance inconnue surgit des tréfonds de mon âme damnée. Je deviens instantanément folle de rage. Je suffoque, je crache, mais je me mets à nager comme une championne olympique. Ma fureur me propulse. Un vrai hors-bord. J'en ai plus qu'assez des mecs ! Quel que soit votre état, ils s'arrangent toujours pour en tirer profit sans aucun scrupule. Vous êtes mignonne : ils vous draguent. Vous êtes à demi noyée : ils vous pillent ! Comme dans le cochon, tout est bon !

Le SDF est remonté sur le quai. Je ne suis pas loin derrière. Je m'accroche aux pierres et me hisse sur le ventre comme un phoque. J'ai perdu une chaussure. Il est en train de fuir, mais je ne lui laisse pas le temps de me distancer. Même en claudiquant, je le rattrape. Je l'empoigne par son blouson et, en poussant un cri de bête, je le projette au sol avec une violence dont je ne me serais jamais crue capable.

— Rendez-moi mon sac tout de suite ! Vous n'avez pas honte ?

— Mais vous vouliez mourir ! Qu'est-ce que vous en avez encore à foutre de votre sac ?

Je suis sciée.

— Qu'est-ce qui vous fait croire que je voulais mourir ?

— Quand on tire une tête comme la vôtre et qu'on se balance dans le canal, c'est pas pour aller acheter des fraises !

— J'étais déprimée et j'ai glissé.

— Parle à mon cul, ma tête a des verrues !

Je crois qu'il vient de voir l'éclair meurtrier passer dans mon regard, parce qu'il se protège le visage avec ses mains. Mais ça n'est pas suffisant. On dit qu'il ne faut pas frapper un homme à terre mais ce soir, je n'ai plus rien à faire de ce qu'on dit. Je me penche sur lui et je lui colle une grande baffe, puis une autre, et encore une autre. C'est mal, mais ça fait du bien.

Il a depuis longtemps lâché mon sac. Mais s'il croit qu'il va s'en sortir aussi facilement… Je me mets à hurler de toutes mes forces :